R0117187034

PRENTICE HALL CIENCIA

EXPLORANDO EL PLANETA TIERRA

Anthea Maton
Ex coordinadora nacional de NSTA
Alcance, secuencia y coordinación del proyecto
Washington, DC

Jean Hopkins
Instructora de ciencias y jefa de departamento
John H. Wood Middle School
San Antonio, Texas

Susan Johnson
Profesora de biología
Ball State University
Muncie, Indiana

David LaHart
Instructor principal
Florida Solar Energy Center
Cape Canaveral, Florida

Charles William McLaughlin
Instructor de ciencias y jefe de departamento
Central High School
St. Joseph, Missouri

Maryanna Quon Warner
Instructora de ciencias
Del Dios Middle School
Escondido, California

Jill D. Wright
Profesora de educación científica
Directora de programas de área internacional
University of Pittsburgh
Pittsburgh, Pennsylvania

Prentice Hall
Englewood Cliffs, New Jersey
Needham, Massachusetts

Prentice Hall Science

Exploring Planet Earth

Student Text and Annotated Teacher's Edition
Laboratory Manual
Teacher's Resource Package
Teacher's Desk Reference
Computer Test Bank
Teaching Transparencies
Product Testing Activities
Computer Courseware
Video and Interactive Video

The illustration on the cover, rendered by Keith Kasnot, shows a research satellite in Earth's orbit.

Credits begin on page 184.

SECOND EDITION

ISBN 0-13-400599-6

1 2 3 4 5 6 7 8 9 10   97 96 95 94 93

Prentice Hall
A Division of Simon & Schuster
Englewood Cliffs, New Jersey 07632

STAFF CREDITS

Editorial:	Harry Bakalian, Pamela E. Hirschfeld, Maureen Grassi, Robert P. Letendre, Elisa Mui Eiger, Lorraine Smith-Phelan, Christine A. Caputo
Design:	AnnMarie Roselli, Carmela Pereira, Susan Walrath, Leslie Osher, Art Soares
Production:	Suse F. Bell, Joan McCulley, Elizabeth Torjussen, Christina Burghard
Photo Research:	Libby Forsyth, Emily Rose, Martha Conway
Publishing Technology:	Andrew Grey Bommarito, Deborah Jones, Monduane Harris, Michael Colucci, Gregory Myers, Cleasta Wilburn
Marketing:	Andrew Socha, Victoria Willows
Pre-Press Production:	Laura Sanderson, Kathryn Dix, Denise Herckenrath
Manufacturing:	Rhett Conklin, Gertrude Szyferblatt

Consultants

Kathy French	National Science Consultant
Jeannie Dennard	National Science Consultant

R0117187034

Prentice Hall Ciencia

Explorando el planeta Tierra

Student Text and Annotated Teacher's Edition
Laboratory Manual
Teacher's Resource Package
Teacher's Desk Reference
Computer Test Bank
Teaching Transparencies
Product Testing Activities
Computer Courseware
Video and Interactive Video

La ilustración de la cubierta, realizada por Keith Kasnot, representa algunos de los instrumentos usados en la exploración del mundo natural.

Procedencia de fotos e ilustraciones, página 184.

SEGUNDA EDICIÓN

ISBN 0-13-801952-5

1 2 3 4 5 6 7 8 9 10   97 96 95 94 93

 Prentice Hall
A Division of Simon & Schuster
Englewood Cliffs, New Jersey 07632

PERSONAL

Editorial:	Harry Bakalian, Pamela E. Hirschfeld, Maureen Grassi, Robert P. Letendre, Elisa Mui Eiger, Lorraine Smith-Phelan, Christine A. Caputo
Diseño:	AnnMarie Roselli, Carmela Pereira, Susan Walrath, Leslie Osher, Art Soares
Producción:	Suse F. Bell, Joan McCulley, Elizabeth Torjussen, Christina Burghard
Fotoarchivo:	Libby Forsyth, Emily Rose, Martha Conway
Tecnología editorial:	Andrew G. Black, Deborah Jones, Monduane Harris Michael Colucci, Gregory Myers, Cleasta Wilburn
Mercado:	Andrew Socha, Victoria Willows
Producción pre-imprenta:	Laura Sanderson, Kathryn Dix, Denise Herckenrath
Manufactura:	Rhett Conklin, Gertrude Szyferblatt

Asesoras

Kathy French	National Science Consultant
Jeannie Dennard	National Science Consultant

Autores contribuyentes

Linda Densman
Instructora de ciencias
Hurst, TX

Linda Grant
Ex–instructora de ciencias
Weatherford, TX

Heather Hirschfeld
Escritora de ciencias
Durham, NC

Marcia Mungenast
Escritora de ciencias
Upper Montclair, NJ

Michael Ross
Escritor de ciencias
New York City, NY

Revisores de contenido

Dan Anthony
Consejero de ciencias
Rialto, CA

John Barrow
Instructor de ciencias
Pomona, CA

Leslie Bettencourt
Instructora de ciencias
Harrisville, RI

Carol Bishop
Instructora de ciencias
Palm Desert, CA

Dan Bohan
Instructor de ciencias
Palm Desert, CA

Steve M. Carlson
Instructor de ciencias
Milwaukie, OR

Larry Flammer
Instructor de ciencias
San Jose, CA

Steve Ferguson
Instructor de ciencias
Lee's Summit, MO

Robin Lee Harris Freedman
Instructora de ciencias
Fort Bragg, CA

Edith H. Gladden
Ex-instructora de ciencias
Philadelphia, PA

Vernita Marie Graves
Instructora de ciencias
Tenafly, NJ

Jack Grube
Instructor de ciencias
San Jose, CA

Emiel Hamberlin
Instructor de ciencias
Chicago, IL

Dwight Kertzman
Instructor de ciencias
Tulsa, OK

Judy Kirschbaum
Instructora de ciencias y computadoras
Tenafly, NJ

Kenneth L. Krause
Instructor de ciencias
Milwaukie, OR

Ernest W. Kuehl, Jr.
Instructor de ciencias
Bayside, NY

Mary Grace Lopez
Instructora de ciencias
Corpus Christi, TX

Warren Maggard
Instructor de ciencias
PeWee Valley, KY

Della M. McCaughan
Instructora de ciencias
Biloxi, MS

Stanley J. Mulak
Ex–instructor de ciencias
Jensen Beach, FL

Richard Myers
Instructor de ciencias
Portland, OR

Carol Nathanson
Consejera de ciencias
Riverside, CA

Sylvia Neivert
Ex–instructora de ciencias
San Diego, CA

Jarvis VNC Pahl
Instructor de ciencias
Rialto, CA

Arlene Sackman
Instructora de ciencias
Tulare, CA

Christine Schumacher
Instructora de ciencias
Pikesville, MD

Suzanne Steinke
Instructora de ciencias
Towson, MD

Len Svinth
Jefe de Instructores de ciencias
Petaluma, CA

Elaine M. Tadros
Instructora de ciencias
Palm Desert, CA

Joyce K. Walsh
Instructora de ciencias
Midlothian, VA

Steve Weinberg
Instructor de ciencias
West Hartford, CT

Charlene West, PhD
Directora de Curriculum
Rialto, CA

John Westwater
Instructor de ciencias
Medford, MA

Glenna Wilkoff
Instructora de ciencias
Chesterfield, OH

Edee Norman Wiziecki
Instructora de ciencias
Urbana, IL

Panel asesor de profesores

Beverly Brown
Instructora de ciencias
Livonia, MI

James Burg
Instructor de ciencias
Cincinnati, OH

Karen M. Cannon
Instructora de ciencias
San Diego, CA

John Eby
Instructor de ciencias
Richmond, CA

Elsie M. Jones
Instructora de ciencias
Marietta, GA

Michael Pierre McKereghan
Instructor de ciencias
Denver, CO

Donald C. Pace, Sr.
Instructor de ciencias
Reisterstown, MD

Carlos Francisco Sainz
Instructor de ciencias
National City, CA

William Reed
Instructor de ciencias
Indianapolis, IN

Asesor multicultural

Steven J. Rakow
Professor asociado
University of Houston– Clear Lake
Houston, TX

Asesores de Inglés como segunda lengua (ESL)

Jaime Morales
Coordinador Bilingüe
Huntington Park, CA

Pat Hollis Smith
Ex-instructora de inglés
Beaumont, TX

Asesor de lectura

Larry Swinburne
Director
Swinburne Readability Laboratory

Revisores del texto en español

Teresa Casal
Instructora de ciencias
Miami, FL

Victoria Delgado
Directora de programas bilingües/multiculturales
New York, NY

Delia García Menocal
Instructora bilingüe
Englewood, NJ

Consuelo Hidalgo Mondragón
Instructora de ciencias
México, D.F.

Elena Maldonado
Instructora de ciencias
Río Piedras, Puerto Ríco

Estefana Martínez
Instructora de ciencias
San Antonio, TX

Euclid Mejía
Director del departamento de ciencias y matemáticas
New York, NY

Alberto Ramírez
Instructor bilingüe
La Quinta, CA

CONTENTS

EXPLORING PLANET EARTH

CONTENIDO

EXPLORANDO EL PLANETA TIERRA

SCIENCE GAZETTE

Activity Bank/Reference Section

Features

GACETA DE CIENCIAS

Pozo de Actividades/Sección de referencia

Artículos

CONCEPT MAPPING

Throughout your study of science, you will learn a variety of terms, facts, figures, and concepts. Each new topic you encounter will provide its own collection of words and ideas—which, at times, you may think seem endless. But each of the ideas within a particular topic is related in some way to the others. No concept in science is isolated. Thus it will help you to understand the topic if you see the whole picture; that is, the interconnectedness of all the individual terms and ideas. This is a much more effective and satisfying way of learning than memorizing separate facts.

Actually, this should be a rather familiar process for you. Although you may not think about it in this way, you analyze many of the elements in your daily life by looking for relationships or connections. For example, when you look at a collection of flowers, you may divide them into groups: roses, carnations, and daisies. You may then associate colors with these flowers: red, pink, and white. The general topic is flowers. The subtopic is types of flowers. And the colors are specific terms that describe flowers. A topic makes more sense and is more easily understood if you understand how it is broken down into individual ideas and how these ideas are related to one another and to the entire topic.

It is often helpful to organize information visually so that you can see how it all fits together. One technique for describing related ideas is called a **concept map**. In a concept map, an idea is represented by a word or phrase enclosed in a box. There are several ideas in any concept map. A connection between two ideas is made with a line. A word or two that describes the connection is written on or near the line. The general topic is located at the top of the map. That topic is then broken down into subtopics, or more specific ideas, by branching lines. The most specific topics are located at the bottom of the map.

To construct a concept map, first identify the important ideas or key terms in the chapter or section. Do not try to include too much information. Use your judgment as to what is really important. Write the general topic at the top of your map. Let's use an example to help illustrate this process. Suppose you decide that the key terms in a section you are reading are School, Living Things, Language Arts, Subtraction, Grammar, Mathematics, Experiments, Papers, Science, Addition, Novels. The general topic is School. Write and enclose this word in a box at the top of your map.

SCHOOL

Now choose the subtopics—Language Arts, Science, Mathematics. Figure out how they are related to the topic. Add these words to your map. Continue this procedure until you have included all the important ideas and terms. Then use lines to make the appropriate connections between ideas and terms. Don't forget to write a word or two on or near the connecting line to describe the nature of the connection.

Do not be concerned if you have to redraw your map (perhaps several times!) before you show all the important connections clearly. If, for example, you write papers for Science as well as for Language Arts, you may want to place these two subjects next to each other so that the lines do not overlap.

One more thing you should know about concept mapping: Concepts can be correctly mapped in many different ways. In fact, it is unlikely that any two people will draw identical concept maps for a complex topic. Thus there is no one correct concept map for any topic! Even

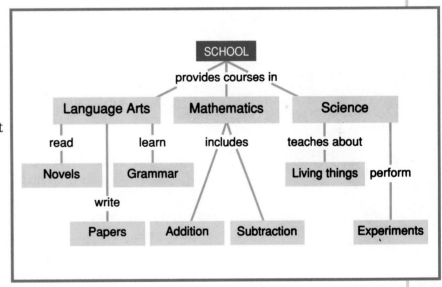

though your concept map may not match those of your classmates, it will be correct as long as it shows the most important concepts and the clear relationships among them. Your concept map will also be correct if it has meaning to you and if it helps you understand the material you are reading. A concept map should be so clear that if some of the terms are erased, the missing terms could easily be filled in by following the logic of the concept map.

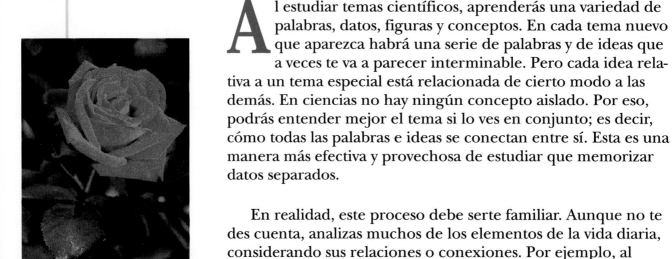

Al estudiar temas científicos, aprenderás una variedad de palabras, datos, figuras y conceptos. En cada tema nuevo que aparezca habrá una serie de palabras y de ideas que a veces te va a parecer interminable. Pero cada idea relativa a un tema especial está relacionada de cierto modo a las demás. En ciencias no hay ningún concepto aislado. Por eso, podrás entender mejor el tema si lo ves en conjunto; es decir, cómo todas las palabras e ideas se conectan entre sí. Esta es una manera más efectiva y provechosa de estudiar que memorizar datos separados.

En realidad, este proceso debe serte familiar. Aunque no te des cuenta, analizas muchos de los elementos de la vida diaria, considerando sus relaciones o conexiones. Por ejemplo, al mirar un ramo de flores, lo puedes dividir en grupos: rosas, claveles y margaritas. Después, asocias colores con las flores: rojo, rosado y blanco. Las flores serían el tema general. El subtema, tipos de flores. Un tema tiene más sentido y se puede entender mejor si comprendes cómo se divide en ideas y cómo las ideas se relacionan entre sí y con el tema en su totalidad.

A menudo, es útil organizar la información visualmente para poder ver la correspondencia entre las cosas. Una de las técnicas usadas para organizar ideas relacionadas es el **mapa de conceptos**. En un mapa de conceptos, una palabra o frase recuadrada representa una idea. La conexión entre dos ideas se describe con una línea donde se escriben una o dos palabras que explican la conexión. El tema general aparece arriba de todo. El tema se divide en subtemas, o ideas más específicas, por medio de líneas. Los temas más específicos aparecen en la parte de abajo.

Para hacer un mapa de conceptos, considera primero las ideas o palabras claves más importantes de un capítulo o sección. No trates de incluir mucha información. Usa tu juicio para decidir qué es lo realmente importante. Escribe el tema general arriba de tu mapa. Un ejemplo servirá para ilustrar el proceso. Decides que las palabras claves de una sección son Escuela, Seres vivos, Artes del lenguaje, Resta, Gramática, Matemáticas, Experimentos, Informes, Ciencia, Suma, Novelas. El tema general es Escuela. Escribe esta palabra en un recuadro arriba de todo.

ESCUELA

Ahora, elige los subtemas: Artes del lenguaje, Ciencia, Matemáticas. Piensa cómo se relacionan con el tema. Agrega estas palabras al mapa. Continúa así hasta que todas las ideas y las palabras importantes estén incluídas. Luego, usa líneas para marcar las conexiones apropiadas. No dejes de escribir en la línea de conexión una o dos palabras que expliquen la naturaleza de la conexión.

No te preocupes si debes rehacer tu mapa (tal vez muchas veces), antes de que se vean bien todas las conexiones importantes. Si, por ejemplo, escribes informes para Ciencia y para Artes del lenguaje, te puede convenir colocar estos dos temas uno al lado del otro para que las líneas no se superpongan.

Algo más que debes saber sobre los mapas de conceptos: pueden construirse de diversas maneras. Es decir, dos personas pueden hacer un mapa diferente de un mismo tema. ¡No existe un único mapa de conceptos! Aunque tu mapa no sea igual al de tus compañeros, va a estar bien si muestra claramente los conceptos más importantes y las relaciones que existen entre ellos. Tu mapa también estará bien si tú le encuentras sentido y te ayuda a entender lo que estás leyendo. Un mapa de conceptos debe ser tan claro que, aunque se borraran algunas palabras se pudieran volver a escribir fácilmente siguiendo la lógica del mapa.

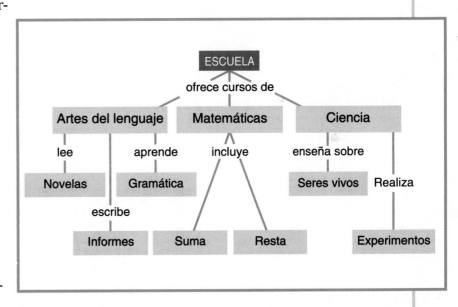

EXPLORING PLANET
EARTH

As the *Voyager* spacecraft began its epic journey among the planets of the solar system, it sent back a portrait of the Earth and its moon. During its 13-year voyage, the sturdy spacecraft was to send back thousands of stunning images of the outer planets and their moons before disappearing into the depths of space. But of all the planets and moons on *Voyager*'s travels, Planet Earth is unique.

 From the moon, Earth appears as a watery blue planet with swirls of white clouds.

This photograph of clouds near the top of the Matterhorn in Switzerland illustrates two features of Earth—landmasses and an atmosphere. Of all the planets, only Earth contains liquid water.

Of all the planets in our solar system, only Earth has oceans and rivers of liquid water on its surface. And only Earth is surrounded by a blanket of breathable air. In the pages that follow, you will learn about the Earth's oceans, its freshwater lakes and rivers, and the atmosphere that surrounds it. You will also learn about Earth's landmasses—its mountains, plains, and plateaus. And you will take a journey to the center of the Earth to study its interior.

Voyager has given us a valuable glimpse of the worlds that make up the sun's family. In this textbook, you will explore the world that interests us most—our home, Planet Earth.

Raging Iguassu Falls in Brazil demonstrates how Earth's surface is changed by moving water. ▶

Discovery *Activity*

Neighborhood Mapping

Use a large sheet of plain, white paper and colored pencils to draw a map of your neighborhood. Show the location of houses, schools, libraries, streets, and other local features, as well as any natural features such as bodies of water. Include a scale and a key to indicate direction on your neighborhood map.

■ Trade maps with a classmate. Can you find your way around using your classmate's map? Can your classmate use your map to find a specific location in your neighborhood?

■ What features make a map useful?

EXPLORANDO EL PLANETA
TIERRA

Cuando la nave espacial *Voyager* inició su épico viaje hacia los planetas del sistema solar, envió una fotografía de la Tierra y su luna. Durante sus 13 años de viaje, esta nave enviaría miles de imágenes asombrosas de los planetas lejanos y de sus lunas antes de desaparecer en el espacio. Pero entre todos los planetas y las lunas de los viajes del *Voyager*, el planeta Tierra es único.

 Desde la luna, la Tierra se ve como un planeta azul cubierto de agua y nubes blancas.

Esta fotografía de las nubes cerca de la cumbre del Matterhorn, en Suiza, ilustra dos características de la Tierra—masas de tierra y una atmósfera. De todos los planetas, sólo la Tierra contiene agua.

De todos los planetas en nuestro sistema solar, sólo la Tierra tiene océanos y ríos de agua líquida en la superficie. Sólo la Tierra está rodeada por una cubierta de aire respirable. En las páginas que siguen, aprenderás sobre los océanos de la Tierra, sus lagos y ríos de agua dulce y la atmósfera que la rodea. También aprenderás sobre las masas continentales, las montañas, las llanuras y las mesetas. Y harás un viaje al centro de la Tierra para estudiar su interior.

El *Voyager* nos ha dado una visión muy útil de los mundos que forman la familia solar. En este libro explorarás el mundo que más nos interesa, nuestro hogar, el planeta Tierra.

Las enormes cataratas del Iguazú en el Brasil demuestran cómo el agua en movimiento modifica la superficie de la Tierra.

Para averiguar *Actividad*

Mapa del vecindario

En una hoja grande de papel blanco, dibuja con lápices de colores un mapa de tu vecindario. Indica la ubicación de las casas, las escuelas, las bibliotecas, las calles y otras características, así como rasgos naturales, como las masas de agua. Incluye una escala y una referencia para indicar la dirección.

■ Cambia tu mapa con el de un compañero. ¿Puedes encontrar tu camino con su mapa? ¿Puede tu compañero usar tu mapa para encontrar un lugar específico en tu vecindario?

■ ¿Qué características hacen que un mapa sea útil?

Earth's Atmosphere

Guide for Reading

After you read the following sections, you will be able to

1–1 A View of Planet Earth: Spheres Within a Sphere
- ■ Describe some of the major features of the Earth.

1–2 Development of the Atmosphere
- ■ Identify the gases found in Earth's atmosphere.
- ■ Describe the Earth's early atmosphere and the processes that changed it over time.
- ■ Explain the nitrogen, and the carbon dioxide and oxygen cycles.

1–3 Layers of the Atmosphere
- ■ Compare the various layers of the atmosphere.

1–4 The Magnetosphere
- ■ Describe the features of the magnetosphere.

People have walked on the surface of the moon. Machines have landed upon and scratched at the surface of Mars. Rockets have carried satellites on photographic missions into the darkness of space beyond the farthest reaches of our solar system. These voyages of exploration represent great leaps that took the minds—and sometimes even the bodies—of humans far from the comforts of their Earthly home.

Yet people forget that Earth too is a wondrous planet on a fantastic voyage. In just one year's time, Earth will make a complete trip around the sun—taking you, your family and friends, and the remainder of humanity on a fabulous journey. In many ways, Earth is like a giant spacecraft transporting a special cargo of life.

Why is Earth the only planet in our solar system uniquely able to support life? In this chapter you will learn about the Earth's atmosphere—the special envelope of air that surrounds our planet home as it journeys through space. The atmosphere is one reason there is life on Earth.

Journal *Activity*

You and Your World Have you ever thought about being an astronaut? What kind of training do you think you would need to become an astronaut? In what ways do you think life in space would be different from life on Earth? Draw a picture in your journal of what you think it would be like to float in space and describe some of the conditions you would expect to encounter.

Towering clouds are a familiar sight in the Earth's atmosphere.

La atmósfera terrestre

Guía para la lectura

Después de leer las siguientes secciones, podrás

1–1 Panorama del planeta Tierra esferas dentro de una esfera

■ Describir algunas de las características principales de la Tierra.

1–2 Desarrollo de la atmósfera

■ Identificar los gases que se encuentran en la atmósfera terrestre.

■ Describir la atmósfera terrestre de los primeros tiempos y los procesos que la modificaron a lo largo del tiempo.

■ Explicar los ciclos del nitrógeno, del dióxido de carbono y del oxígeno.

1–3 Capas de la atmósfera

■ Comparar las distintas capas de la atmósfera.

1–4 La magnetosfera

■ Describir las características de la magnetosfera.

Los seres humanos han pisado la superficie de la luna. Aparatos han descendido sobre Marte y arañado su superficie. Satélites han sido lanzados en misiones fotográficas hacia las profundidades del espacio, más allá de los puntos más lejanos de nuestro sistema solar. Estos viajes de exploración han permitido que la mente, y a veces incluso el cuerpo de los seres humanos llegue muy lejos de la comodidad de su hogar terrestre.

La Tierra también es un planeta maravilloso en un viaje fantástico. En apenas un año, dará una vuelta completa alrededor del sol, llevándose consigo a ti, a tu familia, a tus amigos, y al resto de la humanidad, en un viaje fabuloso. La Tierra es en cierto sentido como una gigantesca nave espacial que transporta una carga especial de vida.

¿Por qué la Tierra es el único planeta de nuestro sistema solar capaz de sustentar vida? En este capítulo aprenderás acerca de la atmósfera, la cubierta especial de aire que rodea a nuestro planeta en su viaje por el espacio. La atmósfera es una de las razones por las cuales hay vida en la Tierra.

Diario *Actividad*

Tú y tu mundo ¿Has pensado alguna vez en ser astronauta? ¿Qué clase de formación profesional crees que necesitarías? ¿De qué manera crees que la vida en el espacio sería diferente de la vida en la Tierra? Haz un dibujo en tu diario de cómo crees que sería flotar en el espacio y describe algunas de las condiciones que esperarías encontrar.

Las nubes imponentes son un paisaje familiar de la atmósfera terrestre.

1–1 A View of Planet Earth: Spheres Within a Sphere

Have you ever seen a carved doll like the one in Figure 1–1? This doll holds some surprises within its painted wooden shell. When it is opened you can see that what appeared to be a single doll is actually a series of dolls, snugly nesting one within the other. These sets of dolls are made in Russia and are part of the folk heritage of the Russian people.

In some ways, the Earth is similar to this set of dolls. What appears to be a simple structure is, upon close examination, found to have many hidden layers of complexity. And along with this complexity comes a kind of awe-inspiring beauty.

Size of the Earth

Exactly how large is planet Earth? Its size can be described by two measurements: its diameter and its circumference. The diameter of the Earth (or the distance from the North Pole to the South Pole through the center) is about 12,740 kilometers. When compared with Jupiter, the largest planet in the solar system with a diameter of 142,700 kilometers, the Earth may not seem to be very large at all. But the Earth is the largest of the inner planets—Mercury, Venus, Earth, and Mars—in the solar system. The diameter of Mars, for example, is only about one-half the diameter of the Earth.

The circumference of the Earth, or the distance around the Earth, is about 40,075 kilometers at the **equator.** The equator is an imaginary line around Earth that divides Earth into two **hemispheres.** These hemispheres are called the Northern Hemisphere and the Southern Hemisphere. In which hemisphere do you live?

Features of the Earth: The Lithosphere, Hydrosphere, and Atmosphere

The word earth has many meanings. It can mean the ground you walk on or the soil in which plants grow. Most importantly, the word Earth can mean

Figure 1–1 *Dolls such as these are part of Russian folk heritage. In what way are these dolls similar to planet Earth?*

Guía para la lectura
*Piensa en esta
pregunta mientras lees.*

▶ *¿Cuáles son algunas
características de la Tierra?*

1–1 Panorama del planeta Tierra: esferas dentro de una esfera

¿Has visto alguna vez una muñequita como la de la figura 1–1? Ella guarda algunas sorpresas bajo su cubierta de madera pintada. Cuando la abres, puedes ver que lo que parece una sola muñeca es en realidad una serie de muñecas que encajan una dentro de la otra. Estos juegos de muñequitas se hacen en Rusia y son parte de la cultura popular del pueblo ruso.

La Tierra se asemeja un poco a esas muñequitas. Lo que parece ser una simple estructura tiene, cuando se examina cuidadosamente, varias capas ocultas de complejidad. Y junto con esa complejidad tiene una impresionante belleza.

Tamaño de la Tierra

¿Qué tamaño tiene exactamente la Tierra? Su tamaño puede describirse con dos medidas: el diámetro y la circunferencia. El diámetro (o la distancia desde el Polo Norte hasta el Polo Sur a través del centro) es de aproximadamente 12,740 kilómetros. Cuando se compara con Júpiter, el planeta más grande del sistema solar, con un diámetro de 142,700 kilómetros, la Tierra no parece demasiado grande. Pero es el más grande de los planetas interiores—Mercurio, Venus, Tierra y Marte—del sistema solar. Por ejemplo, el diámetro de Marte es sólo la mitad del de la Tierra.

La circunferencia, o la distancia alrededor de la Tierra, tiene 40,075 kilómetros en el **ecuador**. El ecuador es una línea imaginaria que divide la Tierra en dos **hemisferios**, el Hemisferio Norte y el Hemisferio Sur. ¿En qué hemisferio vives?

Elementos de la Tierra: la litosfera, la hidrosfera y la atmósfera

La palabra tierra tiene muchos significados. Puede significar el suelo sobre el que caminas o en el que crecen las plantas. Pero más importante, la palabra Tierra puede significar tu planeta. Cuando

Figura 1–1 *Estas muñequitas son parte del folklore ruso. ¿Por qué son similares a la Tierra?*

Figure 1–2 *In this shot of Earth from space you can see the atmosphere, land areas, and oceans. How much greater is the Earth's circumference than its diameter?*

your planet home. Looking at the Earth from space—actually a relatively new way to view the planet—you can appreciate its extraordinary beauty. You can also observe the three main features that make up your "home."

Photographs from space show that the Earth is a beautiful planet indeed. From space the Earth's land areas can be seen easily. The outlines of continents, in the past seen only as two-dimensional drawings on a map, become real when photographed by satellite cameras. From space, the oceans and other bodies of water that cover much of the Earth can clearly be identified. In fact, about 70 percent of the Earth's surface is covered by water. From space, the Earth's atmosphere can be observed, if only indirectly. The clouds in the photograph in Figure 1–2, floating freely above land and water, are part of the normally invisible atmosphere that surrounds the Earth.

The three main features of the Earth are the land, the water, and the air. The land areas of the Earth are part of a solid layer of the Earth known as the crust. Land areas include the seven continents and all other landmasses. Such land areas are clearly visible as part of the Earth's surface. But there is also land that is not visible—land that exists beneath the oceans and beneath the continents. You will learn more about this solid layer of the Earth in Chapter 4. Scientists call all the land on Earth the **lithosphere,** a word that means "rock-sphere." Why do you think this is an appropriate name?

The water on Earth makes up the **hydrosphere.** (The prefix *hydro-* means water.) The hydrosphere includes the Earth's oceans, rivers and streams, ponds and lakes, seas and bays, and other bodies of water. Some of the hydrosphere is frozen in the polar ice caps at the North and South poles, as well as in icebergs and glaciers.

You might be surprised to learn that about 97 percent of the hydrosphere is composed of salt water. The most common salt in salt water is sodium chloride, which you are more familiar with as table salt. You might think that the remaining 3 percent

FACTS ABOUT THE EARTH

Average distance from sun
About 150,000,000 kilometers

Diameter through equator
12,756.32 kilometers

Circumference around equator
40,075.16 kilometers

Surface area
Land area, about 148,300,000 square kilometers, or about 30 percent of total surface area; water area, about 361,800,000 square kilometers, or about 70 percent of total surface area

Rotation period
23 hours, 56 minutes, 4.09 seconds

Revolution period around sun
365 days, 6 hours, 9 minutes, 9.54 seconds

Temperature
Highest, 58°C at Al Aziziyah, Libya; lowest, -90°C at Vostok in Antarctica; average surface temperature, 14°C

Highest and lowest land features
Highest, Mount Everest, 8848 meters above sea level; lowest, shore of Dead Sea, 396 meters below sea level

Ocean depths
Deepest, Mariana Trench in Pacific Ocean southwest of Guam, 11,033 meters below surface; average ocean depth, 3795 meters

Figura 1–2 *En esta fotografía de la Tierra tomada desde el espacio puedes ver la atmósfera, las masas terrestres y los océanos. ¿Cuánto mayor que su diámetro es la circunferencia de la Tierra?*

miras la Tierra desde el espacio, una forma relativamente nueva de mirarla, puedes apreciar su extraordinaria belleza y observar también los tres elementos principales que constituyen tu "hogar."

Las fotografías tomadas desde el espacio muestran que la Tierra es un hermoso planeta. Desde el espacio es posible ver fácilmente las masas terrestres de la Tierra. El contorno de los continentes, que en el pasado se veía solamente como dibujo bidimensional en los mapas, se hace real cuando se fotografía desde satélites. Es posible identificar claramente los océanos y las otras masas de agua que cubren alrededor del 70% de la superficie de la Tierra. Desde el espacio, es posible observar la atmósfera de la Tierra, aunque sólo indirectamente. Las nubes en la fotografía de la figura 1–2, que flotan libremente sobre la tierra y el mar, son parte de la atmósfera normalmente invisible que rodea la Tierra.

Los tres elementos principales de la Tierra son la tierra, el agua y el aire. Las zonas terrestres son parte de una capa sólida llamada la corteza. Incluyen los siete continentes y todas las demás masas terrestres, y son claramente visibles como parte de la superficie de la Tierra. Pero hay también masas terrestres, que no son visibles, debajo de los océanos y de los continentes. Aprenderás más sobre esta capa sólida de la Tierra en el capítulo 4. Los científicos llaman a todo el suelo del planeta la **litosfera,** que significa "esfera de piedra." ¿Por qué piensas que este nombre es apropiado?

El agua de la Tierra forma la **hidrosfera.** (El prefijo *hidro* significa agua.) Incluye los océanos, los ríos y los arroyos, los estanques y los lagos, los mares y las bahías y otras masas de agua. Parte de la hidrosfera está congelada en los casquetes polares, y también en icebergs y glaciares.

Te sorprenderá saber que alrededor del 97% de la hidrosfera consiste en agua salada. La sal más común del agua es el cloruro de sodio, que conoces

DATOS ACERCA DE LA TIERRA

Distancia desde el sol
Aproximadamente 150,000,000 de kilómetros

Diámetro a través del ecuador
12,756.32 kilómetros

Circunferencia en el ecuador
40,075.16 kilómetros

Superficie
Superficie terrestre, aproximadamente 148,300,000 kilómetros cuadrados, o un 30% de la superficie total; superficie cubierta de agua, alrededor de 361,800,000 kilómetros cuadrados, o alrededor del 70% de la superficie total

Período de rotación
23 horas, 56 minutos, 4.09 segundos

Revolución alrededor del sol
365 días, 6 horas, 9 minutos, 9.54 segundos

Temperatura
Más alta, 58 °C en Al Aziziyah (Libia); más baja, -90 °C en Vostok (Antártida); temperatura media de la superficie, 14°C

Punto más alto y más bajo
Más alto, monte Everest, 8,848 metros sobre el nivel del mar; más bajo, costa del mar Muerto, 396 metros bajo el nivel del mar

Profundidades oceánicas
Punto más profundo, fosa de las Marianas en el océano Pacífico al suroeste de Guam, 11,033 metros bajo la superficie; profundidad media del océano, 3,795 metros

Figure 1–3 *These unusual rock formations in Canyonlands National Park, Utah, are part of the Earth's crust.*

of the hydrosphere is fresh water that can be used by humans for a variety of purposes. You would not be correct, however. Almost 85 percent of the fresh water on Earth exists as ice locked up in the great polar ice caps. That leaves about 15 percent of the 3 percent as liquid fresh water. And keep in mind that this liquid fresh water is not evenly distributed over the Earth. The deserts of the Earth have very little fresh water, whereas the tropical areas have a great

Figure 1–4 *Don't let this creek in California fool you. Most of the Earth's fresh water is locked up in the great polar ice caps. Here you see the southern polar cap in Antarctica. To which sphere does the Earth's fresh and salt water belong?*

Figura 1–3 *Estas extrañas formaciones rocosas del Parque Nacional de Canyonlands, en Utah, son parte de la corteza terrestre.*

Figura 1–4 *No dejes que este arroyo de California te engañe. La mayor parte del agua dulce de la Tierra está atrapada en los casquetes polares. Aquí ves el casquete polar del sur en la Antártida. ¿A qué esfera de la Tierra corresponden el agua dulce y el agua salada?*

como sal de mesa. Podrías creer que el 3% restante de la hidrosfera es agua dulce que los seres humanos pueden usar con distintos fines. Sin embargo, te equivocarías. Casi el 85% del agua dulce de la Tierra existe en forma de hielo en los grandes casquetes polares. Esto deja sólo el 15% del 3% como agua dulce líquida. Esta agua dulce líquida no está distribuida en forma pareja sobre la Tierra. Los desiertos tienen muy poca agua dulce, en tanto que las zonas tropicales tienen mucha. Recuerda tambien que es

deal. Remember also that it is liquid water that makes life on this planet possible. Without water, no life would exist on Earth.

The oxygen that you breathe is found in the last great sphere that makes up planet Earth, the **atmosphere** (AT-muhs-feer). The atmosphere is the envelope of gases that surrounds the Earth. The atmosphere protects the Earth and also provides materials necessary to support all forms of life on the Earth. In the next three sections, you will learn more about Earth's atmosphere. In later chapters, you will learn about the other spheres of planet Earth.

1–1 Section Review

1. What are the three main features of the Earth?
2. What percentage of the hydrosphere is fresh water? What percentage of the hydrosphere is available for drinking?
3. What is the envelope of gases that surrounds the Earth called?

Connection—*Astronomy*
4. *Viking* was the name of the lander that explored the surface of Mars. One of its primary missions was to determine if life existed there. What one test do you think *Viking* performed in order to get an answer to this question?

ACTIVITY READING

Explorers of the Atmosphere—and Beyond

The last half of the twentieth century has witnessed the fulfillment of many dreams. During this time, brave women and men have taken the first tentative steps in exploring space. You might like to read *The Right Stuff*, by Tom Wolfe. This book details early attempts by the United States to explore the frontiers of air and space travel, and contains the "stuff" that dreams are made of.

1–2 Development of the Atmosphere

When astronauts walk in space, they must wear space suits. The space suits provide a protective covering. They enclose the astronauts in an artificial environment, providing them with comfortable temperatures as well as with moisture and oxygen. Space suits also protect the astronauts from harmful ultraviolet rays given off by the sun. In a similar way, the atmosphere of the Earth provides protection for you. And it also provides some of the materials necessary to support life on Earth.

Guide for Reading

Focus on these questions as you read.

▶ *How does the atmosphere on Earth today compare with the atmosphere long ago?*

▶ *What gases are present in the atmosphere?*

el agua líquida lo que hace posible la vida en el planeta. Sin agua, no habría vida en la Tierra.

El oxígeno que respiras está en la última de las grandes esferas de la Tierra, la **atmósfera.** La atmósfera es la cubierta de gases que rodea la Tierra y la protege y proporciona también sustancias necesarias para sostener todas las formas de vida en el planeta. En las próximas tres secciones, aprenderás más sobre la atmósfera de la Tierra. En capítulos posteriores, aprenderás acerca de otras esferas de la Tierra.

1–1 Repaso de la sección

1. ¿Cuáles son los tres elementos principales de la Tierra?
2. ¿Qué porcentaje de la hidrosfera es agua dulce? ¿Qué porcentaje de la hidrosfera es agua que se puede beber?
3. ¿Cómo se llama la cubierta de gases que rodea la Tierra?

Conexión—*Astronomía*
4. *Viking* es el nombre de la nave espacial que exploró la superficie de Marte. Una de sus principales misiones era determinar si había vida en Marte. ¿Qué prueba crees que hizo *Viking* para obtener una respuesta a esta pregunta?

1–2 Desarrollo de la atmósfera

Cuando los astronautas caminan en el espacio, tienen que llevar trajes espaciales que les proporcionan una cubierta protectora, un medio artificial y temperaturas aceptables, así como humedad y oxígeno. Los trajes espaciales también protegen a los astronautas de los rayos ultravioletas dañinos del sol. De manera análoga, la atmósfera te protege y tambien aporta algunas de las sustancias necesarias para sostener vida en la Tierra.

Guia para la lectura
Piensa en estas preguntas mientras lees.

▶ *¿Cómo se compara la atmósfera actual con la de hace mucho tiempo?*

▶ *¿Qué gases existen en la atmósfera?*

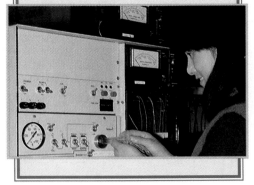
Cameras and other instruments aboard space satellites have provided much data about the structure and composition of the present atmosphere. From this information, and from other studies, scientists have developed a picture of what the Earth's atmosphere may have been like billions of years ago. Scientists are certain that the atmosphere of the Earth has changed greatly over time. And they believe that the present atmosphere is still changing! What are some of the conditions that may be responsible for changes in the atmosphere?

The Past Atmosphere

It is theorized that the Earth's atmosphere 4 billion years ago contained two deadly gases: methane and ammonia. Methane, which is made up of the elements carbon and hydrogen, is a poisonous compound. Ammonia, also poisonous, is composed of the elements nitrogen and hydrogen. There was also some water in the atmosphere 4 billion years ago.

As you well know, the air is no longer deadly. In fact, you could not live without it. How did this important change in the atmosphere occur?

To explain this change, it is necessary to picture the atmosphere 3.8 billion years ago. At that time, sunlight triggered chemical reactions among the methane, ammonia, and water in the air. As a result

Figure 1–5 *Scientists use a variety of tools to study the atmosphere, including weather balloons and satellites orbiting in space. Gases trapped in the ice caps thousands of years ago provide scientists with a glimpse of Earth's ancient atmosphere.*

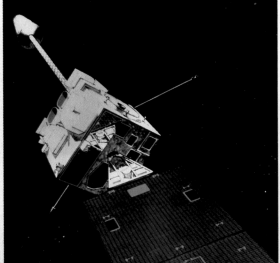

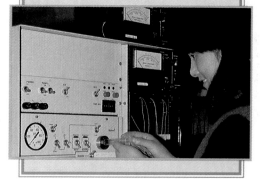

Las cámaras y otros instrumentos a bordo de los satélites han proporcionado muchos datos sobre la estructura y la composición de la atmósfera actual. A partir de esta información y de otros estudios, los científicos han imaginado cómo habría sido la atmósfera de la Tierra hace miles de millones de años. Están seguros de que la atmósfera ha cambiado mucho a lo largo del tiempo, ¡y creen que todavía está cambiando! ¿Cuáles son algunas de las condiciones que pueden haber modificado la atmósfera de la Tierra?

La atmósfera del pasado

Se cree que hace 4,000 millones de años la atmósfera terrestre contenía dos gases mortales: metano y amoníaco. El metano, que contiene los elementos carbono e hidrógeno, es una mezcla venenosa. El amoníaco, también venenoso, está compuesto de los elementos nitrógeno e hidrógeno. También había algo de agua en la atmósfera de hace 4,000 millones de años.

Como bien sabes, el aire ya no es mortal. Por el contrario, no puedes vivir sin él. ¿Cómo se produjo este cambio importante en la atmósfera?

Para explicarlo, debemos imaginarnos la atmósfera hace 3,800 millones de años. En ese entonces, la luz del sol desencadenó reacciones químicas entre el metano, el amoníaco y el agua del aire. Como resultado

I ■ 16

Figura 1–5 *Los científicos usan una variedad de instrumentos para estudiar la atmósfera, entre ellos los globos aerostáticos y los satélites meteorológicos en órbita en el espacio. Los gases atrapados en los casquetes de hielo hace miles de años dan a los científicos un vislumbre de la antigua atmósfera de la Tierra.*

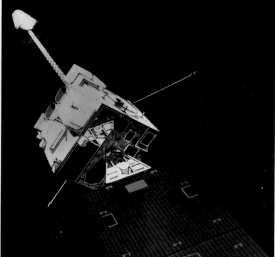

Figure 1–6 *An artist's idea of what the Earth may have looked like billions of years ago. What two deadly gases were common in the ancient atmosphere?*

of many chemical reactions, new materials formed in the atmosphere. Among the new materials were nitrogen, hydrogen, and carbon dioxide. The methane and ammonia broke down, but the water still remained.

Hydrogen is a very lightweight gas, so lightweight in fact, that it escaped the pull of the Earth's gravity and disappeared into space. That left nitrogen in greatest abundance, as well as carbon dioxide and water vapor. In the upper parts of the ancient atmosphere, sunlight began to break down the water vapor into hydrogen and oxygen gases. The lightweight hydrogen gas again escaped into space. But, the atoms of oxygen gas began to combine with one another to form a gas known as **ozone.** Eventually a layer of ozone gas formed about 30 kilometers above the Earth's surface.

The ozone layer is sometimes referred to as an "umbrella" for life on Earth. This is because the ozone layer absorbs most of the harmful ultraviolet radiation from the sun. Without the protection of the ozone layer, few living things could survive on Earth.

Before the ozone layer formed, the only living things on Earth were microscopic organisms that lived far below the surface of the oceans. Here these

Figura 1–6 *La concepción de un artista es del aspecto que podía haber tenido la Tierra hace miles de millones de años. ¿Cuáles son los dos gases mortales que eran comunes en la antigua atmósfera?*

de esas reacciones químicas, se formaron nuevas sustancias en la atmósfera, entre ellas el nitrógeno, el hidrógeno y el dióxido de carbono. El metano y el amoníaco se descompusieron, pero el agua siguió presente.

El hidrógeno es un gas muy liviano, tan liviano que escapó la gravedad de la Tierra y desapareció en el espacio. Quedó así una abundancia de nitrógeno, además de dióxido de carbono y vapor de agua. En la partes superiores de la antigua atmósfera, la luz solar empezó a descomponer el vapor de agua en los gases hidrógeno y oxígeno. El hidrógeno volvió a escapar al espacio y los átomos de oxígeno empezaron a combinarse para formar un gas que se llama **ozono**. Con el tiempo se formó una capa de ozono unos 30 kilómetros por encima de la superficie de la Tierra.

La capa de ozono suele llamarse la "sombrilla" de la vida en la Tierra, porque absorbe la mayor parte de la dañina radiación ultravioleta del sol. Muy pocos seres podrían sobrevivir en la Tierra sin la protección de la capa de ozono.

Los únicos seres vivientes de la Tierra, antes de que se formara la capa de ozono, eran organismos microscópicos que vivían muy por debajo de la

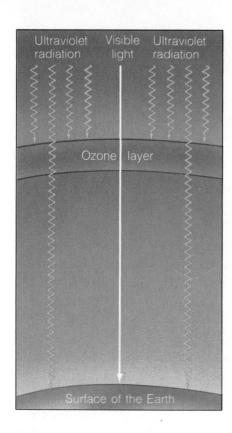

Ultraviolet radiation   Visible light   Ultraviolet radiation

Ozone layer

Surface of the Earth

Figure 1–7 *The ozone layer absorbs most of the sun's harmful ultraviolet radiation before it reaches the Earth's surface. Visible light is not absorbed by the ozone layer.*

organisms were protected from most of the ultraviolet radiation from the sun. After the formation of the ozone layer, certain types of microorganisms called blue-green bacteria started to appear on or near the water's surface. These bacteria used the energy in sunlight to combine carbon dioxide from the air with water to produce food.

A byproduct of this food-making process would change the planet forever. This byproduct was oxygen. Unlike ozone, which formed high in the atmosphere, oxygen remained near the surface of the Earth. It would be this oxygen that animals would later breathe.

In time, green plants began to grow on the land. And they, too, took in carbon dioxide and released oxygen during the food-making process. The oxygen content in the atmosphere increased greatly. Then, around 600 million years ago, the amounts of oxygen and carbon dioxide in the atmosphere began to level off. Since that time, the composition of the atmosphere has remained fairly constant.

Figure 1–8 *Billions of years ago, microscopic organisms such as blue-green bacteria helped to change the Earth's atmosphere by producing oxygen as a byproduct of their food-making process. This increase in the oxygen levels in the atmosphere permitted the evolution of green plants and eventually the animals that feed on green plants.*

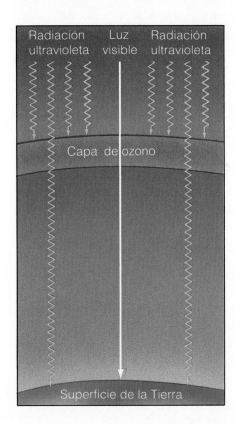

Radiación ultravioleta | Luz visible | Radiación ultravioleta

Capa de ozono

Superficie de la Tierra

Figura 1–7 *El ozono absorbe la mayor parte de la radiación ultravioleta nociva del sol antes de que llegue a la superficie terrestre. La capa de ozono no absorbe la luz visible.*

superficie de los océanos, donde estaban protegidos de la mayor parte de la radiación ultravioleta del sol. Después de la formación de la capa de ozono aparecieron en la superficie del agua algunos microorganismos llamados bacterias verdeazuladas, que utilizaban la energía solar para combinar el dióxido de carbono del aire con agua y producir alimentos.

Un subproducto de este proceso cambiaría para siempre el planeta. Ese subproducto era el oxígeno. A diferencia del ozono, que se formaba muy alto en la atmósfera, el oxígeno estaba cerca de la superficie terrestre. Ése sería el oxígeno que respirarían los animales.

Con el tiempo, empezaron a crecer en la tierra plantas verdes que también absorbían dióxido de carbono y liberaban oxígeno en su proceso de extracción de alimentos. El contenido de oxígeno de la atmósfera aumentó muchísimo. Más tarde, alrededor de 600 millones de años, las cantidades de oxígeno y de dióxido de carbono en la atmósfera empezaron a equilibrarse. Desde entonces, la composición de la atmósfera en general ha permanecido constante.

Figura 1–8 *Hace miles de millones de años, algunos organismos microscópicos, como las bacterias verdeazuladas, contribuyeron a cambiar la atmósfera de la Tierra al producir oxígeno como subproducto del proceso de alimentación. El aumento del oxígeno de la atmósfera permitió la evolución de las plantas verdes y de los animales que se alimentan de esas plantas.*

The Present Atmosphere

The atmosphere that surrounds the Earth today contains the gases necessary for the survival of living things. The air you breathe is among the Earth's most important natural resources. What is the air made of?

The atmosphere is a mixture of gases. **The atmospheric gases include nitrogen, oxygen, carbon dioxide, water vapor, argon, and trace gases.** Nitrogen gas makes up about 78 percent of the atmosphere. Another 21 percent of the atmosphere is oxygen. The remaining 1 percent is a combination of carbon dioxide, water vapor, argon, and trace gases. Among the trace gases, which are present in only very small amounts, are neon, helium, krypton, and xenon.

NITROGEN The most abundant gas in the atmosphere is nitrogen. Living things need nitrogen to make proteins. Proteins are complex compounds that contain nitrogen. These compounds are required for the growth and repair of body parts. The muscles of your body are made mostly of protein, as are parts of the skin and internal organs.

Figure 1–9 *This diagram shows the nitrogen cycle. How is nitrogen returned to the soil?*

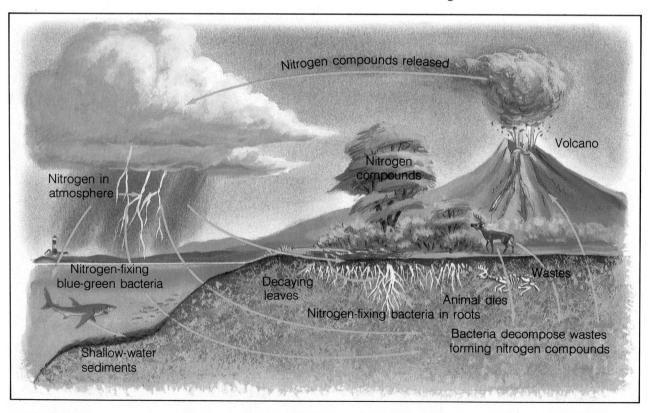

Nitrogen compounds released

Volcano

Nitrogen compounds

Nitrogen in atmosphere

Nitrogen-fixing blue-green bacteria

Decaying leaves

Wastes

Animal dies

Nitrogen-fixing bacteria in roots

Bacteria decompose wastes forming nitrogen compounds

Shallow-water sediments

La atmósfera actual

La atmósfera que rodea actualmente la Tierra contiene los gases necesarios para la supervivencia de los seres vivos. El aire que respiras es uno de los recursos naturales más importantes de la Tierra. ¿De qué está compuesto el aire?

La atmósfera es una mezcla formada por los gases nitrógeno, oxígeno, dióxido de carbono, vapor de agua, argón y otros en cantidades muy pequeñas. El nitrógeno forma alrededor del 78% de la atmósfera, el oxígeno otro 21% y el 1% restante es una combinación de dióxido de carbono, vapor de agua, argón y otros gases. Entre éstos, que existen en cantidades muy pequeñas, están el neón, el helio, el kriptón y el xenón.

NITRÓGENO El gas más abundante de la atmósfera es el nitrógeno, que los seres vivos necesitan para formar proteínas. Las proteínas son compuestos complejos que contienen nitrógeno y son necesarios para el crecimiento y la reparación del cuerpo. Los músculos de tu cuerpo, al igual que la piel y los órganos internos, están formados principalmente de proteínas. Sin

Figura 1–9 *Este diagrama muestra el ciclo del nitrógeno. ¿Cómo vuelve el nitrógeno al suelo?*

Liberación de compuestos de nitrógeno

Volcán

Compuestos de nitrógeno

Nitrógeno en la atmósfera

Bacterias verde/azuladas que fijan nitrógeno

Hojas en descomposición

Bacterias que fijan nitrógeno en las raíces

Desechos

Animales muertos

Las bacterias descomponen los desechos y forman compuestos de nitrógeno

Sedimentos en las aguas poco profundas

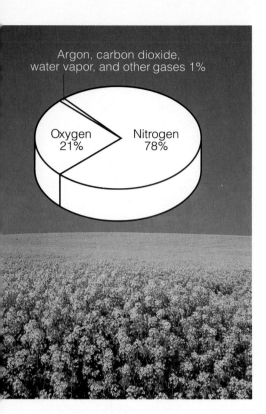

Argon, carbon dioxide, water vapor, and other gases 1%

Oxygen 21%

Nitrogen 78%

Figure 1–10 *The atmosphere is a mixture of many gases. Which two gases make up most of the Earth's atmosphere?*

However, plants and animals are not able to use the nitrogen in the air directly to make proteins. Certain kinds of bacteria that live in the soil are able to combine the nitrogen from the atmosphere with other chemicals to make compounds called nitrates. These bacteria are called nitrogen-fixing bacteria. Plants are able to use the nitrates formed by the nitrogen-fixing bacteria to make plant proteins. In turn, animals get the proteins they need by eating plants.

Nitrogen is returned to the atmosphere when dead animals and plants decay. Decay is the breaking down of dead organisms, usually by bacteria, into simple chemical substances. Thus the organisms that bring about decay return the nitrogen to the atmosphere. The movement of nitrogen from the atmosphere to the soil then to living things and finally back to the atmosphere makes up the nitrogen cycle.

OXYGEN Oxygen is the second most abundant gas in the atmosphere. Oxygen is used directly from the atmosphere by most plants and animals. It is essential for respiration (rehs-puh-RAY-shuhn). During respiration, living things chemically combine oxygen with food. This breaks down the food and releases the energy needed by living things. Why do you think all living things need energy?

Oxygen is also necessary for the combustion, or burning, of fuels such as oil, coal, and wood. Combustion will not take place without oxygen. This is why fire fighters use water or special chemicals to fight fires. Water or special chemicals prevent oxygen from reaching the burning material and supporting any further combustion. Without oxygen, the fire goes out.

CARBON DIOXIDE The amount of carbon dioxide in the atmosphere is very small. However, carbon dioxide is one of the important raw materials used by green plants to make food.

Carbon dioxide is removed from the atmosphere by plants during the food-making process. It is returned to the atmosphere by the respiration of

Figure 1–11 *Bacteria and other decay organisms play an important role, as they remove nitrogen and other substances from dead organisms and return these chemicals to the environment.*

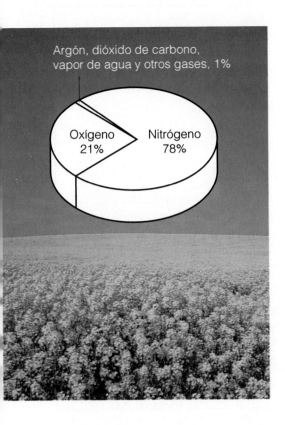

Argón, dióxido de carbono, vapor de agua y otros gases, 1%

Oxígeno 21%

Nitrógeno 78%

Figura 1–10 *La atmósfera es una mezcla de muchos gases. ¿Cuáles son los dos gases que forman la mayor parte de la atmósfera terrestre?*

embargo, las plantas y los animales no pueden usar el nitrógeno del aire directamente para formar proteínas. Algunas bacterias que viven en el suelo pueden combinar el nitrógeno de la atmósfera con otros productos químicos para formar compuestos llamados nitratos. Estas bacterias se llaman nitrificantes. Las plantas pueden usar esos nitratos para formar proteínas vegetales. Los animales obtienen las proteínas que necesitan al comer las plantas.

El nitrógeno vuelve a la atmósfera cuando los animales y las plantas mueren y se descomponen. La descomposición es la transformación de los organismos muertos, generalmente mediante bacterias, en sustancias químicas simples. Los organismos que producen la descomposición devuelven así el nitrógeno a la atmósfera. El movimiento del nitrógeno de la atmósfera al suelo, a los seres vivos y finalmente de vuelta a la atmósfera, constituye el ciclo del nitrógeno.

OXÍGENO El oxígeno es el segundo gas más abundante de la atmósfera. La mayoría de las plantas y los animales utilizan directamente el oxígeno de la atmósfera, que es esencial para la respiración. Al respirar, los seres vivos combinan químicamente el oxígeno con los alimentos. Esto descompone los alimentos y libera la energía que necesitan los seres vivos ¿Por qué crees que todos los seres vivos necesitan energía?

El oxígeno también es necesario para la combustión o la quema de combustibles como el petróleo, el carbón y la leña. No hay combustión sin oxígeno. Por esa razón, los bomberos usan agua o productos químicos especiales para combatir los incendios. El agua o esos productos químicos impiden que llegue oxígeno a las sustancias en combustión. Sin oxígeno, el fuego se extingue.

DIÓXIDO DE CARBONO Hay muy poco dióxido de carbono en la atmósfera. Sin embargo, el dióxido de carbono es una de las materias primas importantes que usan las plantas para producir alimentos.

Las plantas extraen el dióxido de carbono de la atmósfera durante el proceso de producción de alimentos. Éste vuelve a la atmósfera a través de la

Figura 1–11 *Las bacterias y otros organismos desempeñan un papel importante al extraer el nitrógeno y otras sustancias de los organismos muertos y devolverlos al medio ambiente.*

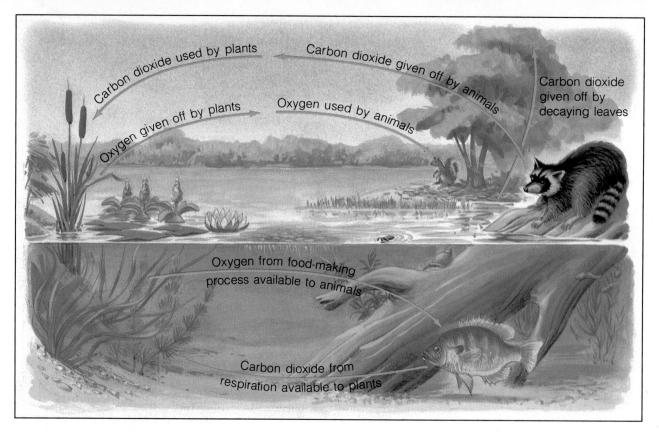

Carbon dioxide used by plants

Carbon dioxide given off by animals

Carbon dioxide given off by decaying leaves

Oxygen given off by plants

Oxygen used by animals

Oxygen from food-making process available to animals

Carbon dioxide from respiration available to plants

plants and animals. The decay of dead plants and animals also returns carbon dioxide to the air.

Scientists believe that the amount of carbon dioxide used by plants equals the amount returned to the atmosphere by respiration, decay, and other natural processes. But the burning of fossil fuels such as oil and coal is adding even more carbon dioxide to the atmosphere. Scientists are concerned that the amount of carbon dioxide in the atmosphere is increasing to a level that may become dangerous. Studies have shown that the increased level of carbon dioxide traps more of the sun's heat energy in the Earth's atmosphere. Thus an increase in the level of carbon dioxide in the air could significantly increase the overall temperature of the Earth.

WATER VAPOR   Water vapor in the atmosphere plays an important role in the Earth's weather. Clouds, fog, and dew are weather conditions caused by water vapor in the air. Rain and other forms of precipitation (snow, sleet, and hail) occur when water vapor forms droplets that are heavy enough to fall. Water vapor is also involved in the heating of the atmosphere. Water vapor absorbs heat energy given off by the sun. The amount of water vapor in

Figure 1–12 *Carbon dioxide and oxygen are continuously exchanged among plants and animals. How is oxygen returned to the atmosphere?*

Los rótulos en la figura:

Dióxido de carbono utilizado por las plantas

Dióxido de carbono liberado por los animales

Dióxido de carbono producido por las hojas en decomposición

Oxígeno producido por las plantas

Oxígeno utilizado por los animales

Oxígeno de la producción de alimentos que pueden usar los animales

Dióxido de carbono de la respiración que pueden usar las plantas

Figura 1–12 *Las plantas y los animales intercambian constantemente dióxido de carbono y oxígeno. ¿Cómo vuelve el oxígeno a la atmósfera?*

respiración de las plantas y los animales. La descomposición de las plantas y los animales muertos también devuelve dióxido de carbono al aire.

Los científicos creen que la cantidad de dióxido de carbono que usan las plantas es igual a la que vuelve a la atmósfera a través de la respiración, la descomposición y otros procesos naturales. Pero la quema de combustibles fósiles como el petróleo y el carbón está añadiendo más dióxido de carbono a la atmósfera. Los científicos temen que el dióxido de carbono en la atmósfera aumente hasta alcanzar niveles que pueden ser peligrosos. Se han hecho estudios que muestran que al aumentar el dióxido de carbono la atmósfera retiene más energía térmica del sol. Un aumento en el nivel de dióxido de carbono en el aire podría elevar considerablemente la temperatura global de la Tierra.

VAPOR DE AGUA El vapor de agua de la atmósfera cumple un papel importante en el clima. Las nubes, la niebla y el rocío son condiciones climatológicas causadas por el vapor de agua en el aire. La lluvia y otras formas de precipitación (nieve, aguanieve y granizo) se producen cuando el vapor de agua forma gotitas lo suficientemente pesadas para caer. El vapor de agua contribuye también al calentamiento de la

Figure 1–13 *Where would you find more water vapor in the atmosphere—in a rain forest in Hawaii or the sand dunes of the Sahara?*

A Model of Acid Rain, p.166

ACTIVITY

DISCOVERING

Clean Air Anyone?

1. Spread a thin layer of petroleum jelly on each of three clean microscope slides. With your teacher's permission, place the slides in different locations in and around your school building. Leave the slides in place for several days.

2. Collect the slides and examine each one under a microscope. Count the particles you find. Draw what you observe.

Where was the slide with the fewest particles placed? Where was the slide with the most particles placed?

■ How can you account for the differences?

the atmosphere varies from place to place. In desert regions, the amount of water vapor in the air is usually very small, although most deserts have rainy seasons that last for short periods of time. In tropical regions, the amount of water vapor in the air may be as high as 4 percent. Where else on Earth would you expect to find a great deal of water vapor in the atmosphere?

SOLID PARTICLES Many tiny particles of solid material are mixed with the air's gases. These particles are so small that they can float on even the slightest movements of the air. You may have noticed these particles if you have observed a flashlight beam in a darkened room. These particles in the air are dust, smoke, dirt, and even tiny bits of salt. Where do these particles come from?

Every time a wave breaks, tiny particles of salt from ocean water enter the atmosphere and remain suspended in the air. Much of the dust in the air comes from the eruption of volcanoes. In 1883, the massive eruption of Krakatoa, a volcano in the East Indies, spewed huge amounts of volcanic dust and other materials into the air. As a result of this eruption, skies as far away as London became dark. The average temperature of the Earth fell 1.5°C as volcanic dust from this single eruption filled the air, preventing sunlight from warming the atmosphere. Dirt and smoke particles are also added to the air by

Figura 1–13 *¿Dónde habrá más vapor de agua en la atmósfera, en los bosques pluviales de Hawai o en las dunas del Sahara?*

Pozo de actividades

Modelo de lluvia ácida, p. 166

ACTIVIDAD

PARA AVERIGUAR

¿Alguien quiere aire limpio?

1. Pon una fina capa de petrolato sobre tres láminas de microscopio limpias. Con el permiso de tu profesor(a), coloca las láminas en tres lugares de tu escuela o sus alrededores y déjalas ahí durante varios días.

2. Recoge las láminas y examínalas bajo el microscopio. Cuenta las partículas que encuentres y dibuja lo que observes.

¿Dónde estaba la lámina con menos partículas? ¿Dónde estaba la que tenía más partículas?

■ ¿Puedes explicar las diferencias?

atmósfera, ya que absorbe la energía térmica del sol. La cantidad de vapor de agua en la atmósfera varía de sitio en sitio. Los desiertos poseen generalmente muy poco vapor de agua en el aire, aunque la mayoría de los desiertos tienen estaciones lluviosas muy breves. En las regiones tropicales, puede haber hasta un 4% de vapor de agua en el aire. ¿En qué otro lugar de la Tierra encontrarías una gran cantidad de vapor de agua en la atmósfera?

PARTÍCULAS SÓLIDAS Hay muchas partículas sólidas pequeñísimas mezcladas con los gases del aire. Por ser tan pequeñas, pueden flotar con los movimientos del aire. Tal vez las hayas observado en el haz de luz de una linterna. Están compuestas de polvo, humo, suciedad e incluso trocitos pequeñísimos de sal. ¿De dónde vienen esas partículas?

Cada vez que se rompe una ola, partículas minúsculas de sal entran a la atmósfera y quedan suspendidas en el aire. Gran parte del polvo del aire proviene de erupciones volcánicas. En 1883, la erupción masiva del Krakatoa, un volcán de Indonesia, lanzó al aire enormes cantidades de polvo volcánico y otras sustancias. Como resultado de esa erupción, se oscurecieron los cielos en lugares tan distantes como Londres. La temperatura media de la Tierra disminuyó 1.5°C cuando el polvo volcánico de esa erupción llenó el aire, impidiendo que la luz del sol calentara la atmósfera. La gente añade también

Figure 1–14 *Volcanoes and factories that burn fossil fuels add solid particles to the atmosphere. How are these bikers in Holland helping to keep the Earth's atmosphere a bit cleaner?*

the actions of people as they burn fuels, and as they drive cars and other vehicles. Factories and power plants that burn fossil fuels also add particles to the air. However, new kinds of smoke stacks reduce the amount of particles being added to the air by actually "scrubbing" the smoke before it is released into the air. Do you have any suggestions about what you and your family and friends can do to reduce the amounts of these particles that affect the quality of the air?

Figure 1–15 *Some pollutants found in the atmosphere include asbestos particles (top) and ash from burning coal (bottom).*

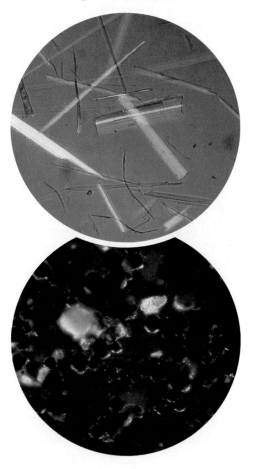

1–2 Section Review

1. What two gases were present in the greatest amounts in the atmosphere of Earth 4 billion years ago?
2. What four gases are present in the greatest amounts in the Earth's atmosphere today?
3. Describe the nitrogen cycle and the water cycle. Why is it important that certain substances in the atmosphere are used over and over again?
4. Why are scientists concerned that the level of carbon dioxide in the air is increasing?

Critical Thinking—*Relating Cause and Effect*
5. How have living organisms changed the composition of the atmosphere over time?

Figura 1–14 *Los volcanes y las fábricas que queman combustibles fósiles arrojan partículas sólidas a la atmósfera. ¿Cómo contribuyen estos ciclistas en Holanda a mantener la atmósfera de la Tierra más limpia ?*

partículas de suciedad y de humo al aire al quemar combustibles y conducir automóviles y otros vehículos. Las fábricas y las centrales eléctricas que usan combustibles fósiles también arrojan partículas al aire. Sin embargo, hay nuevos tipos de chimeneas que reducen la cantidad de partículas lanzadas al aire "depurando" el humo antes de liberarlo en la atmósfera. ¿Puedes sugerir cosas que tú, tu familia y tus amigos podrían hacer para reducir la cantidad de partículas en el aire?

Figura 1–15 *Entre los contaminantes de la atmósfera están las partículas de asbesto (arriba) y las cenizas de la combustión del carbón (abajo).*

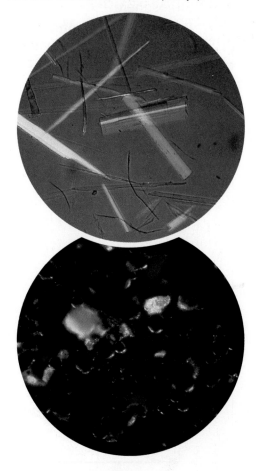

1–2 Repaso de la sección

1. ¿Cuáles eran los dos gases más abundantes en la atmósfera terrestre hace 4,000 millones de años?
2. ¿Cuáles son actualmente los cuatro gases más abundantes de la atmósfera?
3. Describe el ciclo del nitrógeno y el ciclo del agua. ¿Por qué es importante que algunas sustancias de la atmósfera se usen una y otra vez?
4. ¿Por qué preocupa a los científicos el aumento del dióxido de carbono en el aire?

Pensamiento crítico—*Relación de causa y efecto*
5. ¿Cómo han cambiado los organismos vivos la composición de la atmósfera a través del tiempo?

PROBLEM Solving

Protection From the Sun

All life on Earth depends upon the sun. But the sun also poses certain dangers. You learned that the ozone layer acts like a shield that protects organisms on Earth from some of the dangerous radiation given off by the sun. Newspaper and magazine articles, television and radio programs issue warnings—on an almost daily basis—of the dangers posed to the ozone layer by certain chemicals. This graph shows the effects of limiting the release of ozone-damaging chemicals into the atmosphere.

Interpreting Graphs

1. How has the amount of ozone-damaging chemicals changed from 1975 to 1985?

2. What amount of ozone-damaging chemicals is projected to be in the atmosphere in 1995?

3. How does this amount compare with the amount in the atmosphere today?

4. Two meetings proposed controls on the amount of ozone-damaging chemicals that could be released into the atmosphere. What would happen to the amounts of ozone-damaging chemicals released in the air in 2005 according to the London agreement? According to the Montreal agreement?

■ Which agreement offers some protection for the ozone layer?

5. On Your Own Find out what you can do to limit the amounts of ozone-damaging chemicals that are released into the air.

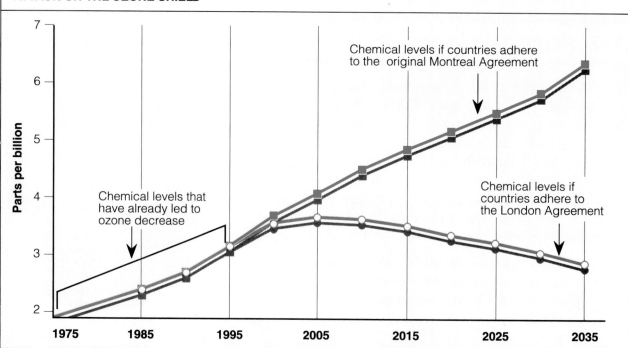

ATTACK ON THE OZONE SHIELD

Parts per billion

Chemical levels if countries adhere to the original Montreal Agreement

Chemical levels that have already led to ozone decrease

Chemical levels if countries adhere to the London Agreement

1975 · 1985 · 1995 · 2005 · 2015 · 2025 · 2035

PROBLEMA a resolver

Protección contra el sol

Toda la vida en la Tierra depende del sol, pero el sol también tiene peligros. Ya has aprendido que la capa de ozono actúa como una pantalla que protege a los organismos terrestres de la radiación peligrosa del sol. Casi diariamente, hay artículos en los diarios, revistas, programas de radio y televisión que hablan de los peligros para la capa de ozono que crean algunos productos químicos. En esta gráfica se muestran los efectos de limitar la liberación de productos químicos en la atmósfera que dañan la capa de ozono.

Interpretación de la gráfica

1. ¿Cómo ha cambiado la cantidad de productos químicos dañinos al ozono desde 1975 hasta 1985?

2. ¿Qué cantidad de productos químicos dañinos a la capa de ozono se prevee que haya en la atmósfera en 1995?

3. ¿Cómo se compara esta cantidad con la cantidad actual en la atmósfera?

4. En dos reuniones diferentes se propuso limitar la cantidad de productos químicos dañinos a la capa de ozono que se podrá lanzar a la atmósfera. ¿Qué pasaría con las cantidades de productos químicos dañinos a la capa de ozono presentes en el aire en el año 2005 según el convenio de Londres y el convenio de Montreal?

■ ¿Qué convenio ofrece más protección para la capa de ozono?

5. Por tu cuenta Averigua qué puedes hacer para limitar la cantidad de productos químicos dañinos al ozono en la atmósfera.

I ■ 24

ATAQUE CONTRA LA CAPA DE OZONO

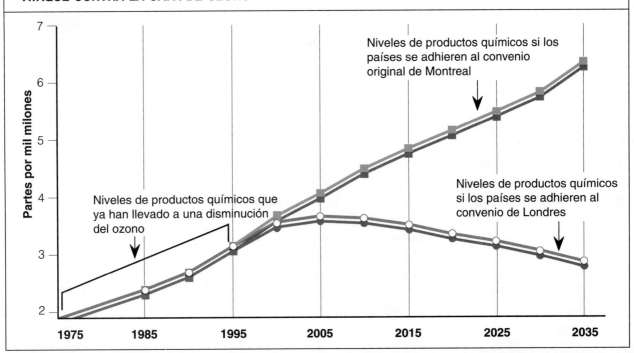

1–3 Layers of the Atmosphere

Guide for Reading

Focus on this question as you read.

▶ *How are the layers in the atmosphere related to temperature?*

If you were able to soar up from the surface of the Earth to the high edge of outer space, you would notice many changes in the atmosphere. The mixture of gases, the temperature, and the electrical and magnetic forces of the atmosphere change as the distance from the Earth's surface increases. For example, there is less oxygen in the upper atmosphere than in the lower atmosphere. You may have seen pictures of mountain climbers wearing oxygen masks when they were climbing very high mountains. They do this because there is only half as much oxygen available 5.5 kilometers above the Earth's surface as there is at the Earth's surface.

If you ever climb a high mountain yourself, you will notice that as you climb upward the air gets colder. At an altitude (height above sea level) of 3 kilometers, you will probably need a heavy jacket to keep warm! The temperature of the air decreases as the altitude increases because the air becomes less dense. That is, there are fewer and fewer particles of air in a given amount of space. The thin, less dense air cannot hold as much heat.

The atmosphere is divided into layers according to major changes in its temperature. The layers of air that surround the Earth are held close to it by the force of gravity. Gravity is a force of attraction by which objects are pulled toward each other. Because of gravity, the layers of air surrounding the Earth push down on the Earth's surface. This push is called **air pressure.**

The upper layers of air push down on the lower layers. So the air pressure near the surface of the Earth is greater than the air pressure further from the surface. If you have ever flown in an airplane, you may have felt your ears "pop." This popping was caused by a change in air pressure. Where else might you experience a change in air pressure?

It is interesting to note that 99 percent of the total mass of the atmosphere of the Earth is below an altitude of 32 kilometers. The remaining 1 percent of the atmosphere's mass is in the hundreds of kilometers above an altitude of 32 kilometers.

AIR PRESSURE AND ALTITUDE

Altitude (meters)	Air Pressure (g/cm^2)
Sea level	1034
3000	717
6000	450
9000	302
12,000	190
15,000	112

Figure 1–16 *Climbers need warm clothing and oxygen masks on a high mountain because the air is colder and thinner (less dense). How does air pressure change as altitude increases?*

1–3 Capas de la atmósfera

Si pudieras elevarte desde la superficie de la Tierra hasta el borde del espacio ultraterrestre observarías muchos cambios en la atmósfera. Los gases, la temperatura y las fuerzas eléctricas y magnéticas de la atmósfera cambian a medida que aumenta la distancia de la superficie. Por ejemplo, hay menos oxígeno en la parte superior que en la parte inferior de la atmósfera. Tal vez hayas visto fotografías de personas con máscaras de oxígeno escalando montañas muy altas. Las necesitan porque a 5.5 kilómetros sobre la superficie de la Tierra sólo hay la mitad del oxígeno que hay en la superficie.

Si escalas una montaña muy alta, verás que a medida que asciendes el aire se enfría. A una altitud (altura sobre el nivel del mar) de 3 kilómetros, es probable que necesites una chaqueta abrigada para mantener el calor. La temperatura del aire baja a medida que aumenta la altitud porque el aire es menos denso. Hay menos y menos partículas de aire en una cantidad determinada de espacio. El aire menos denso no puede conservar tanto calor.

La atmósfera se divide en capas de acuerdo con los cambios importantes en su temperatura. Las capas de aire que rodean la Tierra están retenidas por la fuerza de gravedad, que hace que los objetos se atraigan entre sí. A causa de la gravedad, las capas de aire que rodean la Tierra ejercen presión sobre la superficie. Esto se llama **presión del aire.**

Las capas de aire superiores ejercen presión sobre las inferiores. Por eso la presión del aire cerca de la superficie de la Tierra es mayor que la presión más lejos de la superficie. Si has viajado en avión habrás sentido una sensación peculiar en tus oídos. Eso se debe al cambio en la presión del aire. ¿En qué otro lugar podrías experimentar un cambio en la presión del aire?

Es interesante observar que el 99% de la masa total de la atmósfera terrestre está por debajo de los 32 kilómetros de altitud. El 1% restante está en los cientos de kilómetros por encima de una altitud de 32 kilómetros.

Guía para la lectura

Piensa en esta pregunta mientras lees.

▶ *¿Qué relación guardan las capas de la atmósfera con la temperatura?*

PRESIÓN DEL AIRE Y ALTITUD

Altitud (en metros)	Presión del aire (g/cm2)
Nivel del mar	1034
3000	717
6000	450
9000	302
12,000	190
15,000	112

Figura 1–16 *Los montañistas necesitan abrigos y máscaras de oxígeno a grandes altitudes porque el aire es más frío y menos denso. ¿Cómo cambia la presión del aire a medida que aumenta la altitud?*

Figure 1–17 *Convection currents in the atmosphere, caused by heat from the sun, contribute to the Earth's weather. In what layer of the atmosphere does most weather occur?*

ACTIVITY

DISCOVERING

The Temperature Plot

1. At three times during both the day and evening, use an outdoor thermometer to measure air temperature 1 centimeter above the ground and 1.25 meters above the ground. Record the time of day and the temperature for both locations.

2. On graph paper, plot time (X axis) versus temperature (Y axis) for each thermometer location. Label both graphs.

In which area did the temperature change most rapidly? In which area did the temperature change a greater amount over the entire time period?

■ Why do you think the temperatures changed as they did?

Now let's pretend that you are able to soar upward from the Earth's surface through the levels of the atmosphere. What will each layer look and feel like? Read on to find out.

The Troposphere

The layer of the atmosphere closest to Earth is the **troposphere** (TRO-po-sfeer). It is the layer in which you live. Almost all of the Earth's weather occurs in the troposphere.

The height of the troposphere varies from the equator to the poles. Around the equator, the height of the troposphere is about 17 kilometers. In areas north and south of the equator, the height is about 12 kilometers. At the poles, the troposphere extends upward between 6 and 8 kilometers.

As the heat energy from sunlight travels through the atmosphere, only a small amount of the heat energy is trapped by the atmosphere. Most of the heat energy is absorbed by the ground. The ground then warms the air above it. Warm air is less dense than cool air. The warm, less dense air rises and is replaced by cooler, denser air. Currents of air that carry heat up into the atmosphere are produced.

Figura 1–17.*Corrientes de convección en la atmósfera, causadas por el calor del sol, contribuyen a los cambios climáticos en la Tierra. ¿En que capa atmosférica ocurren mas cambios de clima?*

ACTIVIDAD

Supongamos que ahora puedes elevarte muy alto sobre la superficie de la Tierra a través de los niveles de la atmósfera. ¿Qué aspecto tendrá y qué se sentirá en cada capa? Cuando leas lo que sigue, te enterarás.

La troposfera

La capa de la atmósfera más cercana a la Tierra se llama **troposfera.** Es la capa en que vives. Casi todos los fenómenos meteorológicos se producen en la troposfera.

La altura de la troposfera varía del ecuador a los polos. En el ecuador, asciende a 17 kilómetros. Al norte y al sur del ecuador asciende a 12 kilómetros. En los polos, tiene entre 6 y 8 kilómetros de altura.

Cuando la energía térmica del sol viaja a través de la atmósfera, sólo una pequeña cantidad queda atrapada en ella. La mayor parte se absorbe en el suelo, que entonces calienta el aire que lo rodea. El aire caliente, que es menos denso, sube y es reemplazado por masas de aire frío, más densas. Se producen así corrientes de aire que llevan calor hacia

These air movements are called **convection** (kuhn-VEHK-shuhn) **currents.** You might be familiar with convection currents if you have observed a convection oven in use. This kind of oven contains a fan that continuously moves the hot oven air over the food. Food cooks more quickly and evenly in a convection oven than in a conventional oven.

Remember that temperature decreases with increasing altitude because the air becomes less dense. The temperature of the troposphere drops about 6.5°C for every kilometer above the Earth's surface. However, at an altitude of about 12 kilometers, the temperature seems to stop dropping. The zone of the troposphere where the temperature remains fairly constant is called the tropopause (TRO-po-pawz). The tropopause divides the troposphere from the next layer of the atmosphere.

The Stratosphere

The **stratosphere** (STRAT-uh-sfeer) extends from the tropopause to an altitude of about 50 kilometers. In the lower stratosphere, the temperature of the air remains constant and extremely cold—around −60°C. This temperature equals the coldest temperature ever recorded in a location other than Antarctica. It was recorded in Snag, in the Yukon Territory, Canada. The world's coldest recorded temperature, −90°C, occurred in Vostok, Antarctica.

The air in the lower stratosphere is not still. Here very strong eastward winds blow horizontally around the Earth. These winds, called the **jet stream,** reach speeds of more than 320 kilometers per hour. What effect do you think jet streams have on weather patterns in the United States?

A special form of oxygen called ozone is present in the stratosphere. Ozone has a clean sharp smell. You have probably smelled ozone after a thunderstorm or when you are near an electric motor that is running. In both cases ozone forms when electricity passes through the atmosphere. In the case of a thunderstorm, the electricity is in the form of lightning.

Most of the ozone in the atmosphere is found in the ozone layer located between 16 kilometers and

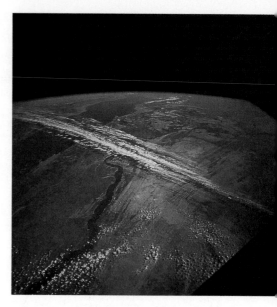

Figure 1–18 *A jet stream forms where cold air from the poles meets warmer air from the equator. This high-altitude jet stream is moving over the Nile Valley and the Red Sea.*

la atmósfera. Estos movimientos del aire se llaman **corrientes de convección.** Tal vez hayas observado un horno de convección. Esos hornos tienen un ventilador que mueve continuamente el aire caliente sobre los alimentos, y éstos se cocinan en forma más rápida y pareja que en un horno convencional.

Recuerda que la temperatura disminuye al aumentar la altitud porque el aire es menos denso. La temperatura de la troposfera disminuye alrededor de 6.5°C por kilómetro sobre la superficie. Sin embargo, cuando se llega a los 12 kilómetros, la temperatura aparentemente deja de disminuir. La zona de la troposfera donde la temperatura se mantiene relativamente constante se llama la tropopausa y separa la troposfera de la capa que sigue de la atmósfera.

La estratosfera

La **estratosfera** se extiende desde la tropopausa hasta una altitud de unos 50 kilómetros. En la parte inferior de la estratosfera, la temperatura del aire permanece constante y muy fría (–60°C). Esta temperatura es igual a la más fría que se ha registrado fuera de la Antártida. Se registró en Snag, en el Territorio de Yukón (Canadá). La temperatura más fría registrada en el mundo (–90°C) se observó en Vostok, en la Antártida.

El aire de la estratosfera inferior no está quieto. Hay vientos muy fuertes que soplan horizontalmente hacia el este alrededor de la Tierra. Estos vientos, llamados **corrientes de chorro,** alcanzan velocidades de más de 320 kilómetros por hora. ¿Qué efecto crees que tienen las corrientes de chorro sobre el patrón climatologico de los Estados Unidos?

En la estratosfera hay una forma especial de oxígeno llamado ozono. Probablemente has olido el ozono, que tiene un olor fuerte y limpio, después de una tormenta o cerca de un motor eléctrico en funcionamiento. En ambos casos, el ozono se forma cuando la electricidad pasa a través de la atmósfera. En las tormentas, la electricidad se produce en forma de rayos y relámpagos.

La mayor parte del ozono de la atmósfera está en la capa de ozono situada entre 16 y 60 kilómetros

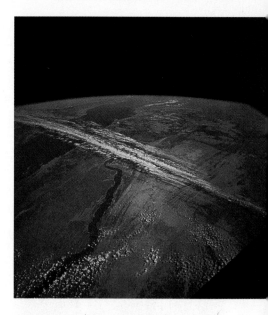

Figura 1–18 *Se producen corrientes de chorro cuando el aire frío de los polos se encuentra con el aire más caliente del ecuador. Esta corriente avanza sobre el valle del Nilo y el Mar Rojo.*

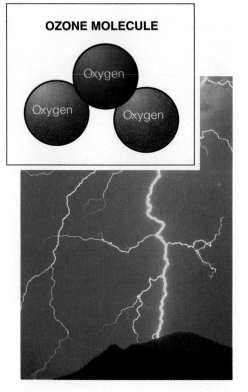

OZONE MOLECULE

Oxygen
Oxygen Oxygen

Figure 1–19 *The ozone layer forms a protective umbrella in the stratosphere. Ozone, a molecule made up of three oxygen atoms, is formed when lightning passes through the atmosphere.*

ACTIVITY

CALCULATING

How Thick Are the Atmosphere's Layers?

Figure 1–20 shows the layers of the Earth's atmosphere and the altitudes at which they begin and end. Use the information in the diagram to calculate the average thickness of each layer.

60 kilometers above the surface of the Earth. Below and above these altitudes, there is little or no ozone. Although the total amount of ozone in the stratosphere is actually very small, ozone is extremely important to life on Earth. Ozone acts as a shield for the Earth's surface. As you learned in the previous section, ozone absorbs most of the ultraviolet radiation from the sun. Ultraviolet radiation is harmful to living things. Overexposure of the skin to ultraviolet radiation (often in the form of a bad sunburn) has been linked to skin cancer.

You may already know that you can get a bad sunburn on a cloudy day, even when it seems as if little sunlight is reaching the Earth. Ultraviolet rays are able to pass through cloud layers. In some ways, the ozone layer acts like a sunblock. Without it, more of the sun's harmful ultraviolet radiation would reach the Earth's surface, and you would always be in great danger of being badly burned by the sun's rays.

Ozone is also responsible for the increase in temperature that occurs in the upper stratosphere. Heat is given off as ozone reacts with ultraviolet radiation. This heat warms the upper stratosphere to temperatures around 18°C. The zone in which the temperature is at its highest is called the stratopause (STRAT-uh-pawz). The stratopause separates the stratosphere from the next layer of the atmosphere.

The Mesosphere

Above the stratopause, the temperature begins to decrease. This drop in temperature marks the beginning of the **mesosphere** (MEHS-oh-sfeer). The mesosphere extends from about 50 kilometers to about 80 kilometers above the Earth's surface. The temperature in the mesosphere drops to about −100°C. The upper region of the mesosphere is the coldest region of the atmosphere. If water vapor is present, thin clouds of ice form. You can see these feathery clouds if sunlight strikes them after sunset.

The mesosphere helps protect the Earth from large rocklike objects in space known as meteoroids (MEET-ee-uh-roidz). When meteoroids enter the atmosphere, they burn up in the mesosphere. The heat caused by the friction, or rubbing, between the meteoroid and the atmosphere causes this burning.

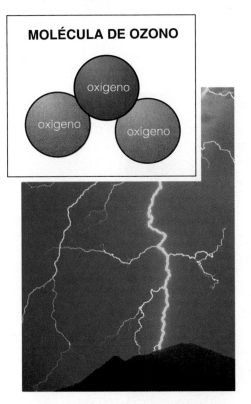

MOLÉCULA DE OZONO

oxígeno

oxígeno

oxígeno

Figura 1–19 *La capa de ozono forma una pantalla protectora en la estratosfera. El ozono, una molécula formada por tres átomos de oxígeno, se forma cuando pasan los relámpagos a través de la atmósfera.*

ACTIVIDAD

PARA CALCULAR

¿Qué espesor tienen las capas de la atmósfera?

La Figura 1–20 muestra las capas de la atmósfera terrestre y las alturas a que comienzan y terminan. Calcula el espesor medio de cada capa utilizando la información del diagrama.

sobre la superficie de la Tierra. Por debajo y por encima de esas altitudes, hay poco o ningún ozono. Aunque la cantidad total de ozono en la estratosfera es en realidad muy pequeña, el ozono es sumamente importante para la vida en la Tierra. El ozono actúa como una cubierta de la Tierra y absorbe la mayor parte de la radiación ultravioleta del sol. Esa radiación es dañina para los seres vivos. La exposición excesiva a la radiación ultravioleta (generalmente en la forma de quemaduras de sol) se ha vinculado con el cáncer de la piel.

Tal vez ya sepas que puedes sufrir una quemadura de sol en un día nublado, aunque parezca que hay muy poco sol. Los rayos ultravioletas pueden pasar a través de las nubes. La capa de ozono actúa de manera similar a una loción protectora. Sin ella, la mayoría de la radiación ultravioleta nociva llegaría a la superficie de la Tierra y siempre correrías un peligro mucho mayor de quemarte al sol.

El ozono es también responsable por el aumento de la temperatura que se produce en la parte superior de la estratosfera. Cuando el ozono reacciona a la radiación ultravioleta se produce calor. Esto calienta la estratosfera superior hasta alcanzar temperaturas de alrededor de 18°C. La zona en que la temperatura es más alta se llama la estratopausa y separa la estratosfera de la capa que sigue de la atmósfera.

La mesosfera

Encima de la estratopausa, la temperatura empieza a disminuir. Esta caída de la temperatura marca el comienzo de la **mesosfera,** que se extiende desde unos 50 kilómetros hasta alrededor de 80 kilómetros por encima de la superficie de la Tierra. La temperatura en la mesosfera desciende hasta –100°C. La región superior de la mesosfera es la más fría de la atmósfera. Si hay vapor de agua, se forman nubes delgadas de hielo. Puedes ver estas nubes cuando el sol las alumbra después de ponerse tras el horizonte.

La mesosfera ayuda a proteger la Tierra de objetos espaciales parecidos a rocas, conocidos como meteoritos. Cuando un meteorito entra a la atmósfera, se quema en la mesosfera. El calor causado por la fricción entre el meteorito y la atmósfera produce combustión. Por la

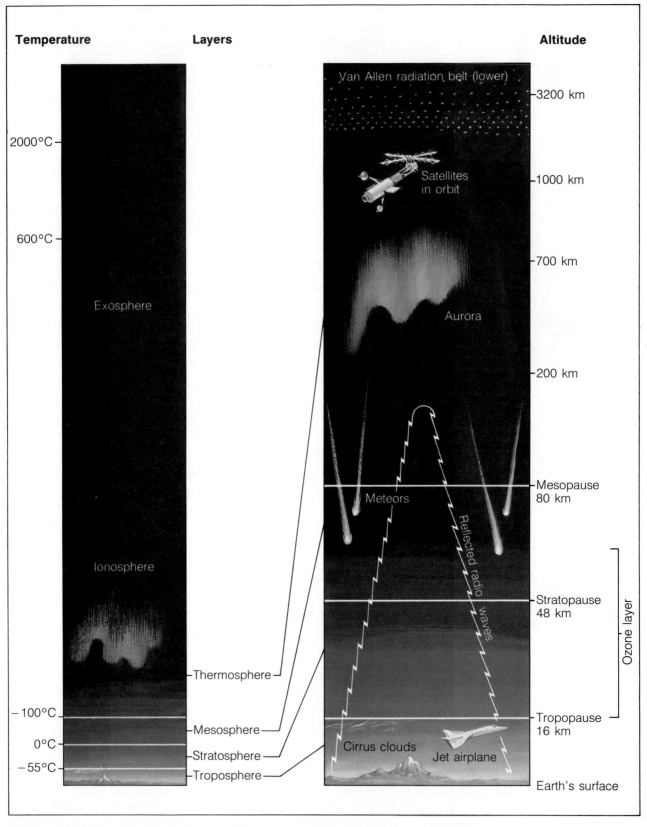

Figure 1–20 *The four main layers of the atmosphere and their characteristics are shown here. In which layer do you live? In which layer is the temperature the highest?*

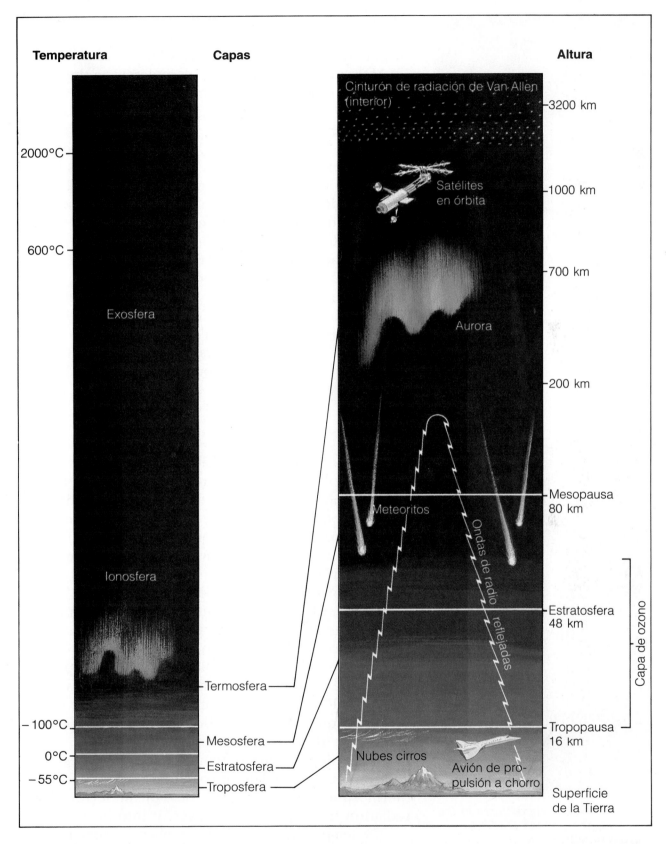

Temperatura

2000°C —

600°C —

Exosfera

Ionosfera

−100°C —

0°C —
−55°C —

Capas

Termosfera

Mesosfera

Estratosfera

Troposfera

Altura

Cinturón de radiación de Van Allen
(interior)

—3200 km

—1000 km

Satélites
en órbita

—700 km

Aurora

—200 km

Meteoritos

Mesopausa
80 km

Ondas de radio reflejadas

Estratosfera
48 km

Capa de ozono

Tropopausa
16 km

Nubes cirros

Avión de pro-
pulsión a chorro

Superficie
de la Tierra

Figura 1–20 *Aquí se indican las cuatro capas principales de la atmósfera y sus características. ¿En cuál capa vives tú? ¿En cuál capa es más alta la temperatura?*

Figure 1–21 *A meteorite crater in Arizona formed when a meteorite struck the Earth around 20,000 years ago.*

At night, you may see a streak of light, or "shooting star," in the sky. What you are actually seeing is a bright trail of hot, glowing gases known as a meteor.

Most meteoroids burn up completely as they pass through the Earth's atmosphere. But some are large enough to survive the passage and actually strike the Earth. These pieces are called meteorites (MEET-ee-er-rights). A few large meteorites have produced huge craters on the Earth. The most famous is the Barringer meteorite crater in Arizona. It is 1.2 kilometers wide. Scientists estimate that the meteorite that caused this crater fell to the Earth within the last 20,000 years.

When artificial satellites fall from orbit, they also burn up as they pass through the atmosphere. However, pieces of the United States's *Skylab* and the Soviet Union's *Cosmos* satellite have fallen out of orbit and reached the Earth's surface. Why do you think some meteoroids and satellites do not burn up completely as they pass through the layers of the atmosphere?

The Thermosphere

The **thermosphere** (THER-moh-sfeer) begins above the mesosphere at a height of about 80 kilometers. The thermosphere has no well-defined upper limit. The air in the thermosphere is very thin. The density of the atmosphere and the air pressure are only about one ten-millionth of what they are at the Earth's surface.

The word *thermosphere* means "heat sphere," or "warm layer." The temperature is very high in this layer of the atmosphere. In fact, the temperature of the thermosphere may reach 2000°C or more! To give you some idea of how hot this is, the temperature at the bottom of a furnace used to make steel reaches 1900°C. At this temperature, the steel mixture is a liquid! You may wonder why the temperature of the thermosphere is so high. (After all, for most of the atmosphere, temperature decreases as altitude increases.) The nitrogen and oxygen in the thermosphere absorb a great deal of the ultraviolet radiation from space and convert it into heat.

The temperature in the thermosphere is measured with special instruments, not with a thermometer.

Figure 1–22 *Temperatures in the thermosphere reach 2000°C, which is higher than the temperatures in a steel furnace.*

Figura 1–21 *Un cráter de meteorito en Arizona, formado al caer un meteorito a la Tierra hace alrededor de 20,000 años.*

noche, puedes ver a veces una línea luminosa, o "una estrella fugaz" en el cielo. Lo que ves es la huella brillante de gases calientes y luminosos llamados meteoros.

La mayoría de los meteoritos se queman por completo cuando pasan a través de la atmósfera terrestre, pero algunos son bastante grandes para sobrevivir y llegar a la Tierra. Algunos meteoritos de gran tamaño han producido cráteres enormes en la Tierra. El más famoso es el cráter del meteorito Barringer en Arizona, que tiene 1.2 kilómetros de ancho. Los científicos estiman que el meteorito que causó ese cráter cayó a la Tierra hace menos de 20,000 años.

Cuando los satélites artificiales caen de su órbita, también se queman al pasar por la atmósfera. Sin embargo, algunos trozos del *Skylab* de los Estados Unidos y del *Cosmos* de la Unión Soviética llegaron a la superficie de la Tierra. ¿Por qué piensas que algunos meteoritos y satélites no se queman completamente al pasar a través de las capas de la atmósfera?

La termosfera

La **termosfera** empieza por encima de la mesosfera, a una altura de alrededor de 80 kilómetros. No tiene un límite superior bien definido. El aire en la termosfera es muy enrarecido. La densidad de la atmósfera y la presión del aire son sólo equivalentes a diez millonésimas partes de los de la superficie.

La palabra *termosfera* significa "esfera de calor" o "capa caliente". La temperatura en esta capa de la atmósfera puede llegar a 2000°C o más. Para darte una idea del calor, piensa que la temperatura en una fundición de acero llega a 1900°C. A esta temperatura, la mezcla de acero es líquida. Te preguntarás por qué la temperatura de la termosfera es tan alta. (Después de todo, en la mayor parte de la atmósfera, la temperatura disminuye a medida que aumenta la altitud.) El nitrógeno y el oxígeno de la termosfera absorben una gran cantidad de la radiación ultravioleta del espacio y la convierten en calor.

La temperatura de la termosfera se mide con instrumentos especiales, y no con un termómetro.

Figura 1–22 *Las temperaturas en la termosfera llegan a 2000 °C, mucho más altas que en una fundición de acero.*

If a thermometer were placed in the thermosphere, it would register far below 0°C! This may seem strange since the thermosphere is so hot. How can this be explained? Temperature is a measurement of how fast particles in the air move. The faster the air particles move, the higher the temperature. And the particles present in the thermosphere are moving very fast. Therefore the particles themselves are very hot.

But these particles are very few and very far apart. There are not enough of them present to bombard a thermometer and warm it. So the thermometer would record a temperature far below 0°C.

THE IONOSPHERE The lower thermosphere is called the **ionosphere** (igh-AHN-uh-sfeer). The ionosphere extends from 80 kilometers to 550 kilometers above the Earth's surface. The size of the ionosphere varies with the amount of ultraviolet and X-ray radiation, two types of invisible energy given off by the sun.

Nitrogen oxides, oxygen, and other gas particles in the ionosphere absorb the ultraviolet radiation and X-rays given off by the sun. The particles of gas become electrically charged. Electrically charged particles are called **ions.** Hence the name ionosphere.

The ions in the ionosphere are important to radio communication. AM radio waves are bounced

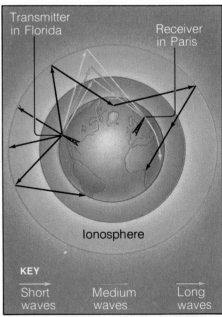

Figure 1–23 *Radio waves are bounced off the ionosphere to transmit radio messages overseas or across continents. There are three types of waves, and each travels to a different height in the ionosphere. Why do storms on the sun interfere with the transmission of radio waves in the ionosphere?*

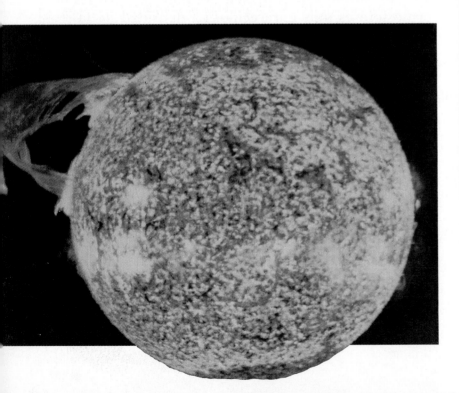

Si se colocara un termómetro en la termosfera, registraría menos de 0°C. Esto puede parecer extraño, ya que la termosfera está tan alta. ¿Cómo puede entonces explicarse? La temperatura se mide por la velocidad con que se mueven las partículas del aire. Cuanto más rápido se mueven, más alta es la temperatura. Las partículas presentes en la termosfera se mueven muy rápido. En consecuencia, esas partículas están muy calientes.

Pero son muy pocas y están muy distantes unas de otras. No son bastantes para bombardear un termómetro y calentarlo. El termómetro registraría entonces temperaturas muy por debajo de los 0 °C.

LA IONOSFERA La termosfera inferior se llama la **ionosfera** y está de 80 a 550 kilómetros por encima de la superficie de la Tierra. Su tamaño varía con la cantidad de rayos ultravioletas y rayos X, que son dos tipos de energías invisibles emitidas por el sol.

Los óxidos de nitrógeno, el oxígeno y otras partículas de gas de la ionosfera absorben la radiación ultravioleta y los rayos X que emite el sol. Las partículas de gas se cargan de electricidad y las partículas cargadas de electricidad se llaman **iones.** De ahí el nombre ionosfera.

Los iones de la ionosfera son importantes para las comunicaciones de radio. Las ondas de radio de

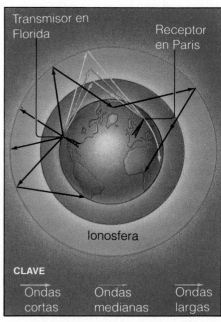

Figura 1–23 *Las ondas de radio rebotan en la ionosfera para transmitir mensajes de radio a través de los mares o los continentes. Hay tres tipos de ondas, y cada una viaja a una altura diferente de la ionosfera. ¿Porqué interfieren las tormentas del sol con la transmisión de las ondas de radio en la ionosfera?*

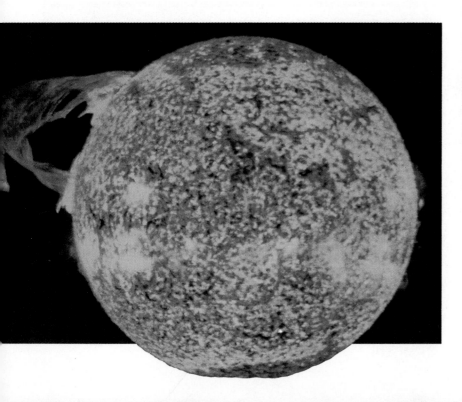

Figure 1–24 *Weather satellites orbiting the Earth transmit information used by scientists to track weather patterns. What type of weather do you think the southeastern United States is having?*

off the ions in the ionosphere and back to the Earth's surface. As a result, AM radio messages can be sent over great distances.

Sometimes large disturbances on the sun's surface, known as solar flares, cause the number of ions in the ionosphere to increase. This increase in ions can interfere with the transmission of some radio waves.

THE EXOSPHERE The upper thermosphere is called the **exosphere** (EHKS-oh-sfeer). The exosphere extends from about 550 kilometers above the Earth's surface for thousands of kilometers. The air is so thin in the exosphere that one particle can travel great distances without hitting another particle.

It is in the exosphere that artificial satellites orbit the Earth. Satellites play an important role in television transmission and in telephone communication. Does it surprise you to learn how great a distance a long distance call actually travels if the signal bounces off a satellite in the exosphere before it returns to the Earth? Satellites are also used to keep a 24-hour watch on the world's weather. And because the very thin air in the exosphere makes seeing objects in space easier, telescopes are often carried aboard satellites.

1–3 Section Review

1. How are the layers of the atmosphere divided? What are the four main layers?
2. Identify one significant characteristic of each layer of the atmosphere. How is that characteristic important to you on Earth?
3. Why is ozone important to life on Earth?
4. Why is the temperature in the thermosphere not measured with a thermometer?

Connection—*Ecology*
5. Scientists are concerned that "holes" are being created in the ozone layer. In such a hole, the amount of ozone is reduced. Predict what would happen to life on Earth if the amount of ozone in the ozone layer were depleted.

Figura 1–24 *Los satélites meteorológicos en órbita alrededor de la Tierra transmiten información utilizada por los científicos para vigilar las condiciones meteorológicas. ¿Qué clase de tiempo crees tú que hace en la región sureste de los Estados Unidos?*

AM rebotan en los iones de la ionosfera y vuelven a la superficie. Por esa razón, es posible enviar mensajes por radio de AM a grandes distancias.

Algunas veces, las perturbaciones en la superficie del sol, llamadas fulguraciones solares, hacen que aumente el número de iones de la ionosfera. Esto puede interferir con la transmisión de algunas ondas de radio.

LA EXOSFERA   La parte superior de la termosfera, llamada **exosfera,** se extiende desde unos 550 kilómetros hasta miles de kilómetros por encima de la superficie de la Tierra. El aire en la exosfera está tan enrarecido que una partícula puede viajar grandes distancias sin chocar con otra.

Los satélites artificiales están en órbita en la exosfera. Los satélites desempeñan un papel importante en las transmisiones de televisión y en las comunicaciones telefónicas. ¿Te sorprende saber la gran distancia que recorre una llamada de larga distancia si la señal rebota en un satélite en la exosfera antes de llegar a la Tierra? También se usan satélites para vigilar las condiciones meteorológicas en el mundo 24 horas al día. Como el aire enrarecido de la exosfera hace que sea más fácil ver objetos en el espacio, esos satélites a menudo llevan telescopios.

1–3 Repaso de la sección

1. ¿Cómo se dividen las capas de la atmósfera? ¿Cuáles son las cuatro capas principales?
2. Identifica una característica de cada capa de la atmósfera. ¿Porqué es esa característica importante para ti en la Tierra?
3. ¿Por qué es importante el ozono para la vida en la Tierra?
4. ¿Por qué no se mide la temperatura de la termosfera con un termómetro?

Conexión—*Ecología*
5. Los científicos están preocupados por los "agujeros" que se están produciendo en la capa de ozono. En esos agujeros, la cantidad de ozono se ha reducido. Predice qué ocurriría con la vida en la Tierra si se agotara el ozono.

CONNECTIONS

Sneezing and Wheezing— It's Allergy Time

It's spring again. The days get longer. The sun seems warmer and friendlier. Plants once again begin to grow. After the short, cold days of winter, most people look forward to spring as a promise of the season to come. But for many others, spring brings the misery of allergies. An allergy is a reaction caused by an increased sensitivity to a certain substance. With every breath they take, allergy sufferers are reminded of the many natural sources of air pollution.

Pollen grains are one kind of particle normally found in the air. Pollen grains are male plant reproductive cells. During certain times of the year, different kinds of pollen are released into the air. For example, maple and oak trees flower in the early spring, releasing millions upon millions of pollen grains into the air. These pollen grains are lightweight and float on air currents. If a person with an allergy to maple and oak tree pollen breathes in these pollen grains, certain cells in the respiratory system overreact, producing a chemical called histamine. This chemical causes the nose to run, the throat to tickle, and the eyes to water and itch.

You have probably heard of the condition called hay fever. Hay fever is neither a fever nor is it caused by hay. Hay fever is another example of an allergy. In this case, the culprit is ragweed pollen. Ragweed pollen also causes histamine to be produced.

There is no complete cure for allergies. If the particular pollen cannot be avoided, sufferers can take allergy-relief medicines prescribed by their physicians. As you can see, for some people, there are dangers hidden in the beauty of the natural world.

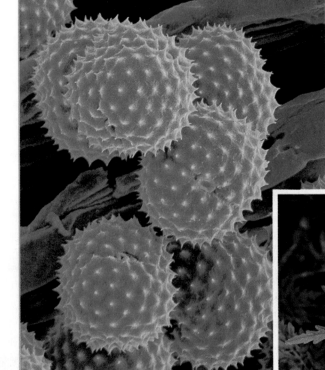

Ragweed pollen (left), ragweed plant (right)

Los estornudos y las alergias

Ha vuelto la primavera. Los días son más largos y el sol más cálido y más brillante. Las plantas empiezan de nuevo a crecer. Después de los días cortos y fríos del invierno, la gente recibe la primavera como una promesa de la estación esperada. Pero para muchas personas, la primavera trae consigo el sufrimiento de las alergias. Una alergia es una reacción causada por un aumento de la sensibilidad a cierta sustancia. Con cada inhalación, los que padecen de alergias recuerdan las muchas causas naturales de la contaminación del aire.

Los granos de polen son un tipo de partícula que se encuentra normalmente en el aire. Son las células reproductivas masculinas de las plantas. En ciertos momentos del año, hay diferentes tipos de polen. Por ejemplo, los arces y los robles florecen a comienzos de la primavera y esparcen millones de granos de polen por el aire. Esos granos de polen son muy livianos y flotan en las corrientes de aire. Si una persona alérgica al polen de arce o de roble aspira esos granos de polen, algunas células de su sistema respiratorio reaccionan produciendo una sustancia llamada histamina. Esta sustancia hace que le chorree la nariz, le pique la garganta y le ardan los ojos.

Probablemente has oído nombrar la fiebre del heno. La fiebre del heno no es una fiebre ni es causada por el heno. Es otro ejemplo de una alergia, pero en este caso el culpable es el polen de la ambrosía, que también hace que se produzca histamina.

No hay una cura completa para las alergias. Si no es posible evitar un polen determinado, las personas alérgicas pueden tomar medicinas recetadas por su médico para aliviarse. Como puedes ver, para algunos, la belleza del mundo natural tiene peligros ocultos.

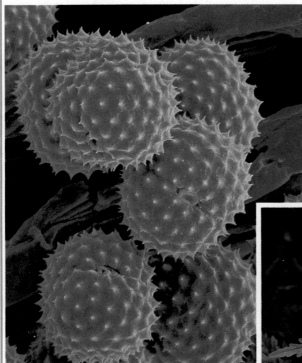

Polen de ambrosía (a la izquierda), planta ambrosía (a la derecha)

Guide for Reading

Focus on this question as you read.

▶ What are some characteristics of the magnetic field of the Earth?

1–4 The Magnetosphere

The area around the Earth that extends beyond the atmosphere is called the **magnetosphere** (mag-NEET-oh-sfeer). The Earth's magnetic force operates in the magnetosphere. The magnetosphere begins at an altitude of about 1000 kilometers. On the side of the Earth that faces the sun, the magnetosphere extends out into space about 4000 kilometers. It extends even farther into space on the other side of the Earth. See Figure 1–25. The difference in size of the magnetosphere is caused by the solar wind, which is a stream of fast-moving ions given off by the outermost layer of the sun's atmosphere. (Ions, recall, are electrically charged particles common to the ionosphere.) The solar wind pushes the magnetosphere farther into space on the side of the Earth away from the sun.

The magnetosphere is made up of positively charged protons and negatively charged electrons. Protons and electrons are two of the most important particles that make up atoms. An atom is considered the basic building block of matter, or the smallest unit from which all substances are made. Protons and electrons are given off by the sun and captured by the Earth's magnetic field. The charged particles

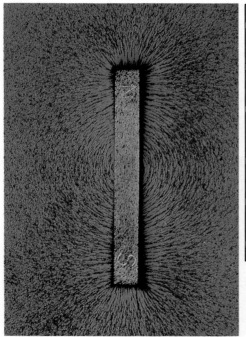

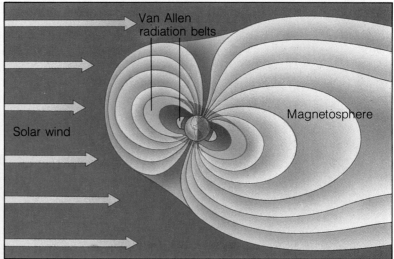

Figure 1–25 *The Earth acts like a giant bar magnet whose lines of force produce the same pattern as a small bar magnet. Why does the magnetosphere formed by the Earth extend farther on one side than on the other?*

1– 4 La magnetosfera

La zona que rodea la Tierra más allá de la atmósfera y donde actúa su fuerza magnética se llama **magnetosfera.** La magnetosfera empieza a unos 1000 kilómetros sobre la superficie y se extiende, del lado de la Tierra que da al sol, unos 4000 kilómetros en el espacio. Se extiende más al otro lado de la Tierra. Véase la figura 1–25. La diferencia en el tamaño de la magnetosfera se debe al viento solar, que es una corriente de iones en rápido movimiento que emite la capa exterior de la atmósfera solar. (Recordarás que los iones son partículas cargadas de electricidad comunes en la ionosfera.) El viento solar empuja la magnetosfera más lejos, hacia el espacio del lado de la Tierra opuesto al sol.

La magnetosfera está formada por protones con carga positiva y electrones con carga negativa. Los protones y los electrones son dos de las partículas más importantes que integran los átomos. Un átomo se considera el bloque básico de la materia, o la unidad más pequeña de que están formadas las sustancias. El sol emite protones y electrones, que son capturados por el campo magnético de la Tierra. Las partículas cargadas se concentran en cinturones o capas de alta

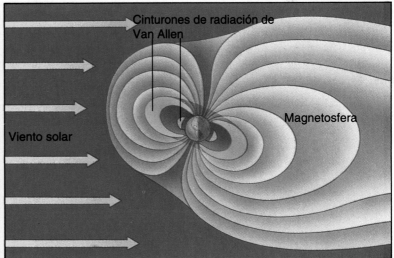

Figura 1–25 *La Tierra actúa como un imán gigantesco cuyas líneas de fuerza producen la misma configuración que un imán pequeño. ¿Por qué la magnetosfera formada por la Tierra se extiende más hacia un lado que hacia el otro?*

Figure 1–26 *Electrically charged particles from the sun collide with particles in the upper atmosphere and produce the multicolored lights called an aurora. Here you see the aurora borealis, or northern lights.*

are concentrated into belts, or layers, of high radiation. These belts are called the **Van Allen radiation belts.** They were discovered by satellites in 1958 and named after James Van Allen, the scientist whose work led to their discovery.

The Van Allen radiation belts pose a problem for space travelers. Space flights have to be programmed to avoid the radiation or suitable protection must be provided for astronauts who travel through the belts. However, the Van Allen belts are important to life on the Earth. They provide protection by trapping other deadly radiation.

When there is a solar flare, the magnetosphere is bombarded by large quantities of electrically charged particles from the sun. These charged particles get trapped in the magnetosphere. Here they collide with other particles in the upper atmosphere. The collisions cause the atmospheric particles to give off light. The multicolored lights are called the aurora borealis, or northern lights, and the aurora australis, or southern lights.

After a heavy bombardment of solar particles, sometimes called a magnetic storm, the magnetic field of the Earth may change temporarily. A compass needle may not point north. Radio signals may be interrupted. Telephone and telegraph communications may also be affected.

1–4 Section Review

1. What is the magnetosphere made of?
2. Why are the Van Allen radiation belts important to life on Earth?
3. How can scientists predict when an aurora will be visible?

Critical Thinking—*Relating Concepts*
4. How did technology contribute to the discovery of the Van Allen radiation belts?

Figura 1–26 *Las partículas cargadas de electricidad del sol chocan con las partículas de la parte superior de la atmósfera y producen luces multicolores llamadas auroras. Aquí ves la aurora boreal.*

radiación que se llaman **cinturones de Van Allen.** Fueron descubiertos mediante satélites en 1958 y nombrados en homenaje a James Van Allen, cuyos trabajos llevaron a su descubrimiento.

Los cinturones de radiación de Van Allen presentan problemas para los viajeros espaciales. Es necesario programar los vuelos espaciales para evitar la radiación o proteger adecuadamente a los astronautas que viajan a través de los cinturones. Sin embargo, son importantes para la vida en la Tierra, porque atrapan otras radiaciones mortales.

Cuando hay una fulguración solar, la magnetosfera es bombardeada por grandes cantidades de partículas cargadas de electricidad del sol. Esas partículas quedan atrapadas en la magnetosfera, donde chocan con otras partículas de la atmósfera superior. Las colisiones hacen que las partículas atmosféricas emitan luces multicolores llamadas aurora boreal en el norte y aurora austral en el sur.

Tras un bombardeo intenso de partículas solares, que se llama a veces una tormenta solar, es posible que el campo magnético de la Tierra cambie temporalmente. Las brújulas no apuntan hacia el norte. Las señales de radio se interrumpen y las comunicaciones telefónicas y telegráficas también resultan afectadas.

1–4 Repaso de la sección

1. ¿De qué está formada la magnetosfera?
2. ¿Por qué son importantes los cinturones de radiación de Van Allen para la vida en la Tierra?
3. ¿Cómo los científicos pueden predecir cuándo se verá una aurora?

Pensamiento crítico—*Relacionar conceptos*
4. ¿Cómo contribuyó la tecnología al descubrimiento de los cinturones de radiación de Van Allen?

Laboratory Investigation

Radiant Energy and Surface Temperature

Problem

Does the type of surface affect the amount of heat absorbed both in and out of direct sunlight?

Materials *(per group)*

> 10 thermometers
> stopwatch or clock with sweep second hand
> 2 shallow containers of water

Procedure 🔥

1. Place a thermometer on the grass in the sun. Place a second thermometer on the grass in the shade.
2. Place the remaining thermometers—one in the sun and one in the shade—on bare soil, on concrete, on a blacktop surface, and in water.
3. After 2 minutes, record the temperature of each surface.
4. Continue recording the temperature of each surface every 2 minutes for a period of 10 minutes.
5. Record your results in a data table similar to the one shown here.

Observations

1. Which surface was the warmest? Which surface was the coolest?
2. By how many degrees did the temperature of each surface in direct sunlight change during the 10-minute time period?
3. By how many degrees did the temperature of each surface in the shade change during the 10-minute period?

Analysis and Conclusions

1. Why do you think the warmest surface was the warmest?
2. How do you explain the temperature change that occurred in water?
3. What conclusions can you reach about the amount of heat energy different surfaces absorb from the sun?
4. **On Your Own**   How can you apply your observations to the kinds of clothing that should be worn in a warm climate? In a cold climate? In what other ways do the results of this investigation affect people's lives?

Surface	Temperature in the Sun					Temperature in the Shade				
	2 min	4 min	6 min	8 min	10 min	2 min	4 min	6 min	8 min	10 min
Grass										
Soil										
Concrete										
Blacktop										
Water										

Investigación de laboratorio

Energía radiante y temperatura de la superficie

Problema

¿Afecta el tipo de superficie la cantidad de calor absorbido directa o indirectamente de la luz solar?

Materiales *(por grupo)*

10 termómetros
cronómetro o reloj con segundero
2 recipientes poco profundos con agua

Procedimiento 🧪

1. Coloca un termómetro sobre el césped al sol. Coloca un segundo termómetro sobre el césped a la sombra.
2. Coloca los demás termómetros—uno al sol y uno a la sombra—sobre la tierra, el cemento o el pavimento, y en el agua.
3. Después de 2 minutos, registra la temperatura en cada superficie.
4. Sigue registrando la temperatura en cada superficie cada 2 minutos durante un período de 10 minutos.
5. Registra los resultados en un cuadro similar al que se indica aquí.

Observaciones

1. ¿Qué superficie estaba más caliente? ¿Qué superficie estaba más fría?
2. ¿Cuántos grados cambió la temperatura en cada superficie al sol en el período de 10 minutos?
3. ¿Cuántos grados cambió la temperatura en cada superficie a la sombra en el período de 10 minutos?

Análisis y conclusiones

1. ¿Por qué piensas que la superficie más caliente estaba más caliente?
2. ¿Cómo explicas el cambio de temperatura en el agua?
3. ¿Qué conclusiones puedes extraer sobre la cantidad de energía térmica del sol que absorben las diferentes superficies?
4. **Por tu cuenta** ¿Cómo puedes aplicar estas observaciones al tipo de ropa que debe llevarse en un clima cálido? ¿En un clima frío? ¿De qué otras maneras afectan los resultados de esta investigación la vida de la gente?

Superficie	Temperatura al sol					Temperatura a la sombra				
	2 min	4 min	6 min	8 min	10 min	2 min	4 min	6 min	8 min	10 min
Césped										
Tierra										
Cemento										
Pavimento										
Agua										

Study Guide

Summarizing Key Concepts

1–1 A View of Planet Earth: Spheres Within a Sphere

▲ The solid parts of planet Earth make up the lithosphere.

▲ Parts of the Earth that are made up of water compose the hydrosphere.

▲ The envelope of gases that surrounds the Earth is the atmosphere.

1–2 Development of the Atmosphere

▲ About 3.8 billion years ago, chemical reactions triggered by sunlight produced new substances in the atmosphere.

▲ The ozone layer is sometimes referred to as an "umbrella" for life on Earth. The ozone layer absorbs much of the harmful radiation from the sun.

▲ The present atmosphere consists mainly of nitrogen, oxygen, carbon dioxide, water vapor, argon, and several other gases present in trace amounts.

1–3 Layers of the Atmosphere

▲ The four main layers of the atmosphere are the troposphere, stratosphere, mesosphere, and the thermosphere.

▲ Almost all of the Earth's weather occurs in the troposphere.

▲ Temperature decreases with increasing altitude in the troposphere. The zone of the troposphere where the temperature remains fairly constant is called the tropopause.

▲ Most of the ozone in the atmosphere is located in a layer of the stratosphere.

▲ The upper mesosphere is the coldest region of the atmosphere.

▲ The thermosphere is made up of the ionosphere and the exosphere.

1–4 The Magnetosphere

▲ The magnetosphere extends from an altitude of about 1000 kilometers far into space.

▲ The Van Allen radiation belts are layers of high radiation that form as a result of the concentration of charged particles.

Reviewing Key Terms

Define each term in a complete sentence.

1–1 A View of Planet Earth: Spheres Within a Sphere
equator
hemisphere
lithosphere
hydrosphere
atmosphere

1–2 Development of the Atmosphere
ozone

1–3 Layers of the Atmosphere
air pressure
troposphere
convection current
stratosphere
jet stream
mesosphere
thermosphere
ionosphere
ion
exosphere

1–4 The Magnetosphere
magnetosphere
Van Allen radiation belt

Guía para el estudio

Resumen de conceptos clave

1–1 Panorama del planeta Tierra: esferas dentro de una esfera

▲ Las partes sólidas de la Tierra forman la litosfera.

▲ Las partes de la Tierra formadas de agua constituyen la hidrosfera.

▲ La cubierta de gases que rodea la Tierra es la atmósfera.

1–2 Desarrollo de la atmósfera

▲ Hace aproximadamente 3,800 millones de años, ciertas reacciones químicas desencadenadas por la luz solar produjeron nuevas sustancias en la atmósfera.

▲ La capa de ozono se describe a veces como una "sombrilla" para la vida en la Tierra. La capa de ozono absorbe gran parte de la radiación nociva del sol.

▲ La atmósfera actual consiste principalmente en nitrógeno, oxígeno, dióxido de carbono, vapor de agua, argón y varios otros gases en pequeñísimas cantidades.

1–3 Capas de la atmósfera

▲ Las cuatro capas principales de la atmósfera son la troposfera, la estratosfera, la mesosfera y la termosfera.

▲ Casi todos los fenómenos meteorológicos de la Tierra se producen en la troposfera.

▲ La temperatura disminuye al aumentar la altura en la troposfera. La zona de la troposfera donde la temperatura permanece relativamente constante se llama tropopausa.

▲ La mayor parte del ozono de la atmósfera está en una capa de la estratosfera.

▲ La mesosfera superior es la región más fría de la atmósfera.

▲ La termosfera está compuesta por la ionosfera y la exosfera.

1–4 La magnetosfera

▲ La magnetosfera se extiende desde aproximadamente 1000 kilómetros de altitud hasta muy lejos en el espacio.

▲ Los cinturones de radiación de Van Allen son capas de alta radiación que se forman como resultado de la concentración de partículas cargadas.

Repaso de palabras claves

Define cada palabra o palabras con una oración completa.

1–1 Panorama de la Tierra: esferas dentro de una esfera
ecuador
hemisferio
litosfera
hidrosfera
atmósfera

1–2 Desarrollo de la atmósfera
ozono

1–3 Capas de la atmósfera
presión del aire
troposfera
corriente de convección
estratosfera
corriente de chorro
mesosfera
termosfera
ionosfera
ion
exosfera

1–4 La magnetosfera
magnetosfera
cinturón de radiación de Van Allen

Chapter Review

Content Review

Multiple Choice

Choose the letter of the answer that best completes each statement.

1. The envelope of gases that surrounds the Earth is called the
   a. lithosphere.   c. hydrosphere.
   b. atmosphere.   d. equator.
2. Oceans, lakes, and the polar ice caps are part of the Earth's
   a. crust.   c. fresh water.
   b. argons.   d. hydrosphere.
3. Four billion years ago the Earth's atmosphere contained the deadly gases
   a. nitrogen and oxygen.
   b. methane and ammonia.
   c. methane and oxygen.
   d. nitrogen and ozone.
4. The most abundant gas in the atmosphere is
   a. oxygen.   c. argon.
   b. carbon dioxide   d. nitrogen.

5. The layer of the atmosphere where the temperature may reach 2000°C is called the
   a. stratosphere.   c. thermosphere.
   b. mesosphere.   d. troposphere.
6. Ultraviolet radiation from the sun is absorbed by ozone in the
   a. troposphere.   c. thermosphere.
   b. stratosphere.   d. ionosphere.
7. Artificial satellites orbit the Earth in the part of the thermosphere called the
   a. ionosphere.   c. exosphere.
   b. mesosphere.   d. troposphere.
8. The lowest layer of the atmosphere is called the
   a. stratosphere.   c. thermosphere.
   b. mesosphere.   d. troposphere.

True or False

If the statement is true, write "true." If it is false, change the underlined word or words to make the statement true.

1. Almost 85 percent of the fresh water on Earth is trapped in ice.
2. The envelope of gases that surrounds the Earth is called the hydrosphere.
3. Few living things could survive on Earth without the presence of methane, the gas that absorbs ultraviolet radiation.
4. The magnetosphere is the area that extends beyond the atmosphere.
5. Electrically charged particles are called molecules.
6. As altitude increases, the temperature of the air increases.
7. Because of the increased burning of fossil fuels, the level of carbon dioxide in the air is increasing.

Concept Mapping

Complete the following concept map for Section 1–1. Refer to pages I6–I7 to construct a concept map for the entire chapter.

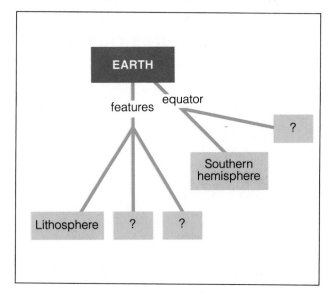

Repaso del capítulo

Repaso del contenido

Selección múltiple

Selecciona la letra de la respuesta que complete mejor cada frase.

1. La cubierta de gases que rodea la Tierra se llama
  a. litosfera.
  b. atmósfera.
  c. hidrosfera.
  d. ecuador.

2. Los océanos, los lagos y los casquetes polares son parte de
  a. la corteza.
  b. los argones.
  c. el agua dulce.
  d. la hidrosfera.

3. Hace 4,000 millones de años, la atmósfera de la Tierra contenía los siguientes gases mortales
  a. nitrógeno y oxígeno.
  b. metano y amoníaco.
  c. metano y oxígeno.
  d. nitrógeno y ozono.

4. El gas más abundante de la atmósfera es
  a. el oxígeno.
  b. el óxido de carbono.
  c. el argón.
  d. el nitrógeno.

5. La capa de la atmósfera donde la temperatura puede llegar a 2000°C se llama
  a. estratosfera.
  b. mesosfera.
  c. termosfera.
  d. troposfera.*

6. La radiación ultravioleta del sol es absorbida por el ozono en
  a. la troposfera.
  b. la estratosfera.
  c. la termosfera.
  d. la ionosfera.

7. Los satélites artificiales están en órbita alrededor de la Tierra en la parte de la termosfera llamada
  a. ionosfera.
  b. mesosfera.
  c. exosfera.
  d. troposfera.

8. La parte inferior de la atmósfera se llama
  a. estratosfera.
  b. mesosfera.
  c. termosfera.
  d. troposfera.

Verdadero o falso

Si la afirmación es verdadera, escribe "verdad." Si es falsa, cambia las palabras subrayadas para que sea verdadera.

1. Casi el _85%_ del agua dulce de la Tierra está en forma de hielo.

2. La cubierta de gases que rodea a la Tierra se llama _hidrosfera_.

3. Muy pocos seres vivos podrían sobrevivir en la Tierra sin la presencia del _metano_, un gas que absorbe la radiación ultravioleta.

4. La _magnetosfera_ es la zona que se extiende más allá de la atmósfera.

5. Las partículas con carga eléctrica se llaman _moléculas_.

6. A medida que aumenta la altitud, la temperatura del aire _aumenta_.

7. A causa de la cantidad cada vez mayor de combustibles fósiles que se queman, está aumentando el nivel de _dióxido de carbono_ en el aire.

Mapa de conceptos

Completa el siguiente mapa de conceptos para la sección 1–1. Consulta las páginas 16 – 17 para construir un mapa de conceptos para todo el capítulo.

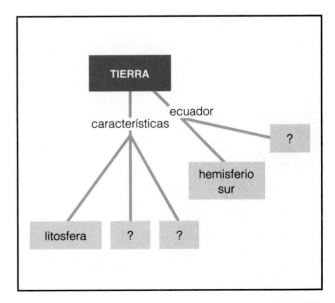

Concept Mastery

Discuss each of the following in a brief paragraph.

1. How did living organisms change the atmosphere of ancient Earth?
2. Tell how each of the following items would be useful for an astronaut on a trip to Mars: a supply of oxygen, a space suit, radiation protection.
3. What are the four most common gases in the troposphere? In what percentages do these gases occur?
4. Explain why air pressure decreases as altitude increases.
5. What is ultraviolet radiation? What effect does this type of radiation have on living things?
6. How have satellites contributed to our knowledge of the atmosphere?

Critical Thinking and Problem Solving

Use the skills you have developed in this chapter to answer each of the following.

1. **Applying concepts** Could animals have lived on ancient Earth before green plants? Explain your answer.
2. **Applying concepts** Traveling from New York to San Francisco, California takes about 5 hours and 30 minutes. The return trip from San Francisco to New York, however, takes about 5 hours. Use your knowledge of the jet stream to explain the difference in travel time.

3. **Relating cause and effect** Scientists are concerned that certain chemicals, when released into the atmosphere, cause the level of ozone to decrease. Predict what might happen to living things on Earth if the ozone layer continues to decrease.
4. **Sequencing events** Make a series of drawings or small dioramas to show how the atmosphere of Earth has changed over time.
5. **Making diagrams** The diagrams on pages 19 and 21 show the nitrogen and the oxygen-carbon dioxide cycles. Use these diagrams as a guide to draw pictures of each cycle as it occurs in your surroundings. Include plants and animals found in your area.
6. **Using the writing process** People have walked on the moon during your parents' or your teachers' lifetime. Conduct an interview with your parents or a teacher. Ask them if they saw the first step onto the moon. Have them describe their feelings at the time of the first moon walk. Organize the information from the interview into a short essay.

Dominio de conceptos

Comenta cada uno de los puntos siguientes en un párrafo breve.

1. ¿Cómo cambiaron los organismos vivos la antigua atmósfera de la Tierra?
2. ¿Cuál de los artículos siguientes sería útil para un astronauta en su viaje a Marte: una reserva de oxígeno, un traje espacial, protección contra la radiación?
3. ¿Cuáles son los cuatro gases más comunes en la troposfera? ¿En qué porcentaje están esos gases?
4. Explica por qué la presión del aire disminuye a medida que aumenta la altitud.
5. ¿Qué es la radiación ultravioleta? ¿Qué efecto tiene esta radiación sobre los seres vivos?
6. ¿Cómo han contribuido los satélites a nuestro conocimiento de la atmósfera?

Pensamiento crítico y solución de problemas

Usa las destrezas que has desarrollado en este capítulo para resolver lo siguiente:

1. **Aplicar conceptos** ¿Podría haber habido animales en la Tierra antes de que hubiera plantas verdes? Explica tu respuesta.
2. **Aplicar conceptos** El viaje desde Nueva York hasta San Francisco, en California, lleva aproximadamente 5 horas y 30 minutos. Sin embargo, el regreso de San Francisco a Nueva York lleva 5 horas. Utiliza tu conocimiento de la corriente de chorro para explicar la diferencia en el tiempo de viaje.

3. **Relacionar causa y efecto** Los científicos temen que algunos productos químicos que se descargan en la atmósfera hagan que disminuya el nivel de ozono. Piensa qué ocurriría con los seres vivos de la Tierra si siguiera disminuyendo la capa de ozono.
4. **Ordenar acontecimientos** Haz una serie de dibujos o de pequeños dioramas para mostrar cómo ha cambiado la atmósfera de la Tierra con el tiempo.
5. **Hacer diagramas** Los diagramas de las páginas 19 y 21 muestran los ciclos del nitrógeno y del oxígeno-dióxido de carbono. Usa esos diagramas como guía para hacer dibujos de cada ciclo tal como se produce en tus alrededores. Incluye las plantas y los animales que hay en tu zona.
6. **Usar el proceso de la escritura** Durante la vida de tus padres o tus profesores, el ser humano ha llegado a la luna. Entrevista a tus padres o a un profesor. Preguntales si vieron el primer paso en la luna. Haz que te describan lo que sintieron en ese momento. Organiza la información de la entrevista en la forma de un ensayo breve.

Earth's Oceans

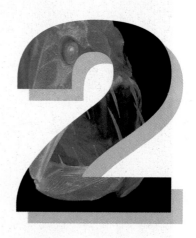

Guide for Reading

After you read the following sections, you will be able to

2-1 The World's Oceans
- Identify the Earth's major oceans.

2-2 Properties of Ocean Water
- Describe the physical properties of ocean water.

2-3 The Ocean Floor
- Describe the major features of the ocean floor.

2-4 Ocean Life Zones
- Compare the ocean life zones.

2-5 Mapping the Ocean Floor
- Explain how the ocean floor is mapped.

2-6 Motions of the Ocean
- Identify the motions of the oceans and their effects.

Many bizarre living things make their home deep beneath the ocean waves. Indeed, some fish look as if they recently swam out of the pages of the strangest science fiction novel. The anoplogaster on the opposite page is but one example. With its needlelike teeth bared, the 15-centimeter fish stalks its prey. Food, however, is scarce in the 6000-meter-deep water this fish calls home.

At this profound depth, the water temperature is near freezing, the pressure tremendous. But in this blue-black ocean water where no sunlight penetrates, the anoplogaster is a fearsome predator.

The oceans are rich in many forms of life. Tiny single-celled plants share the salt waters of the Earth with mammoth whales. A wide variety of organisms obtain the gases and foods they need from ocean water. The ocean plays an important role in your survival, as well. It is a direct source of food and an indirect source of fresh water for all living things.

In this chapter, you will learn more about the oceans—their properties, motions, and the land beneath them. And you will become more familiar with the variety of living things that make the oceans their home.

Journal *Activity*

You and Your World In 1492, it took Christopher Columbus weeks to reach the New World by sailing across the Atlantic in ships powered by winds. Would you have liked to be a member of Columbus's crew? What do you think that long voyage was like? In your journal, keep a diary for a week in which you are a member of Columbus's crew.

Tiny but terrifying, an anoplogaster patrols the ocean depths in search of food.

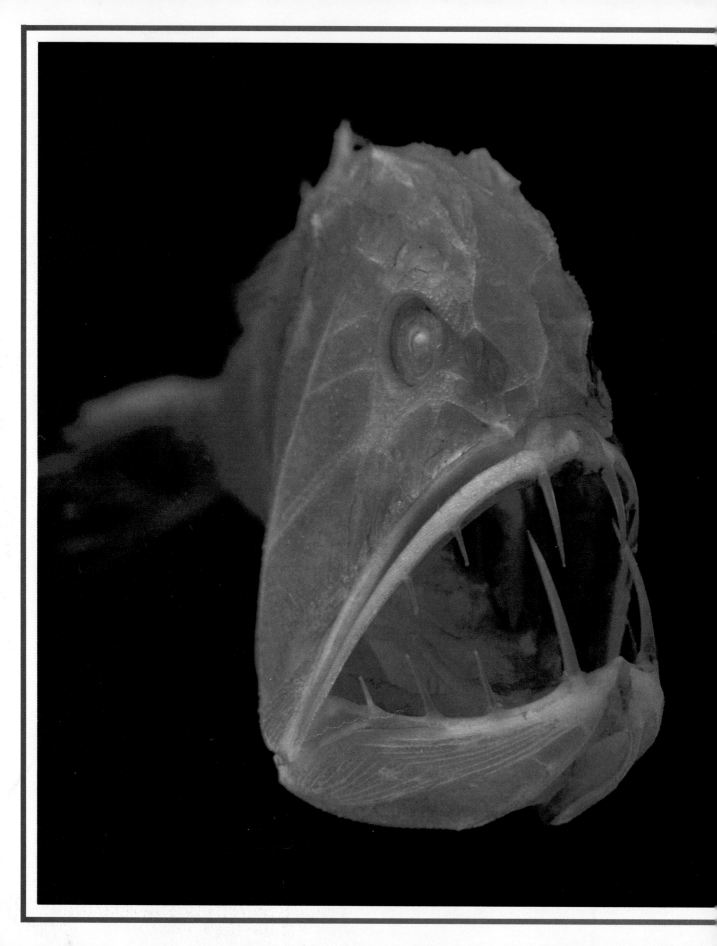

Océanos terrestres

Guía para la lectura

Después de leer las siguientes secciones, podrás

2–1 Los océanos del mundo
- Identificar los principales océanos del mundo.

2–2 Propiedades del agua marina
- Describir las propiedades del agua marina.

2–3 El fondo marino
- Describir las principales características del fondo marino.

2–4 Zonas de vida marina
- Comparar las zonas de vida marina.

2–5 Mapas del fondo marino
- Explicar cómo se trazan mapas del fondo marino.

2–6 Movimientos del océano
- Identificar los movimientos del océano y sus efectos.

Hay muchos seres extraños bajo las olas del océano. Algunos parecen recién salidos de una novela de ciencia ficción. El anoplogaster de la página opuesta es sólo un ejemplo. Mostrando sus dientes como agujas, este pez de 15 centímetros acecha su presa. Los alimentos son escasos en las aguas a 6000 metros de profundidad, donde vive este pez.

A estas profundidades, la temperatura del agua está casi en el punto de congelación y la presión es tremenda. En estas aguas negroazuladas donde no penetra el sol, el anoplogaster es un predador temible.

Hay en los océanos muchísimas formas de vida. Hay plantas unicelulares minúsculas que comparten las aguas saladas con ballenas inmensas. Una gran variedad de organismos obtienen los gases y los alimentos que necesitan de las aguas del océano. El océano desempeña también un papel importante para tu supervivencia. Es una fuente directa de alimentos y una fuente indirecta de agua dulce para todos los seres vivos.

En este capítulo aprenderás acerca de los océanos; de sus propiedades, de sus movimientos y de la tierra bajo ellos, tambien te familiarizarás con los múltiples seres vivos que habitan en los océanos.

Diario *Actividad*

Tú y tu mundo En 1492, Cristóbal Colón, viajando a través del Atlántico en buques empujados por el viento, tardó varias semanas en llegar al Nuevo Mundo. ¿Te hubiera gustado ser miembro de la tripulación de Colón? ¿Cómo crees que fue ese largo viaje? En tu diario, lleva durante una semana un diario como si fueras miembro de la tripulación de Cristóbal Colón.

El pequeño pero aterrador anoplogaster patrulla las profundidades oceánicas en busca de alimentos.

2–1 The World's Oceans

Suppose a contest was held in which you were asked to rename the Earth? What would you call it? If you looked at the Earth's surface features from space, you might call it Oceanus. This would probably be a good name to choose because about 71 percent of the Earth's surface is covered by ocean water. In fact, the oceans contain most of the Earth's water—about 97 percent. And although each ocean and sea has a separate name, all of the oceans and seas are actually one continuous body of water.

The Atlantic, Indian, and Pacific oceans are the three major oceans. Smaller bodies of ocean water, such as the Mediterranean Sea, the Black Sea, and the Arctic Ocean, are considered part of the Atlantic Ocean. A sea is a part of an ocean that is nearly surrounded by land. Can you name any other seas?

The Pacific Ocean is the largest ocean on Earth. Its area and volume are greater than those of the Atlantic and Indian oceans combined. The Pacific Ocean is also the deepest ocean. Its average depth is 3940 meters. The Atlantic Ocean is the second largest ocean. The average depth of the Atlantic Ocean is 3350 meters. Although the Indian Ocean is much smaller than the Atlantic, its average depth is greater.

The ocean, which you may already know is made of salt water, plays an important role in the water cycle. During this cycle, the sun's rays heat the surface of the ocean. The heat causes the water to evaporate, or change from the liquid phase to the gas phase. The evaporating water—pure, fresh water—enters the atmosphere as water vapor. The salts remain in the ocean.

Winds carry much of the water vapor over land areas. Some of the water vapor in the atmosphere condenses to form clouds. Under the right conditions, the water in clouds falls as precipitation (rain, snow, sleet, and hail). Some of this water runs into

Figure 2–1 *Notice the sea stacks that have been carved by ocean waves off Big Sur in California. What percent of the Earth's surface is covered by water?*

2–1 Los océanos del mundo

Supón que se hace un concurso en que se te pide que des un nuevo nombre a la Tierra. ¿Cómo la llamarías? Si miras la superficie de la Tierra desde el espacio, podrías llamarla Oceana. Este sería probablemente un buen nombre, porque alrededor del 71% de la superficie de la Tierra está cubierta por agua. En efecto, los océanos contienen la mayor parte del agua de la Tierra—alrededor del 97%. Aunque cada océano y cada mar tiene un nombre distinto, todos forman en realidad una masa continua de agua.

El Atlántico, el Índico y el Pacífico son los tres océanos principales. Otras masas de agua de mar, como el mar Mediterráneo, el mar Negro y el océano Ártico, se consideran partes del océano Atlántico. Un mar es una parte de un océano rodeada casi totalmente de tierra. ¿Puedes nombrar otros mares?

El océano Pacífico es el más grande de la Tierra. Su superficie y su volumen son mayores que los del océano Atlántico y el océano Índico combinados. El Pacífico es también el más profundo, con una profundidad media de 3940 metros. El Atlántico es el segundo en tamaño, con una profundidad media de 3350 metros. Aunque el océano Índico es mucho más pequeño que el Atlántico, su profundidad media es mayor.

El océano, que como sabes está formado de agua salada, cumple un papel importante en el ciclo del agua. En este ciclo, los rayos del sol calientan la superficie del océano. El calor hace que el agua se evapore y pase de la fase líquida a la gaseosa. El agua evaporada, que es agua pura y dulce, entra a la atmósfera como vapor de agua. Las sales quedan en el océano.

Los vientos arrastran gran parte del vapor de agua hacia la superficie terrestre. Parte del vapor del agua de la atmósfera se condensa en la forma de nubes y, cuando se producen las condiciones correctas, el agua cae en forma de precipitación (lluvia, nieve, aguanieve y granizo). Parte de esa agua corre hacia

Figura 2–1 *Observa los montículos formados por las olas del océano cerca de Big Sur, en California. ¿Qué porcentaje de la tierra está cubierta por agua?*

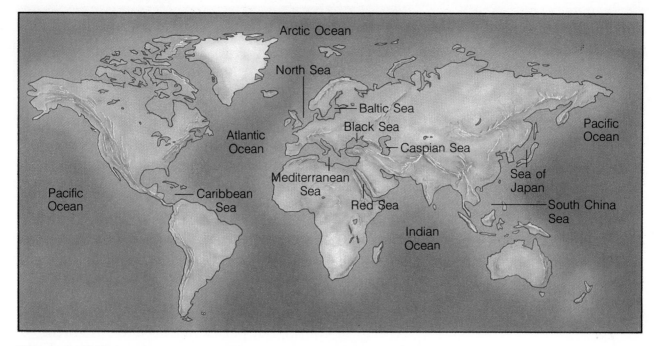

Figure 2–2 *The major oceans and seas of the world are actually part of one continuous body of water. What are the three major oceans?*

rivers and streams that flow directly back into the ocean. Some of it seeps deep into the soil and rocks of the Earth to become part of the groundwater beneath the Earth's surface. As you can see, the ocean is a source of fresh water for all living things.

2–1 Section Review

1. What are the three main oceans of the world?
2. What is a sea?
3. What part does the ocean play as a source of fresh water for all living things?

Critical Thinking—*Relating Cause and Effect*
4. The state of Washington lies on the Pacific Ocean. Certain parts of this state receive large amounts of rain throughout the year. Predict which parts receive the most rain. Explain why.

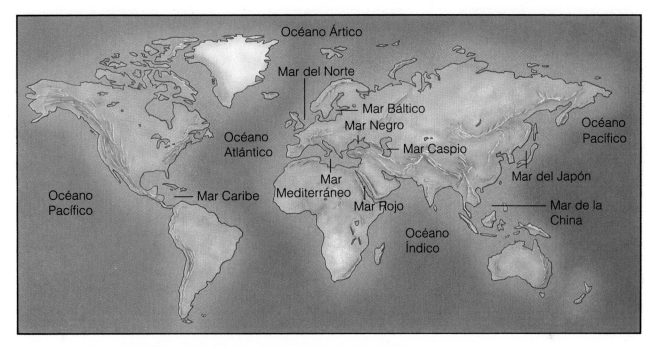

Figura 2–2 *Los principales océanos y mares del mundo son en realidad partes de una masa continua de agua. ¿Cuáles son los tres océanos principales?*

ríos y arroyos que vuelven a desembocar directamente en el océano. Otra parte se hunde entre las rocas y la tierra y pasa a formar parte de las aguas subterráneas debajo de la superficie de la Tierra. Como ves, el océano es una fuente de agua dulce para todos los seres vivos.

2–1 Repaso de la sección

1. ¿Cuáles son los tres océanos principales del mundo?
2. ¿Qué es un mar?
3. ¿Qué papel desempeña el océano como fuente de agua dulce para todos los seres vivos?

Pensamiento crítico—*Relacionar causa y efecto*
4. El estado de Washington está sobre el océano Pacífico. Algunas partes de este estado reciben grandes cantidades de lluvia durante todo el año. Trata de predecir qué partes recibirán más lluvia y explica por qué.

ACTIVIDAD

PARA ESCRIBIR

Un cuento muy salado

En el pasado, muchas personas que no comían pescado experimentaban un agrandamiento de la glándula tiroides. La tiroides está situada en el cuello y regula la absorción de los alimentos. Ese agrandamiento, que se llama bocio, es resultado de la carencia en el cuerpo de una sustancia química que se encuentra corrientemente en los alimentos provenientes del mar. Tal vez quieras buscar esa enfermedad en una biblioteca y averiguar el nombre de la sustancia química. Averigua a qué otro alimento suele añadirse a esta sustancia y comunica tus resultados a la clase.

Guide for Reading

Focus on these questions as you read.

- *What is ocean water composed of?*
- *What are some characteristics of ocean water?*

Figure 2-3 *Ocean water is composed of hydrogen, oxygen, and about 85 other elements. Of those other elements, which two are the most abundant?*

MAJOR ELEMENTS IN OCEAN WATER

Element	Percent of Total (%)
Oxygen Hydrogen	96.5
Chlorine	1.9
Sodium	1.1
Magnesium Sulfur Calcium Potassium Bromine Carbon Strontium Silicon Fluorine Aluminum Phosphorus Iodine	0.5
	100

2–2 Properties of Ocean Water

Ocean water is a mixture of gases and solids dissolved in pure water. Scientists who study the ocean, or **oceanographers** (oh-shuh-NAHG-ruh-fuhrz), believe that ocean water contains all of the natural elements found on Earth. Ninety elements are known to exist in nature. So far, about 85 of these have been found in ocean water. Oceanographers are hopeful that with improved technology, they will find the remaining elements.

Ocean water is about 96 percent pure water, or H_2O. So the most abundant elements in ocean water are hydrogen (H) and oxygen (O). The other 4 percent consists of dissolved elements. Figure 2–3 lists the major elements in ocean water.

Salts in Ocean Water

Sodium chloride is the most abundant salt in ocean water. If you have ever accidentally swallowed a mouthful of ocean water, you have probably recognized the taste of sodium chloride. Sodium chloride is, in fact, common table salt. It is made of the elements sodium and chlorine.

Sodium chloride is only one of many salts dissolved in ocean water. Figure 2–4 shows the other salts. Oceanographers use the term **salinity** (suh-LIHN-uh-tee) to describe the amount of dissolved salts in ocean water. Salinity is the number of grams of dissolved salts in 1 kilogram of ocean water. When 1 kilogram of ocean water evaporates, 35 grams of salts remain. Of these 35 grams, 27.2 grams are sodium chloride. How many grams are magnesium chloride?

The salinity of ocean water is expressed in parts per thousand. It ranges between 33 and 37 parts per thousand. The average salinity of ocean water is 35 parts per thousand.

Salts and other materials dissolved in ocean water come from several different sources. One important source is volcanic activity in the ocean. When volcanoes erupt, rock materials and gases spew forth. These substances dissolve in ocean water. Chlorine

Guía para la lectura

Piensa en estas preguntas mientras lees.

- *¿De qué se compone el agua marina?*
- *¿Cuáles son algunas características del agua marina?*

2–2 Propiedades del agua marina

El agua marina es una mezcla de gases y sólidos disueltos en agua pura. Los científicos que estudian el océano, u **oceanógrafos,** creen que contiene todos los elementos naturales que se encuentran en la Tierra. Se sabe que noventa elementos existen en la naturaleza. Hasta el momento, se han encontrado 85 en el agua marina, y los oceanógrafos confían en que al mejorar la tecnología podrán encontrar los demás.

Aproximadamente el 96% del agua marina es agua pura, o H_2O. Los elementos más abundantes en el agua marina son así el hidrógeno (H) y el oxígeno (O). El otro 4% consiste en elementos disueltos. En la figura 2–3 se enumeran los principales elementos del agua marina.

Figura 2–3 *El agua marina se compone de hidrógeno, oxígeno y aproximadamente 85 elementos más. De esos elementos, ¿cuáles son los más abundantes?*

PRINCIPALES ELEMENTOS DEL AGUA MARINA

Elemento	Porcentaje del total (%)
Oxígeno Hidrógeno	96.5
Cloro	1.9
Sodio	1.1
Magnesio Azufre Calcio Potasio Bromo Carbono Estroncio Silicio Flúor Aluminio Fósforo Yodo	0.5
	100

Las sales en el agua marina

El cloruro de sodio es la sal más abundante del agua marina. Si alguna vez has tragado por accidente agua del mar, has reconocido probablemente el sabor del cloruro de sodio, que es por cierto la sal común de mesa. Se compone de los elementos sodio y cloro.

El cloruro de sodio es sólo una de las muchas sales disueltas en el agua marina. En la figura 2–4 se muestran las demás. Los oceanógrafos usan el término **salinidad** para describir la cantidad de sales disueltas en el agua. La salinidad es el número de gramos de sales disueltas en 1 kilogramo de agua. Cuando el agua marina se evapora, quedan 35 gramos de sal. De esos 35 gramos, 27.2 son cloruro de sodio. ¿Cuántos son cloruro de magnesio?

La salinidad del agua marina se expresa en partes por mil y va de 33 a 37 partes por mil. La salinidad media es de 35 partes por mil.

Las sales y otros materiales disueltos en el agua marina provienen de varias fuentes. Una fuente muy importante es la actividad volcánica en el océano. Cuando un volcán entra en erupción, escupe rocas y gases que se disuelven en el agua. El cloro en forma de gas es una substancia añadida al agua marina como resultado de la actividad volcánica.

Figure 2–4 *The pie chart shows the amounts, in parts per thousand, of the seven most abundant salts in ocean water. What three salts are the most common?*

Water
96.5%

Salts 3.5%

Sodium chloride	27.2 0/00
Magnesium chloride	3.8 0/00
Magnesium sulfate	1.7 0/00
Calcium sulfate	1.3 0/00
Potassium sulfate	0.9 0/00
Calcium carbonate	0.1 0/00
Magnesium bromide	0.1 0/00

gas is one substance that is added to ocean water as a result of volcanic activity.

Another source of dissolved materials is the erosion of the land by rivers, streams, and glaciers. As rivers, streams, and glaciers move over rocks and soil, they dissolve salts in them. Sodium, magnesium, and potassium reach the ocean in this way.

The action of waves breaking along the shore is also a source of salts and other dissolved materials. As waves pound the shoreline, they dissolve the salts contained in the rocks along the coast.

In most areas of the ocean, the salinity is about the same. But in some areas, greater or lesser amounts of dissolved salts cause differences in the salinity. Several reasons explain these differences. The salinity is much lower in areas where freshwater rivers run into the ocean. This is especially true where major rivers such as the Mississippi, Amazon, and Congo flow into the ocean. Can you suggest a reason for the lower salinity? At these points, huge amounts of fresh water pour into the ocean, diluting the normal amount of salts in the ocean water.

In warm ocean areas where there is little rainfall and much evaporation, the amount of dissolved salts in the water is greater than average. Thus, the salinity is higher. The salinity is higher in the polar regions also. Here temperatures are cold enough for

ACTIVITY

DOING

Temperature and Salinity

1. Pour 100 mL of hot tap water into a glass.

2. Add salt, one teaspoonful at a time, to the water. Stir the water after each addition. Stop adding salt when no more can be dissolved. Record the number of teaspoons of salt added. Empty the contents of the glass. Wash the glass.

3. Now pour 100 mL of cold water into the same glass. Repeat steps 1 and 2.

In which glass did more salt dissolve?

What relationship have you illustrated by doing this investigation?

Figura 2–4 *Aquí se indican las cantidades, en partes por mil, de las siete sales más abundantes del agua marina. ¿Cuáles son las tres más comunes?*

Agua
96.5%

Sales 3.5%

Cloruro de sodio	27.2 0/00
Cloruro de magnesio	3.8 0/00
Sulfato de magnesio	1.7 0/00
Sulfato de calcio	1.3 0/00
Sulfato de potasio	0.9 0/00
Carbonato de calcio	0.1 0/00
Bromuro de magnesio	0.1 0/00

Otra fuente de materiales disueltos es la erosión causada por los ríos, los arroyos y los glaciares a medida que avanzan sobre las rocas y el suelo. El sodio, el magnesio y el potasio llegan así al mar.

La acción de las olas que se rompen contra la costa es también una fuente de sales y otros materiales disueltos. Al golpear la costa, las olas disuelven las sales contenidas en las rocas.

En la mayor parte del océano, la salinidad es aproximadamente igual. Pero en algunas zonas hay una cantidad mayor o menor de sales disueltas que causan diferencias en la salinidad. Hay muchas razones que explican estas diferencias. La salinidad es mucho menor en las zonas en que hay ríos de agua dulce que desembocan en el océano. Esto es especialmente cierto en los casos de estos ríos: el Misisipí, el Amazonas y el Congo. ¿Puedes sugerir una razón por esta menor salinidad? En esos lugares se vuelcan en el océano enormes cantidades de agua dulce que diluyen la cantidad normal de sales del agua marina.

En las zonas cálidas donde hay poca lluvia y mucha evaporación, la cantidad de sales disueltas es mucho mayor que el promedio y la salinidad es en consecuencia mayor. También es mayor en las regiones polares, donde las temperaturas son suficientemente frías para que el agua se congele. Cuando el agua

ACTIVIDAD

PARA HACER

Temperatura y salinidad

1. Vierte 100 mL de agua caliente del grifo en un vaso.

2. Añade sal, una cucharadita por vez, agitando el agua después de cada adición. Deja de añadir sal cuando ya no puedas disolverla. Apunta el número de cucharadillas de sal añadidas. Vacía el vaso y lávalo.

3. Coloca ahora 100 mL de agua fría en el mismo vaso. Repite los pasos 1 y 2.

¿En qué vaso se disolvió más sal?

¿Qué relación haz ilustrado mediante esta investigación?

Figure 2–5 *One source of minerals in ocean water is the erosion of cliffs by ocean waves.*

Figure 2–6 *The salinity of the ocean is fairly constant. However, in areas where rivers dump sediment-laden fresh water into the ocean, the salinity is reduced. Ocean animals such as flame scallops also reduce salinity.*

ocean water to freeze. When ocean water freezes, pure water is removed and the salts are left behind.

Scientists believe that the salinity of ocean water is also affected by animal life. Animals such as clams and oysters use calcium salts to build their shells. They remove these salts from ocean water, thus lowering the salinity of the water.

Gases in Ocean Water

The most abundant gases dissolved in ocean water are nitrogen, carbon dioxide, and oxygen. Two of these gases, carbon dioxide and oxygen, are vital to ocean life. Most plants take carbon dioxide from the water and use it to make food. In the presence of sunlight, the plants combine carbon dioxide with water to make sugars. During this process, oxygen is released into the water. Plants and animals use oxygen to break down food and provide energy for all life functions.

The amount of nitrogen, carbon dioxide, oxygen, and other gases in ocean water varies with depth. Nitrogen, carbon dioxide, and oxygen are more abundant at the ocean's surface. Here sunlight easily penetrates and plant growth abounds. The abundant plant growth ensures a large supply of oxygen—certainly a great deal more than is found in the depths of the oceans. Can you explain why?

The amount of dissolved gases is also affected by the temperature of ocean water. Warm water holds less dissolved gas than cold water. When ocean water cools, as in the polar regions, it sinks. (Cold water is

Figura 2–5 *Una fuente de los minerales del agua marina es la erosión de los acantilados por las olas.*

Figura 2–6 *La salinidad del océano es bastante constante. Sin embargo, donde los ríos vuelcan agua dulce cargada de sedimentos en el océano, la salinidad se reduce. Los animales oceánicos como estas conchas también reducen la salinidad.*

marina se congela, se elimina agua pura y quedan las sales.

Los científicos creen que la salinidad del agua también es afectada por los animales. Algunos, como las almejas y las ostras, usan sales de calcio para formar sus conchas. Dado que obtienen esas sales del océano, reducen con ello la salinidad del agua.

Los gases del agua marina

Los gases más abundantes del agua marina son el nitrógeno, el dióxido de carbono y el oxígeno. Dos de ellos, el dióxido de carbono y el oxígeno, son vitales para la vida marina. La mayor parte de las plantas obtienen dióxido de carbono del agua y lo usan para producir alimentos. En presencia de la luz solar, las plantas combinan el dióxido de carbono con agua para formar azúcares. Durante este proceso, se libera oxígeno en el agua. Las plantas y los animales utilizan el oxígeno para descomponer los alimentos y obtener energía para todas las funciones vitales.

Hay más nitrógeno, dióxido de carbono, oxígeno y otros gases cerca de la superficie, donde la luz solar penetra fácilmente y abundan las plantas. La abundancia de plantas asegura un gran suministro de oxígeno, ciertamente mucho más del que hay en las profundidades. ¿Puedes explicar por qué?

La cantidad de gases disueltos también se ve afectada por la temperatura. El agua tibia retiene menos gases disueltos que el agua fría. Cuando el agua marina se enfría, como ocurre en las regiones polares, se

denser, or heavier, than warm water.) It carries oxygen-rich water to the ocean depths. As a result, fish and other animals can live in deep parts of the ocean.

Temperature of Ocean Water

The sun is the major source of heat for the ocean. Because solar energy enters the ocean at the surface, the temperature of the water is highest there. Motions of the ocean, such as waves and currents, mix the surface water and transfer the heat downward. The zone where the water is mixed by waves and currents is called the **surface zone.** The surface zone extends to a depth of at least 100 meters. Sometimes it extends as deep as 400 meters.

The temperature of the water remains fairly constant within a surface zone. It does not change much with depth. But the temperature in a surface zone does change with location and with season. Water near the equator is warmer than water in regions farther north and south. Summer water temperatures are warmer than winter water temperatures. For example, the summer water temperature near the surface of the Caribbean Sea may be 26°C. Farther north, off the coast of England, the temperature near the surface may be 15°C. What do you think happens to the water temperature at these two places during the winter?

Below the surface zone the temperature of the water drops very rapidly. This zone of rapid temperature change is called the **thermocline** (THER-moh-klighn). The thermocline does not occur at a specific depth. The season and the flow of ocean currents alter the depth of the thermocline.

The thermocline exists because warm surface water does not easily mix with cold deep water. The difference in the densities of the warm water and the cold water keeps them from mixing. The less dense warm water floats on top of the denser cold water.

The thermocline forms a transition zone between the surface zone and the **deep zone.** The deep zone is an area of extremely cold water that extends from the bottom of the thermocline to depths of 4000 meters or more. Within the deep zone, the temperature decreases only slightly. At depths greater than

Figure 2–7 *There are three temperature zones in the ocean.*

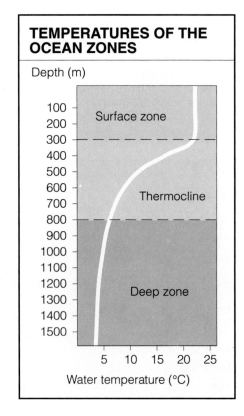

TEMPERATURES OF THE OCEAN ZONES

hunde. (El agua fría es más densa, o más pesada, que el agua caliente.) Llega así agua rica en oxígeno a las profundidades marinas y, como resultado de esto, hay peces y otros animales que pueden vivir en zonas profundas del océano.

La temperatura del agua marina

El sol es la principal fuente de calor para el océano. Puesto que la energía solar entra al océano en la superficie, la temperatura es allí mayor. Los movimientos del océano, como las olas y las corrientes, mezclan el agua de la superficie y transfieren el calor hacia abajo. La zona donde el agua es mezclada por las olas y las corrientes se llama **zona superficial** y se extiende hasta una profundidad de por lo menos 100 metros y a veces hasta 400 metros.

La temperatura del agua permanece constante en la zona superficial y no cambia mucho con la profundidad, pero sí según el lugar y la estación del año. El agua cerca del ecuador está más caliente que el agua en las regiones situadas más al norte y más al sur. En el verano, la temperatura del agua es más alta que en el invierno. Por ejemplo, la temperatura del agua en el verano cerca de la superficie del mar Caribe puede ser 26 °C. Más al norte, en la costa de Inglaterra, la temperatura cerca de la superficie puede ser 15°C. ¿Qué crees que pasa con la temperatura del agua en estos dos lugares durante el invierno?

Debajo de la zona superficial, la temperatura del agua baja muy rápidamente. Esta zona de rápido cambio de temperatura se llama **termoclina**. La termoclina no empieza a una profundidad específica. Las estaciones y el flujo de las corrientes alteran su profundidad.

La termoclina existe porque el agua tibia de la superficie no se mezcla fácilmente con el agua fría de las profundidades. La diferencia en las densidades del agua caliente y el agua fría impide que se mezclen. El agua caliente menos densa flota sobre el agua fría más densa.

La termoclina forma una zona de transición entre la zona superficial y la **zona profunda**. La zona profunda es una región de aguas extremadamente frías que se extiende desde la parte inferior de la termoclina hasta profundidades de 4000 metros o más. En la zona fría, la temperatura sólo disminuye ligeramente.

Figura 2–7 *Hay tres zonas de temperatura en el océano.*

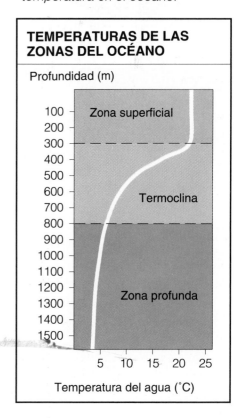

TEMPERATURAS DE LAS ZONAS DEL OCÉANO

Profundidad (m)

Zona superficial

Termoclina

Zona profunda

Temperatura del agua (°C)

Figure 2-8 *Ocean temperatures vary from the Caribbean Sea to the White Cliffs of Dover to the polar regions. Notice the blue-green bacteria below the frozen surface of Lake Hoare in Antarctica.*

1500 meters, the temperature is about 4°C. So the temperature of most ocean water is just above freezing (0°C)!

The three ocean zones are not found in the polar regions. In the Arctic and Antarctic oceans, the surface waters are always very cold. The temperature changes only slightly as the depth increases.

Ⓐctivity Bank

Sink or Swim—Is It Easier to Float in Cold Water or Hot?, p.167

2-2 Section Review

1. What does ocean water consist of?
2. What is salinity?
3. What three gases are most abundant in ocean water?
4. What are the three zones of the ocean? On what property of ocean water are these zones based?

Critical Thinking—*Applying Concepts*
5. Fish get the oxygen they need by removing it from water. Would you expect to find greater numbers of fish near the equator or in ocean areas farther north and south of the equator? Explain your answer. (*Hint:* Consider the effect of temperature on the amount of gases that can dissolve in water.)

Figura 2–8 *Las temperaturas del océano varían desde el mar Caribe, pasando por los arrecifes blancos de Dover, hasta las regiones polares. Observa las bacterias verdeazuladas cerca de la superficie congelada del lago Hoare, en la Antártida.*

Por debajo de los 1500 metros, la temperatura está alrededor de 4 ˚C. La mayor parte del agua marina está en consecuencia apenas por encima del punto de congelación (0˚C).

En las regiones polares no existen las tres zonas del océano. En los océanos Ártico y Antártico, el agua de la superficie está siempre muy fría y la temperatura sólo cambia ligeramente al aumentar la profundidad.

ℙozo de actividades

O nadas o te hundes. ¿Es más fácil flotar en agua fría o en agua caliente?, p. 167.

2–2 Repaso de la sección

1. ¿De qué está formada el agua marina?
2. ¿Qué es la salinidad?
3. ¿Cuáles son los tres gases más abundantes del agua marina?
4. ¿Cuáles son las tres zonas del océano? ¿En qué propiedad del agua marina se basan estas zonas?

Pensamiento crítico—*Aplicar conceptos*
5. Los peces obtienen el oxígeno que necesitan del agua. ¿Esperarías encontrar más peces cerca del ecuador o en las zonas del océano más al norte o al sur del ecuador? Explica tu respuesta. (*Pista*: Ten presente el efecto de la temperatura sobre la cantidad de gases que pueden disolverse en el agua.)

2–3 The Ocean Floor

A description of the shape of the ocean floor—its characteristics and major features—is known as its topography. The topography of the ocean floor is different from the topography of the continents. The ocean floor has higher mountains, deeper canyons, and larger, flatter plains than the continents. The ocean floor also has more volcanoes than the continents. Earthquakes occur with greater frequency under the ocean than on the land. The rocks that form the ocean floor are very different from the rocks that form the crust of the continents. The crust of the Earth is much thinner under the ocean than under the continents.

Edges of the Continents

On a continent, there is a boundary where the land and the ocean meet. This boundary is called a **shoreline.** A shoreline marks the average position of sea level. It does not mark the end of the continent.

The edge of a continent extends into the ocean. The area where the underwater edge of a continent meets the ocean floor is called a **continental margin.** Although a continental margin forms part of the ocean floor, it is more a part of the land than it is a part of the ocean.

A continental margin generally consists of a continental shelf, a continental slope, and a continental rise. Sediments worn away from the land are deposited in these parts of a continental margin.

The relatively flat part of a continental margin that is covered by shallow ocean water is called a **continental shelf.** A continental shelf usually slopes very gently downward from the shoreline. In fact, it usually slopes less than 1.2 meters for every 100 meters from the shoreline.

The width of a continental shelf varies. Off the Atlantic coast, the continental shelf extends more than 200 kilometers into the ocean. Off the Arctic shore of Siberia, the continental shelf extends over 1200 kilometers into the ocean. Off the coast of southeastern Florida, there is almost no continental shelf.

Figure 2–9 *An offshore oil rig drills for oil trapped beneath the ocean floor in the continental shelf.*

2–3 El fondo marino

La descripción de la forma de los fondos marinos y de sus características principales se llama topografía. La topografía de los fondos oceánicos es diferente de la de los continentes. Los fondos oceánicos tienen montañas más altas, cañones más profundos y llanuras más grandes y más planas que los continentes. También tienen más volcanes, hay más terremotos bajo el océano que sobre la tierra. Las rocas que forman los fondos oceánicos son muy diferentes de las que forman la corteza de los continentes. La corteza de la Tierra es mucho más delgada bajo el océano que bajo los continentes.

Bordes continentales

En los continentes hay un límite en que se encuentran la tierra y el océano. Ese límite se llama **costa** y marca la posición media del nivel del mar. No marca el final del continente.

El borde de los continentes se extiende en el océano. La zona donde el borde submarino de un continente se encuentra con el fondo del océano se llama un **margen continental**. Aunque los márgenes continentales forman parte de los fondos oceánicos, son más parte de la tierra que del océano.

Un margen continental consiste generalmente en una plataforma continental, un talud continental y un glacis continental. Los sedimentos arrastrados del suelo se depositan en estas partes del margen continental.

La parte relativamente plana del margen continental cubierta de agua poco profunda se llama **plataforma continental.** Una plataforma continental tiene generalmente un declive suave, que suele ser de 1.2 m por cada 100 m desde la costa.

El ancho de la plataforma continental varía. En la costa del Atlántico se extiende más de 200 kilómetros, y en la costa ártica de Siberia más de 1200 kilómetros en el océano, pero en la costa sudeste de Florida casi no hay plataforma continental.

Guía para la lectura

Piensa en estas preguntas mientras lees.

► *¿Cuáles son las partes de un margen continental?*

► *¿Cuáles son las principales características de los fondos marinos?*

Figura 2–9 *Una torre de petróleo busca el petróleo atrapado bajo el fondo del océano en la plataforma continental.*

ACTIVITY READING

The Great Whale

Moby Dick is one of the greatest stories ever written in the English language. This tale of the sea and the whalers who sailed it describes a time when people made a living by hunting the great whales. You might enjoy reading this book written by Herman Melville and reporting on it to your class.

The best fishing areas of the ocean are found in waters over a continental shelf. Large mineral deposits, as well as large deposits of oil and natural gas are also found on a continental shelf. Because of the presence of these precious resources, many countries have extended their natural boundaries to include the continental shelf that lies off their shores.

At the edge of a continental shelf, the ocean floor plunges steeply 4 to 5 kilometers. This part of the continental margin is called a **continental slope.** A continental slope marks the boundary between the crust of the continent and the crust of the ocean floor. Separating a continental slope from the ocean floor is a **continental rise.** You can see the parts of a continental margin and other features of the ocean floor in Figure 2–10.

A continental rise is made of large amounts of sediments. These sediments include small pieces of rocks and the remains of plants and animals washed down from the continent and the continental slope. Sometimes the sediments are carried down the slope in masses of flowing water called **turbidity** (ter-BIHD-uh-tee) **currents.** A turbidity current is a flow of water that carries large amounts of sediments. A turbidity current is like an underwater avalanche.

Figure 2–10 *In this illustration, you can see the major features of the ocean floor. What are some of these features?*

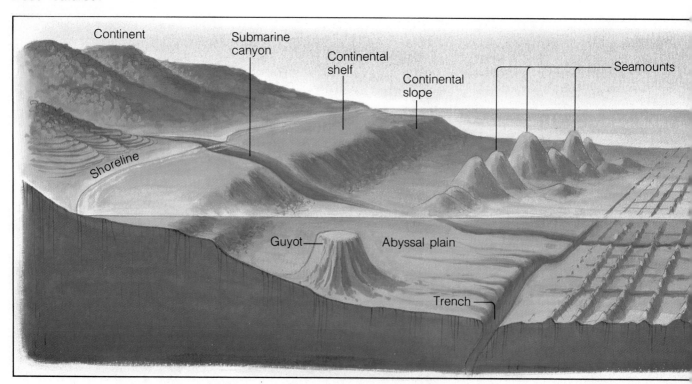

In many areas, **submarine canyons** cut through a continental shelf and slope. Submarine canyons are deep, V-shaped valleys that have been cut in rock. Some of the canyons are very deep indeed. For example, the Monterey Submarine Canyon off the coast of central California reaches depths of more than 2000 meters. It is actually deeper than the Grand Canyon!

Many scientists believe that submarine canyons are formed by powerful turbidity currents. Submarine canyons may also be caused by earthquakes or other movements that occur on a continental slope. Scientists still have much to learn about the origin and nature of submarine canyons.

Features of the Ocean Floor

Scientists have identified several major features of the ocean floor. (The ocean floor is also called the ocean basin.) Refer back to Figure 2–10 as you read about these features.

ABYSSAL PLAINS Large flat areas on the ocean floor are called **abyssal** (uh-BIHS-uhl) **plains.** The abyssal plains are larger in the Atlantic and Indian oceans than in the Pacific Ocean. Scientists believe

Figure 2–11 *These divers are exploring a submarine canyon in the continental shelf. How are submarine canyons formed?*

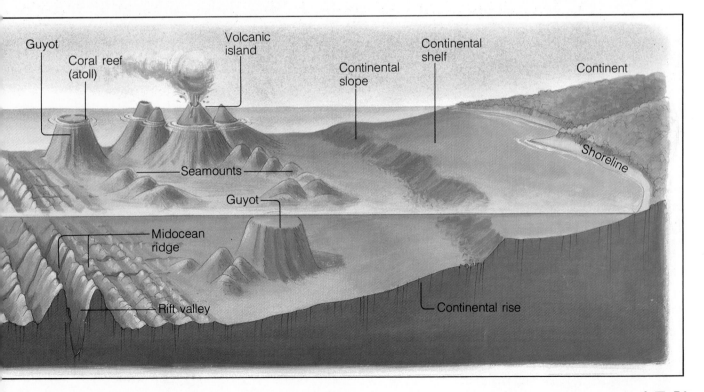

Guyot

Coral reef (atoll)

Volcanic island

Continental slope

Continental shelf

Continent

Seamounts

Guyot

Shoreline

Midocean ridge

Rift valley

Continental rise

La gran ballena

Moby Dick es una de las historias más maravillosas escritas en inglés. En esta historia sobre el mar y las ballenas se describe una época en que muchas personas se ganaban la vida cazando ballenas enormes. Tal vez quieras leer este libro de Herman Melville y relatar su contenido a tu clase.

Las mejores zonas pesqueras del océano están en las aguas sobre las plataformas continentale. También en las plataformas continentales hay grandes depósitos de minerales, así como de petróleo y gas natural. A causa de la presencia de estos preciosos recursos, muchos países han extendido sus fronteras naturales para incluir la plataforma continental cercana a sus costas.

En el borde de una plataforma continental, el fondo del océano se hunde bruscamente 4 ó 5 kilómetros. Esta parte del margen continental se llama **talud continental** y marca el límite entre la corteza continental y la corteza oceánica. El talud continental está separado del fondo del océano por un **glacis continental**. En la figura 2–10 puedes ver las partes de un margen continental y otras características del fondo del océano.

Un glacis continental está formado de grandes cantidades de sedimentos que contienen pequeños trozos de piedra y restos de plantas y animales arrastrados desde el continente y el talud continental. Algunas veces los sedimentos son arrastrados en masas de agua llamadas **corrientes turbias**. Ésta es una corriente de agua con grandes cantidades de sedimentos. Es como una avalancha submarina.

Figura 2–10 *En esta ilustración se pueden ver las características principales del fondo del océano. ¿Cuáles son algunas de ellas?*

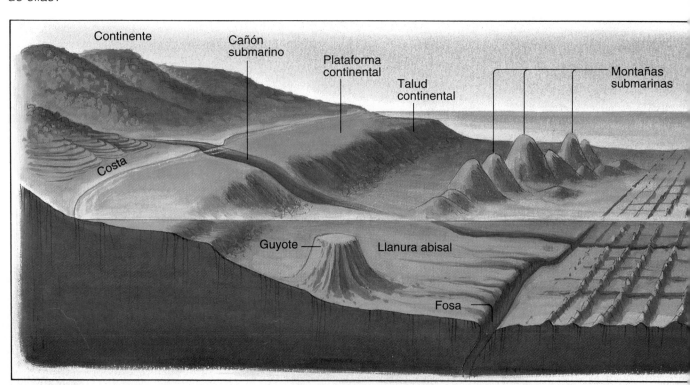

En muchas zonas hay **cañones submarinos** que atraviesan una plataforma y un talud continental. Esos cañones son valles profundos en forma de V cortados en la roca. Algunos son muy profundos. Por ejemplo, el cañón submarino de Monterrey, cerca de la costa de California, tiene más de 2000 metros. ¡Es más profundo que el Gran Cañón!

Muchos científicos creen que los cañones submarinos están formados por corrientes turbias poderosas. También pueden ser causados por terremotos u otros movimientos que se producen en la plataforma continental. Los científicos todavía tienen mucho que aprender sobre el origen y la naturaleza de los cañones submarinos.

Características del fondo del océano

Los científicos han identificado varias características importantes del fondo del océano (que también se llama lecho oceánico.) Mira la figura 2–10 mientras lees acerca de esas características.

LLANURAS ABISALES Las grandes zonas planas del fondo del océano se llaman **llanuras abisales**. Estas llanuras son mayores en el Atlántico y en el Índico que en el Pacífico. Los científicos creen que la diferencia en tamaño se debe a dos razones.

Figura 2–11 *Estos buceadores están explorando un cañón submarino en la plataforma continental. ¿Cómo se forman los cañones submarinos?*

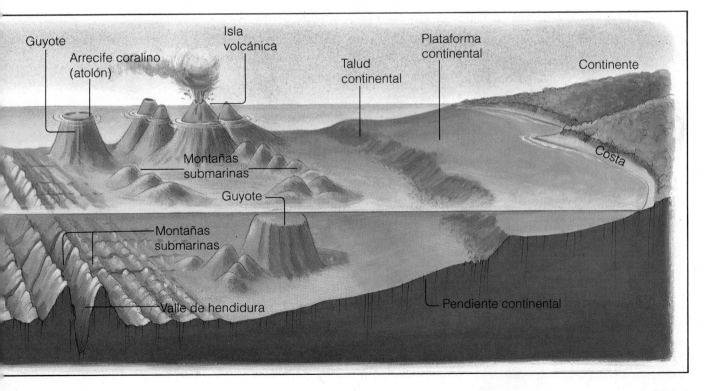

Figure 2–12 *The submersible* Alvin *searches for unusual organisms in the sediments covering the abyssal plains.*

that two reasons account for the difference in the size of these abyssal plains.

First, the world's greatest rivers flow directly or indirectly into the Atlantic and Indian oceans. These rivers include the Mississippi, Congo, Nile, and Amazon, which flow into the Atlantic Ocean, and the Ganges and Indus rivers which flow directly into the Indian Ocean. These major rivers, and many smaller ones, deposit large amounts of sediments on the abyssal plains.

Second, the floor of the Pacific Ocean contains a number of deep cracks along the edges of the continents. These long, narrow cracks trap sediments that are carried down a continental slope.

Deep-sea drilling operations and sound-wave detection equipment have shown that the sediments of the abyssal plains close to continents consist of thick layers of mud, sand, and silt. Farther out on the abyssal plains, some of the sediments contain the remains of tiny organisms. These organisms are so small they can be seen only with the aid of a microscope. They form a sediment called ooze. Where ocean life is not abundant, the floor of the ocean is covered with a sediment called red clay. Red clay is made of sediments carried to the oceans by rivers.

SEAMOUNTS AND GUYOTS Scattered along the floor of the ocean are thousands of underwater mountains called **seamounts.** Seamounts are volcanic mountains that rise more than 1000 meters above the surrounding ocean floor. Seamounts have steep sides that lead to a narrow summit (or top). To date, oceanographers have located more than 1000 seamounts. They expect to find thousands more in the future as more ocean areas are explored. Many more seamounts have been found in the Pacific Ocean than in either the Atlantic or the Indian Ocean.

Some seamounts reach above the surface of the ocean to form islands. The Azores and the Ascension Islands in the Atlantic Ocean are examples of volcanic islands. Perhaps the most dramatic and familiar volcanic islands are the Hawaiian Islands in the Pacific Ocean. The island of Hawaii is the top of a great volcano that rises more than 9600 meters from the ocean floor. It is the highest mountain on Earth when measured from its base on the ocean floor to its peak high above the surface of the ocean.

ACTIVITY

THINKING

Strolling Under the Seas

Imagine that all the water has been drained from all the oceans on Earth. Every feature once hidden under the waves is now seen easily. You and a friend decide to take a hike across the dry ocean floor. Choose a starting point and a destination. In a report, describe the features of the ocean floor you observe on your trip.

Figura 2–12 *El sumergible* Alvin *busca organismos raros en los sedimentos que cubren las llanuras abisales.*

En primer lugar, los ríos más grandes del mundo desembocan directa o indirectamente en el océano Atlántico y el océano Índico. Entre ellos están el Misisipí, el Congo, el Nilo y el Amazonas, que desembocan en el Atlántico, y el Ganges y el Indo, que desembocan directamente en el océano Índico. Estos grandes ríos, y muchos otros más pequeños, depositan grandes cantidades de sedimentos en las llanuras abisales.

En segundo lugar, el fondo del Pacífico contiene muchas grietas profundas en los bordes de los continentes. Estas grietas largas y estrechas atrapan sedimentos arrastrados por el talud continental.

Mediante perforaciones submarinas y equipo de detección de ondas sonoras se ha observado que los sedimentos de las llanuras abisales cerca de los continentes consisten en capas espesas de barro, arena y cieno. Más lejos, los sedimentos contienen restos de organismos pequeñísimos, tan pequeños que sólo pueden verse con la ayuda de un microscopio. Forman un sedimento llamado légamo. Cuando la vida marina no es abundante, el fondo está cubierto de un sedimento llamado arcilla roja, formado por los sedimentos arrastrados por los ríos.

MONTAÑAS SUBMARINAS Y GUYOTES Dispersas en los fondos marinos hay miles de **montañas submarinas**. Son montañas volcánicas que se elevan más de mil metros por encima del fondo circundante, con laderas pronunciadas que llevan a una cumbre estrecha. Hasta el momento, los oceanógrafos han encontrado más de 1000 montañas submarinas y esperan encontrar miles más en el futuro, a medida que se exploran más zonas del océano. Se han encontrado muchas más en el Pacífico que en el Atlántico o el Índico.

Algunas montañas submarinas llegan a la superficie del océano y forman islas. Las islas Azores y de la Ascensión en el océano Atlántico son ejemplos de islas volcánicas. Probablemente las más notables y más conocidas de las islas volcánicas son las de Hawai, en el Pacífico. La isla de Hawai es la cumbre de un gran volcán que se eleva más de 9600 metros sobre el fondo del océano. Es la montaña más alta de la Tierra cuando se mide desde su base en el fondo del océano hasta su pico sobre la superficie.

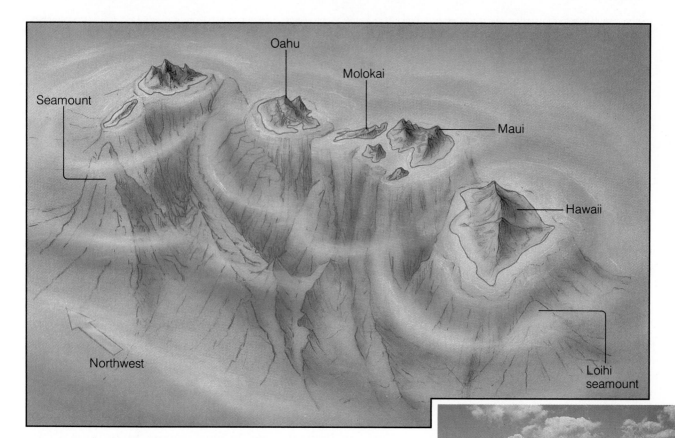

Labels on the image:
Oahu
Molokai
Seamount
Maui
Hawaii
Northwest
Loihi seamount

Figure 2–13 *The Hawaiian island of Kauai is the top of a seamount that extends above the ocean's surface (bottom). The age of the Hawaiian Islands increases as you travel toward the northwest. Loihi Seamount, off the coast of Hawaii, is slowly growing taller. Loihi will eventually become the newest Hawaiian island (top).*

During the mid-1940s, scientists discovered that many seamounts do not rise to a peak. Instead they have a flat top. These flat-topped seamounts are called **guyots** (gee-OHZ). Scientists believe that the flat tops are the result of wave erosion. Waves broke apart the tops of seamounts that once were at sea level. The flattened volcanic seamounts were later submerged.

TRENCHES The deepest parts of the ocean are not in the middle of the ocean floor. The greatest depths are found in **trenches** along the edges of the ocean floor. Trenches are long, narrow crevices (or cracks) that can be more than 11,000 meters deep.

The Pacific Ocean has more trenches than the other oceans. The Mariana Trench in the Pacific Ocean contains the deepest spot known on the Earth. This spot is called Challenger Deep. Challenger Deep is more than 11,000 meters deep. To

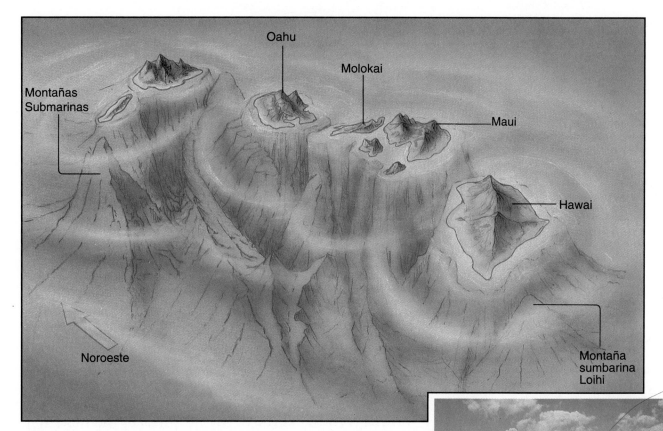

Figura 2–13 *La isla hawaiana de Kauai es la cumbre de una montaña submarina que se extiende por encima de la superficie del océano. La edad de las islas de Hawai aumenta hacia el noroeste. La montaña submarina Loihi, cerca de la costa de Hawai, está creciendo lentamente y llegará a ser en algún momento la más nueva de las islas de Hawai (arriba).*

A mediados de los años 40, los científicos descubrieron que muchas montañas submarinas no tienen pico y terminan en cambio en una cima plana. Estas montañas se llaman **guyotes**. Los científicos creen que las cimas planas son resultado de la erosión de las olas, que rompieron el pico de las montañas submarinas que estaban en un momento al nivel del mar. Más tarde, esas montañas volcánicas planas quedaron sumergidas.

FOSAS Las partes más profundas de los océanos no están en el medio de los fondos marinos. Se encuentran en **fosas** a lo largo de los bordes de los océanos. Las fosas son grietas largas y estrechas que pueden tener más de 11,000 metros de profundidad.

El Pacífico tiene más fosas que los demás océanos. La Fosa de las Marianas, en el Pacífico, contiene el punto más profundo que se conoce en la Tierra. Ese punto, llamado Challenger Deep tiene más de 11,000 metros de profundidad. Para darte una idea de su profundidad, piensa que el

MAJOR OCEAN TRENCHES	
Trench	**Depth (meters)**
Pacific Ocean	
Aleutian	8100
Kurile	10,542
Japan	9810
Mariana (Challenger Deep)	11,034
Philippine	10,497
Tonga	10,882
Kermadec	10,800
Peru-Chile	8055
Mindanao	10,030
Atlantic Ocean	
Puerto Rico	8648
South Sandwich	8400

Figure 2–14 *Ocean trenches are the deepest parts of the ocean floor. Which ocean, the Atlantic or Pacific, has the most trenches?*

give you some idea of the depth of Challenger Deep, consider this: The Empire State Building in New York is about 430 meters tall. It would take a stack of 26 Empire State Buildings to break the ocean surface from the bottom of Challenger Deep!

MIDOCEAN RIDGES Some of the largest mountain ranges on Earth are located under the oceans. These mountain ranges are called **midocean ridges.** They form an almost continuous mountain belt that extends from the Arctic Ocean, down through the middle of the Atlantic Ocean, around Africa into the Indian Ocean, and then across the Pacific Ocean north to North America. In the Atlantic Ocean, the mountain belt is called the Mid-Atlantic Ridge. In the Pacific Ocean, the mountain belt is called the Pacific-Antarctic Ridge or East Pacific Rise or Ridge.

The midocean ridges are unlike any mountain ranges on land. Why? Mountain ranges on land are formed when the Earth's crust folds and is squeezed together. Midocean ridges are areas where molten (or hot liquid) material from deep within the Earth flows up to the surface. At the surface, the molten material cools and piles up to form new crust.

Figure 2–15 *This map shows the topography of the ocean floor.*

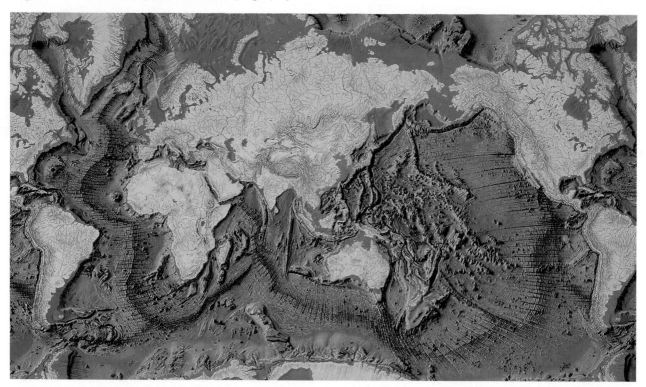

PRINCIPALES FOSAS SUBMARINAS	
Fosa	Profundidad (metros)
Océano Pacífico	
Aleutias	8100
Kurile	10,542
Japón	9810
Marianas (Challenger Deep)	11,034
Filipinas	10,497
Tonga	10,882
Kermadec	10,800
Perú-Chile	8055
Mindanao	10,030
Océano Atlántico	
Puerto Rico	8648
Sandwich del Sur	8400

Figura 2–14 *Las fosas oceánicas son las partes más profundas de los fondos marinos. ¿En qué océano, el Atlántico o el Pacífico, hay más fosas?*

edificio Empire State, en Nueva York, tiene unos 430 metros de altura. ¡Se necesitarían 26 edificios como éste para llegar a la superficie desde el fondo de Challenger Deep!

CORDILLERAS MESOOCEÁNICAS Algunas de las montañas más grandes de la Tierra están bajo el mar. Estas **cordilleras mesooceánicas** forman un cinturón montañoso casi continuo que se extiende desde el océano Ártico, pasando por medio del Atlántico, alrededor de África hacia el océano Índico y luego a través del Pacífico rumbo al norte hasta América del Norte. En el Atlántico, el cinturón montañoso se llama Cordillera Mesoatlántica. En el Pacífico se llama Cordillera Pacífico-Antártica o del Pacífico Oriental.

Las cordilleras mesooceánicas son diferentes de las terrestres. ¿Por qué? Las cordilleras terrestres se forman cuando la corteza de la Tierra se pliega y se comprime. Las cordilleras mesooceánicas son zonas en que los materiales fundidos (o el líquido caliente) de las profundidades de la Tierra fluye a la superficie. En la superficie, se enfría y se apila para formar una nueva corteza.

Figura 2–15 *Este mapa muestra la topografía de los fondos marinos.*

Figure 2–16 *This illustration shows a submarine above a rift valley surrounded by mountains that make up part of the oceanic ridge system. In the central part of the rift valley you can see molten rock that has cooled. This rock will eventually become new ocean floor (inset).*

Running along the middle of the midocean ridges between the rows of almost parallel mountains are deep crevices, or rift valleys. Rift valleys are about 25 to 50 kilometers wide and 1 to 2 kilometers below the bases of the surrounding midocean ridges. Rift valleys are regions of great earthquake and volcanic activity. In fact, rift valleys may mark the center of the areas where new crust is formed. Scientists have learned about changes in the Earth's crust by studying the rocks in and around the midocean ridges. Why do you think this is so?

REEFS Sometimes unusual-looking volcanic islands can be seen in tropical waters near a continental shelf. Surrounding these islands offshore are large masses and ridges of limestone rocks. The limestone structures contain the shells of animals and are called **coral reefs.** Because the reef-building organisms cannot survive in waters colder than 18°C, reefs are found only in tropical waters. Reefs are found in the warmer parts of the Pacific Ocean and in the Caribbean Sea. The organisms that build reefs also cannot live in deep water. They need sunlight to make their hard limestone skeletons. Not enough sunlight for these organisms to survive penetrates water deeper than 55 meters.

There are three types of coral reefs. One type is called **fringing reefs.** Fringing reefs are coral reefs that touch the shoreline of a volcanic island. Fringing reefs are generally less than 30 meters; however, some may be several hundred meters wide.

ACTIVITY
DOING

Ocean Floor Model

1. Use some paper-mâché, plaster of Paris, or modeling clay to construct a model of the ocean floor. Use Figures 2–10 and 2–15 to help you construct your model.

2. Label each feature in your model.

Figura 2–16 *Esta ilustración muestra un submarino sobre un valle de hendidura rodeado de montañas que forman parte de un sistema de cordilleras submarinas. En la parte central puedes ver rocas derretidas que se han enfriado. Estas rocas (véase arriba) se convertirán en algún momento en el nuevo fondo marino.*

Junto a las cordilleras mesooceánicas, entre filas de montañas casi paralelas, hay grietas profundas, o valles de hendidura. Esos valles tienen entre 25 y 50 kilómetros de ancho y 1 o 2 kilómetros de profundidad con respecto a la base de las montañas que los rodean. Son regiones de gran actividad volcánica y terremotos. Es posible que marquen el centro de las zonas donde se forma nueva corteza. Los científicos han aprendido acerca de los cambios en la corteza de la Tierra estudiando las rocas de las cordilleras mesooceánicas y sus alrededores. ¿Por qué crees que lo hacen?

ARRECIFES   A veces se ven islas volcánicas de aspecto extraño en las aguas tropicales cerca de una plataforma continental. Alrededor de esas islas hay grandes masas de piedra caliza. Esas estructuras contienen las conchas de animales y se llaman **arrecifes coralinos**. Los organismos que forman los arrecifes no pueden sobrevivir en aguas a menos de 18°C, por eso los arrecifes se encuentran solamente en aguas tropicales. Hay arrecifes en las partes más cálidas del Pacífico y el Caribe. Los organismos que construyen los arrecifes tampoco pueden vivir en aguas profundas. Necesitan luz solar para formar sus esqueletos de cal. A más de 55 metros de profundidad no hay suficiente luz solar para ellos.

Hay tres tipos de arrecifes coralinos. Los **arrecifes costeros** están pegados a la costa de una isla volcánica y tienen generalmente menos de 30 metros. Sin embargo, algunos pueden tener cientos de metros de ancho.

ACTIVIDAD

PARA HACER

Modelo del fondo marino

1. Utilizando papel maché, yeso o arcilla, construye un modelo del fondo marino. Utiliza las figuras 2–10 y 2–15 para ayudarte a construirlo.

2. Rotula cada rasgo de tu modelo.

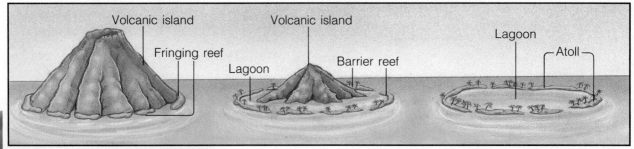

Barrier reefs are another type of coral reef. Barrier reefs are separated from the shore by an area of shallow water called a lagoon. Barrier reefs are generally larger than fringing reefs. And the islands that barrier reefs surround usually have sunk farther into the ocean than the islands that fringing reefs surround. The largest barrier reef on Earth is the Great Barrier Reef of Australia. It is about 2300 kilometers long and ranges from 40 to 320 kilometers wide. The Great Barrier Reef is rich in many kinds of animal and plant life.

The third type of coral reef can be found farther out in the ocean. It is a ring of coral reefs called an atoll. An atoll surrounds an island that has been worn away and has sunk beneath the surface of the ocean. Figure 2–17 shows the three types of coral reefs.

Figure 2–17 The development of the three types of coral reefs is shown in the illustration. A barrier reef is separated from the shore by a lagoon (top photograph). An atoll surrounds only a lagoon because the island has been worn away and is no longer above the ocean surface (bottom photograph).

2–3 Section Review

1. What is the continental margin? Describe the parts of a continental margin.
2. Identify five major features of the ocean floor.
3. What are three types of coral reefs?

Connection—*Literature*

4. A famous science fiction writer once said that "... good science fiction must also be good science." In a new science fiction movie, a giant sea monster lives in a coral reef off the coast of Maine near the Canadian border. During the day, the monster terrorizes the local population, devouring pets and people. At night it returns to the safety of its reef. Is this plot good science fiction? Explain your answer.

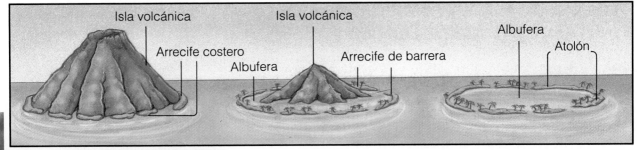

Figura 2–17 *Se muestra en la ilustración el desarrollo de los tres tipos de arrecifes coralinos. Un arrecife de barrera está separado de la costa por una albufera (arriba). Un atolón rodea sólo una albufera porque la isla se ha desgastado y ya no está por encima de la superficie del océano (abajo).*

Los **arrecifes de barrera** son otro tipo de arrecife coralino. Estos arrecifes están separados de la costa por una zona de agua poco profunda llamada albufera. Los arrecifes de barrera son generalmente más grandes que los costeros. Las islas rodeadas por arrecifes de barrera generalmente se han hundido más en el océano que las que tienen arrecifes costeros. El arrecife de barrera más grande del mundo es el Gran Arrecife de Australia. Tiene alrededor de 2,300 kilómetros de largo y entre 40 y 320 kilómetros de ancho. Hay en él muchas especies de animales y plantas.

El tercer tipo de arrecife coralino se encuentra más lejos de la costa. Es un anillo de arrecifes coralinos llamado **atolón**. Un atolón rodea una isla que ha sido desgastada y se ha hundido por debajo de la superficie del océano. En la figura 2–17 se muestran los tres tipos de arrecifes coralinos.

2–3 Repaso de la sección

1. ¿Qué es el margen continental? Describe las partes de un margen continental.
2. Identifica cinco rasgos principales de los fondos oceánicos.
3. ¿Cuáles son los tres tipos de arrecifes coralinos?

Conexión—*Literatura*

4. Un famoso escritor de ciencia ficción dijo una vez que " . . . la buena ciencia ficción debe ser también buena ciencia." En una nueva película de ciencia ficción, un gigantesco monstruo marino vive en un arrecife coralino cerca de la costa de Maine, en la frontera con el Canadá. Durante el día, atormenta a la población local devorando animales y gente. Por la noche regresa a la seguridad de su arrecife. ¿Te parece que esta historia es buena ciencia ficción? Explica tu respuesta.

2-4 Ocean Life Zones

A visit to a public aquarium will convince you that a great variety of life exists in the ocean. But even the most well-stocked aquarium is home to relatively few kinds of fishes and plants. People who visit a real coral reef, for example, swim away amazed at the colors, shapes, and variety of the fishes that inhabit the reef.

The animal and plant life found in the ocean is affected by several factors. One factor is the amount of sunlight that penetrates the ocean. Another factor is the temperature of the water. Because there is less sunlight deep in the ocean, the temperature is much lower. So more plants and animals are found in the upper layers of the ocean and near the shoreline than in the deeper layers. Another factor that affects ocean life is water pressure. Water pressure increases as depth increases. Do you know why? With increasing depth, the amount of water pushing down from above increases. This increases the pressure. Organisms that live deep in the ocean must be able to withstand great pressure.

The animals and plants in the ocean can be classified into three major groups according to their habits and the depth of the water in which they live. The largest group of animals and plants is called **plankton** (PLANGK-tuhn). Plankton float at or near the surface of the ocean where sunlight penetrates. Near the shore, they live at depths of about 1 meter. In the open ocean, they can be found at depths of up to 200 meters.

Most plankton are very small. In fact, many forms are microscopic. These organisms drift with the currents and tides of the ocean. Tiny shrimplike organisms and various forms of algae are all plankton. Plankton are the main food for many larger organisms, including the largest organisms on Earth—whales. Certain kinds of whales strain plankton from the water. It is interesting to note that the throat of some of the largest whales is so small that they cannot swallow food larger than a fifty-cent piece!

Forms of ocean life that swim are called **nekton** (NEHK-ton). Whales, seals, dolphins, squid, octopuses, barracudas, and other fishes are all nekton.

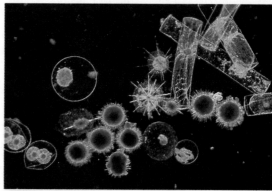

Figure 2-18 *Microscopic plankton (top) are the main source of food for many large sea creatures. The Southern right whale uses its strainerlike mouth to filter plankton from ocean water. Can you imagine how many plankton it must take to satisfy this whale's appetite?*

2–4 Zonas de vida marina

Una visita a un acuario te convencerá de la gran variedad de formas de vida que existen en el océano. Pero incluso el mejor acuario sólo contiene relativamente pocas clases de peces y de plantas. Los que se sumergen para observar un arrecife coralino quedan asombrados por los colores, las formas y la variedad de los peces que encuentran.

La vida animal y vegetal del océano es afectada por muchos factores. Uno de ellos es la cantidad de luz que penetra en el océano. Otro es la temperatura del agua. Puesto que hay mucho menos luz solar en las profundidades, la temperatura es mucho más baja. Hay en consecuencia más plantas y animales en las capas superiores y cerca de la costa que en las capas inferiores. Otro factor que afecta la vida en el océano es la presión del agua. La presión aumenta con la profundidad. ¿Sabes por qué? Al aumentar la profundidad, aumenta la cantidad de agua que hay más arriba y eso aumenta la presión. Los organismos que viven en las profundidades marinas tienen que soportar grandes presiones.

Los animales y las plantas del océano pueden clasificarse en tres grupos principales según sus hábitos y la profundidad del agua en que viven. El grupo más grande se llama **plancton**. El plancton flota en la superficie o cerca de la superficie, donde penetra la luz. Cerca de la costa, vive a profundidades de alrededor de 1 metro. En el mar abierto, puede encontrarse a profundidades de hasta 200 metros.

La mayoría del plancton es muy pequeño. De hecho, muchas formas son microscópicas. Estos organismos flotan con las corrientes y las mareas. Los camarones diminutos y varias formas de algas también son plancton. El plancton es el principal alimento de muchos organismos más grandes, incluídos los más grandes de la Tierra, las ballenas. Algunas ballenas filtran el plancton del agua. Su garganta es tan pequeña que no pueden tragar alimentos mayores que una moneda de 50 centavos.

Las formas de vida marina que nadan se llaman **necton.** Las ballenas, las focas, los delfines, los calamares, los pulpos, las barracudas y otros peces son formas de necton.

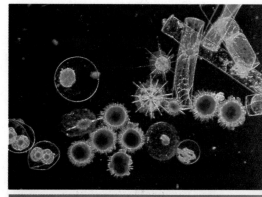

Figura 2–18 *El plancton microscópico (arriba) es la principal fuente de alimentos de muchos animales marinos grandes. Esta ballena usa su boca en forma de colador para filtrar plancton del agua marina. ¿Puedes imaginar la cantidad de plancton que se necesitará para satisfacer el apetito de esta ballena?*

Figure 2–19 *Among the most-feared nekton, or forms of life that swim, are the sharks. Here you see the dangerous great white shark (left), the huge and harmless whale shark (top right), and the bottom-dwelling leopard shark (bottom right).*

Because they can swim, nekton are able to actively search for food and avoid predators. Predators are organisms that eat other organisms. The organisms that get eaten are called prey. Some types of sharks are feared predators in the ocean; other fish are their prey.

Nekton can be found at all levels of the ocean. Some swim near the ocean surface, others along the bottom. Some are found in the deepest parts of the ocean. Because they can swim, nekton can move from one part of the ocean to another. But they remain in areas where conditions are most favorable.

Organisms that live on the ocean floor are called **benthos** (BEHN-thahs). Some benthos are plants that grow on the ocean floor in shallow waters. Plants are able to survive in water only where sunlight penetrates. Other benthos are animals such as barnacles, oysters, crabs, and starfish. Many benthos, such as sea anemones, attach themselves to the ocean floor. Others live in shore areas. A few kinds live on the ocean floor in the deepest parts of the ocean.

Intertidal Zone

Figure 2–20 *The sea anemone's "tentacles" carry stinging cells that enable it to capture unsuspecting fish. The clownfish swimming between the tentacles is immune to the anemone's poison. It helps attract other fish to the anemone. How does this unusual behavior help the clownfish survive?*

As you just read, there are three major groups of ocean life. There are also three major environments, or life zones, in the ocean. **The classification of the ocean into life zones is based on the conditions in the ocean—conditions that vary widely.** There are

Figura 2–19 *Una de las formas más temibles de necton, o animales que nadan, son los tiburones. Aquí vemos el peligroso tiburón blanco (izquierda), el enorme e inofensivo tiburón ballena (arriba a la derecha) y el tiburón leopardo de las profundidades marinas (abajo a la derecha).*

Figura 2–20 *Los "tentáculos" de la anémona marina tienen células urticantes que le permiten atrapar peces. Este pececillo que nada entre los tentáculos es inmune al veneno de la anémona y ayuda a atraer a otros peces. ¿Cómo contribuye este extraño comportamiento a su supervivencia?*

Al poder nadar, el necton puede buscar activamente alimentos y evitar a los predadores. Los predadores son organismos que comen otros organismos, que se llaman presa. Algunos tiburones son predadores temibles; otros peces son su presa.

Hay necton en todos los niveles del océano. Algunos nadan cerca de la superficie y otros cerca del fondo. Algunos viven en las partes más profundas del océano. Al nadar, pueden trasladarse de una parte a otra del océano, pero se quedan en las zonas donde las condiciones son más favorables.

Los organismos que viven en el fondo marino se llaman **bentos**. Algunas formas de bentos son plantas que crecen en el fondo del mar en aguas poco profundas. Las plantas pueden sobrevivir en el agua solamente cuando hay luz solar. Otros son animales como los percebes, las ostras, los cangrejos y las estrellas de mar. Muchas clase de bentos, como las anémonas marinas, se adhieren al fondo. Otras viven en las zonas costeras. Unas pocas clases viven en las partes más profundas del fondo del océano.

Zona de marea

Como acabas de leer, hay tres grupos principales de vida marina. También hay tres zonas principales de vida marina. **La clasificación del océano en zonas de vida se basa en las condiciones del océano, que varían muy ampliamente.** Hay zonas de playas poco

Figure 2–21 *The intertidal zone lies between the low- and high-tide lines. Organisms that live in the intertidal zone include starfish (inset), giant limpets (inset), clams (top right), barnacles (center), and sea anemones (bottom right).*

shallow beach areas that dry out twice a day and then become wet again. There are ocean depths where no ray of sunlight ever reaches and where the temperature stays a few degrees above freezing all year round. And in between these extremes is the open ocean with a range of environments at different depths. Scientists know a great deal about these areas, but much of the ocean still remains an unexplored frontier.

The region that lies between the low– and high–tide lines is the **intertidal zone.** This region is the most changeable zone in the ocean. Sometimes it is ocean. Sometimes it is dry land. These changes occur

Figura 21–1 *La zona de marea está entre las líneas de marea alta y marea baja. Entre los organismos que viven en ella están las estrellas de mar, las lapas gigantes , las almejas (arriba a la derecha), los percebes (centro) y las anémonas marinas (abajo a la derecha).*

profundas que se secan y vuelven a cubrirse de agua dos veces por día. Hay profundidades oceánicas adonde nunca llegan los rayos del sol y donde las temperaturas están todo el año apenas por encima del punto de congelación. Y entre ambos extremos está el océano abierto con una amplia gama de medios a diferentes profundidades. Los científicos saben mucho sobre estas zonas, pero gran parte del océano sigue siendo un terreno sin explorar.

La región situada entre las líneas de marea alta y marea baja se llama **zona intermareal**. Es la más cambiante del océano. A veces es mar y a veces tierra. Estos cambios se producen dos veces por día

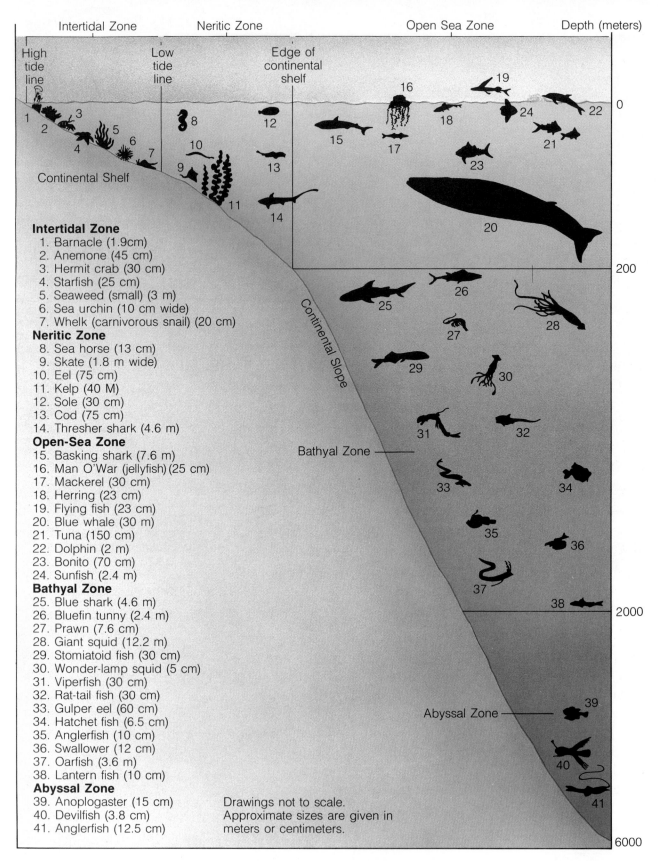

Intertidal Zone   Neritic Zone   Open Sea Zone   Depth (meters)

High tide line   Low tide line   Edge of continental shelf

Continental Shelf

Continental Slope

Bathyal Zone

Abyssal Zone

0

200

2000

6000

Intertidal Zone
1. Barnacle (1.9cm)
2. Anemone (45 cm)
3. Hermit crab (30 cm)
4. Starfish (25 cm)
5. Seaweed (small) (3 m)
6. Sea urchin (10 cm wide)
7. Whelk (carnivorous snail) (20 cm)

Neritic Zone
8. Sea horse (13 cm)
9. Skate (1.8 m wide)
10. Eel (75 cm)
11. Kelp (40 M)
12. Sole (30 cm)
13. Cod (75 cm)
14. Thresher shark (4.6 m)

Open-Sea Zone
15. Basking shark (7.6 m)
16. Man O'War (jellyfish)(25 cm)
17. Mackerel (30 cm)
18. Herring (23 cm)
19. Flying fish (23 cm)
20. Blue whale (30 m)
21. Tuna (150 cm)
22. Dolphin (2 m)
23. Bonito (70 cm)
24. Sunfish (2.4 m)

Bathyal Zone
25. Blue shark (4.6 m)
26. Bluefin tunny (2.4 m)
27. Prawn (7.6 cm)
28. Giant squid (12.2 m)
29. Stomiatoid fish (30 cm)
30. Wonder-lamp squid (5 cm)
31. Viperfish (30 cm)
32. Rat-tail fish (30 cm)
33. Gulper eel (60 cm)
34. Hatchet fish (6.5 cm)
35. Anglerfish (10 cm)
36. Swallower (12 cm)
37. Oarfish (3.6 m)
38. Lantern fish (10 cm)

Abyssal Zone
39. Anoplogaster (15 cm)
40. Devilfish (3.8 cm)
41. Anglerfish (12.5 cm)

Drawings not to scale.
Approximate sizes are given in meters or centimeters.

Figure 2–22 *Here are the major life zones in the ocean, their depths, and some of the living things usually found in these zones. Above what depth is most ocean life found?*

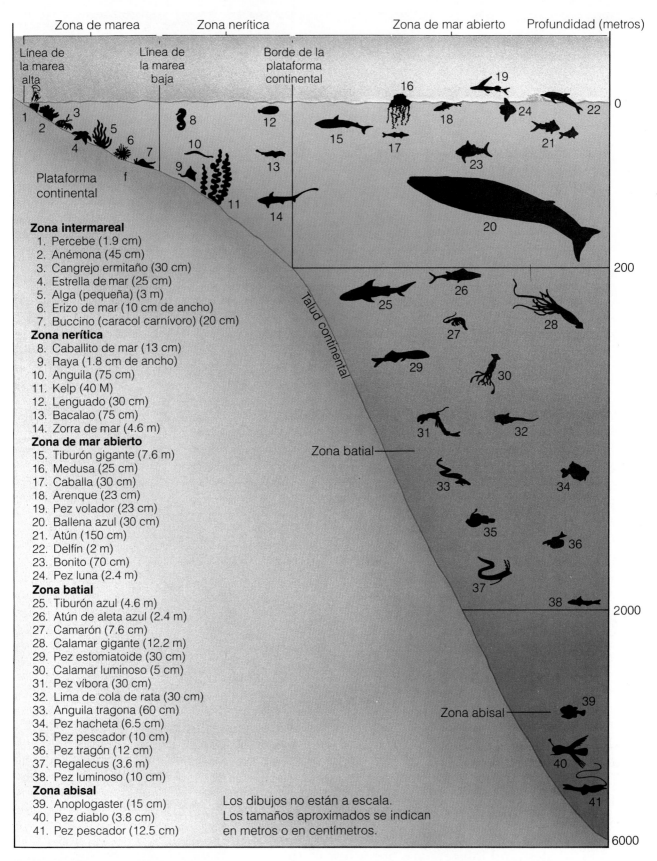

Zona de marea   Zona nerítica   Zona de mar abierto   Profundidad (metros)

Línea de la marea alta

Línea de la marea baja

Borde de la plataforma continental

Plataforma continental

Talud continental

Zona batial

Zona abisal

Zona intermareal
1. Percebe (1.9 cm)
2. Anémona (45 cm)
3. Cangrejo ermitaño (30 cm)
4. Estrella de mar (25 cm)
5. Alga (pequeña) (3 m)
6. Erizo de mar (10 cm de ancho)
7. Buccino (caracol carnívoro) (20 cm)

Zona nerítica
8. Caballito de mar (13 cm)
9. Raya (1.8 cm de ancho)
10. Anguila (75 cm)
11. Kelp (40 M)
12. Lenguado (30 cm)
13. Bacalao (75 cm)
14. Zorra de mar (4.6 m)

Zona de mar abierto
15. Tiburón gigante (7.6 m)
16. Medusa (25 cm)
17. Caballa (30 cm)
18. Arenque (23 cm)
19. Pez volador (23 cm)
20. Ballena azul (30 cm)
21. Atún (150 cm)
22. Delfín (2 m)
23. Bonito (70 cm)
24. Pez luna (2.4 m)

Zona batial
25. Tiburón azul (4.6 m)
26. Atún de aleta azul (2.4 m)
27. Camarón (7.6 cm)
28. Calamar gigante (12.2 m)
29. Pez estomiatoide (30 cm)
30. Calamar luminoso (5 cm)
31. Pez víbora (30 cm)
32. Lima de cola de rata (30 cm)
33. Anguila tragona (60 cm)
34. Pez hacheta (6.5 cm)
35. Pez pescador (10 cm)
36. Pez tragón (12 cm)
37. Regalecus (3.6 m)
38. Pez luminoso (10 cm)

Zona abisal
39. Anoplogaster (15 cm)
40. Pez diablo (3.8 cm)
41. Pez pescador (12.5 cm)

Los dibujos no están a escala.
Los tamaños aproximados se indican
en metros o en centímetros.

Figura 2–22 *Se muestran aquí las principales zonas de vida marina, sus profundidades, y algunos de los seres vivos que suelen encontrarse en ellas. ¿A qué profundidad se encuentra la mayor parte de la vida marina?*

Figure 2–23 *Mandarin, or psychedelic, fish (left) and the highly venomous lion fish (right) are but two of the many types of fishes that inhabit Earth's oceans.*

twice a day as the ocean surges up the shore at high tide and retreats at low tide. It is difficult for living things to survive in the intertidal zone. The tides and the waves breaking along the shore constantly move materials in this zone. Because the tide rises and falls, organisms must be able to live without water some of the time.

Some of the organisms that live in the intertidal zone are anemones, crabs, clams, mussels, and plants such as certain kinds of seaweeds. To keep from being washed out to sea, many of these organisms attach themselves to sand and rocks. Others, such as certain worms and some kinds of shellfish, burrow into the wet sand for protection.

Neritic Zone

The **neritic** (nee-RIHT-ihk) **zone** extends from the low-tide line to the edge of a continental shelf. This zone extends to a depth of about 200 meters.

The neritic zone receives plenty of sunlight. The water pressure is low and the temperature remains fairly constant. Here the ocean floor is covered with seaweed. Many different animals and plants live in this zone, including plankton, nekton, and benthos. In fact, the neritic zone is richer in life than any other ocean zone. Most of the world's great fishing areas are within this zone. Fish, clams, snails, some types of whales, and lobsters are but a few of the kinds of organisms that live in the neritic zone. This

Figure 2–24 *This California spiny lobster searching for food at night is among the many interesting creatures in the neritic zone.*

Figura 2–23 *El pez mandarín o psicodélico (izquierda) y el venenoso pez cebra (derecha) son dos de los muchos tipos de peces que habitan los océanos de la Tierra.*

cuando el mar avanza con la marea alta y se retira con la marea baja. La supervivencia en la zona de marea es difícil. Las mareas y las olas que se rompen en la costa mueven constantemente los objetos. A causa de que la marea sube y baja, los organismos tienen que ser capaces de vivir parte del tiempo sin agua.

Algunos de los organismos que viven en la zona de marea son las anémonas, los cangrejos, las almejas, los mejillones y ciertas algas. Para evitar que el mar los arrastre, muchos de ellos se adhieren a la arena o a las rocas. Otros, como algunos gusanos y moluscos, se sumergen en la arena húmeda para protegerse.

Zona nerítica

La **zona nerítica** se extiende desde la línea de marea baja hasta el borde de la plataforma continental y a una profundidad de 200 metros.

La zona nerítica recibe abundante luz solar. La presión del agua es baja y la temperatura permanece bastante constante. El fondo marino aquí está cubierto de algas. Mucha variedad de animales y plantas viven en esta zona, entre ellas plancton, necton y bentos. La zona nerítica es más rica en vida que ninguna otra zona del océano. La mayor parte de las grandes zonas pesqueras del mundo están en ella. Los peces, las almejas, los caracoles, algunos tipos de ballenas y las langostas son sólo algunos de los

Figura 2–24 *Esta langosta marina de California que busca alimento por la noche es uno de los muchos seres interesantes de la zona nerítica.*

Fish for the Table

Visit a supermarket or a fish market. List the different foods available that come from the ocean. Answer the following questions about the foods you listed:

1. Which foods are plankton? Nekton? Benthos?

2. From which ocean-life zone did each food come?

3. Where did the store obtain each food?

4. Which foods are sold fresh? Which are sold frozen?

5. Which foods have you eaten?

zone is the source of much of the seafood people eat. The neritic zone ends where there is too little sunlight for seaweed to grow.

Open-Ocean Zones

There are two open-ocean zones. The first is the **bathyal** (BAHTH-ee-uhl) **zone.** It begins at a continental slope and extends down about 2000 meters. Sunlight is not able to penetrate to the bottom of this zone. Many forms of nekton live in the bathyal zone, including squid, octopus, and large whales. Because there is little sunlight in the lower parts, plants do not grow near the bottom of this zone.

At a depth of about 2000 meters, the **abyssal zone** begins. This is the second open-ocean zone. The abyssal zone extends to an average depth of 6000 meters. This zone covers the large, flat plains of the ocean. No sunlight is able to penetrate to this zone. Thus little food is available. The water pressure is very great. What do you think the temperatures are like in the abyssal zone?

Even with extremely harsh conditions, life exists in the abyssal zone. Most of the animals that live here are small. Many are quite strange looking. Look again at the anoplogaster shown in the chapter opener. Some of the animals that live in this zone are able to make their own light.

Figure 2–25 *Organisms that live in the open-ocean zone include deep-sea anglerfish (top left), hatchet fish (bottom left), and krill (right).*

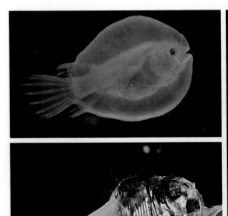
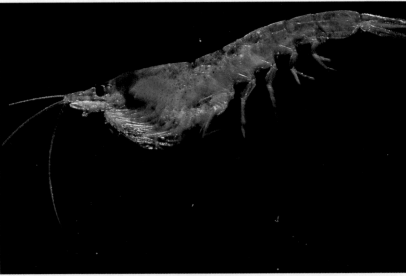

Pescado para tu mesa

Visita un supermercado o una pescadería. Haz una lista de los alimentos que provienen del mar. Contesta las siguientes preguntas sobre los alimentos que enumeraste:

1. ¿Qué alimentos son plancton? ¿Necton? ¿Bentos?

2. ¿De qué zona de la vida marina proviene cada alimento?

3. ¿Dónde obtuvo el comercio esos alimentos?

4. ¿Qué alimentos se venden frescos y cuáles congelados?

5. ¿Qué alimentos haz comido?

organismos de la zona nerítica. Gran parte de los alimentos provenientes del mar que comemos vienen de esa zona. La zona nerítica termina cuando la luz solar no es suficiente para que crezcan las algas.

Zonas de mar abierto

Hay dos zonas de mar abierto. La primera es la **batial**, que empieza en el talud continental y se extiende hasta 2000 metros de profundidad. El sol no puede llegar al fondo de esta zona. Hay muchas formas de necton que viven en la zona batial, entre ellas calamares, pulpos y ballenas gigantes. Puesto que hay poca luz solar, no hay plantas en el fondo de esta zona.

A una profundidad de alrededor 2000 metros, comienza la **zona abisal**. Esta es la segunda zona de mar abierto, que se extiende hasta una profundidad media de 6000 metros y abarca las grandes llanuras del océano. En esta zona no penetra la luz solar y hay, por lo tanto, pocos alimentos. La presión del agua es enorme. ¿Cómo crees que serán las temperaturas en la zona abisal?

Incluso en condiciones sumamente difíciles, hay vida en la zona abisal. La mayoría de los animales que viven en esa zona son pequeños. Muchos tienen un aspecto muy extraño. Mira una vez más el anoplogaster al comienzo de este capítulo. Algunos de los animales que viven en esta zona pueden producir su propia luz.

Figura 2–25 *Entre los organismos del mar abierto están el pez pescador de aguas profundas (arriba a la izquierda), el pez hacheta (abajo a la izquierda) y el krill (a la derecha).*

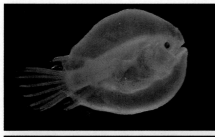

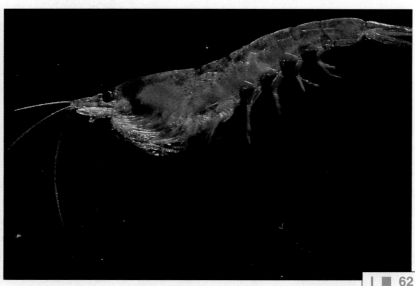

2-4 Section Review

1. What are the three major groups of ocean life?
2. What are some factors that affect ocean life?
3. Describe the three major ocean life zones.
4. Which zone contains the greatest variety of ocean life? Why?

Critical Thinking—*Applying Concepts*

5. Most commercial fishing occurs near the ocean surface. Why would fishing in extremely deep water prove to be unsuccessful?

2-5 Mapping the Ocean Floor

The oceans have been called the last great unexplored places on Earth. In fact, we probably know more about some of our neighbors in outer space than we do about the waters that make up almost 71 percent of our planet.

In 1872, the first expedition to explore the ocean began when the *Challenger* sailed from England. Equipped for ocean exploration, the *Challenger* remained at sea for $3\frac{1}{2}$ years. Scientists aboard the *Challenger* used wire to measure ocean depth. They used nets attached to heavy ropes to collect animals and plants from the ocean floor. Organisms that had

Guide for Reading

Focus on this question as you read.

▶ How is the ocean floor mapped?

Figure 2-26 *This computerized geologic map of the southwest Pacific sea floor was constructed from data collected by a NASA satellite orbiting the Earth.*

2–4 Repaso de la sección

1. ¿Cuáles son los tres grupos principales de vida en el océano?
2. ¿Cuáles son algunos de los factores que afectan la vida marina?
3. Describe las tres zonas principales de vida marina.
4. ¿Qué zona contiene la mayor variedad de vida marina? ¿Por qué?

Pensamiento crítico—*Aplicar conceptos*
5. La mayor parte de la pesca comercial se hace cerca de la superficie del océano. ¿Por qué no sería productivo pescar en aguas muy profundas?

2–5 Mapas del fondo marino

Se ha dicho que los océanos son los últimos lugares inexplorados de la Tierra. Es probable que sepamos más sobre algunos de nuestros vecinos espaciales que sobre las aguas que constituyen casi el 71% de nuestro planeta.

En 1872, se inició la primera expedición oceánica con la partida del *Challenger* de Inglaterra. Éste permaneció en el mar durante 3 años y medio. Sus científicos utilizaron cables para medir la profundidad y redes sujetas a gruesas cuerdas para obtener animales y plantas del fondo. Trajeron a la superficie organismos que habían estado por mucho tiempo libres de toda

Guía para la lectura

Piensa en esta pregunta mientras lees.

▶ *¿Cómo se trazan los mapas del fondo del mar?*

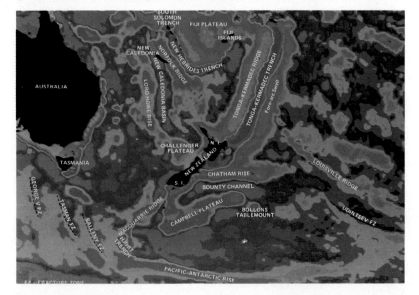

Figura 2–26 *Este mapa geológico computadorizado de los fondos marinos del Pacífico sudoccidental se preparó a partir de datos obtenidos por un satélite de NASA en órbita alrededor de la Tierra.*

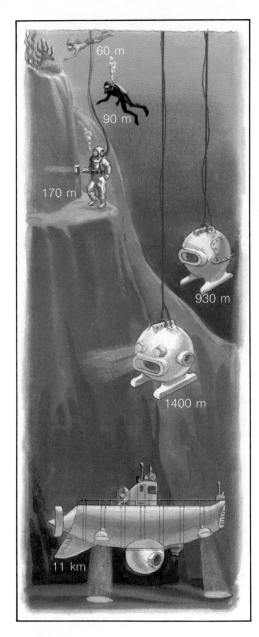

Figure 2–27 *Different instruments are used to explore the ocean. The type of instrument used is determined by the ocean depth. To what depth can a person descend without special breathing equipment?*

long remained undisturbed—free from the probing eyes of humans—were brought to the surface. Special thermometers enabled the scientists to record deep-ocean temperatures. And samples of ocean water were collected in special bottles.

Today oceanographers have many modern instruments to aid them in the exploration of the oceans. Underwater cameras provide pictures of the ocean floor. Devices called corers bring up samples of mud and sand from the ocean bottom. And a variety of vehicles, including bathyspheres, bathyscaphs, and other submersibles, are able to dive deep under the surface to explore the ocean depths.

One of the most important goals of oceanographers is to map the ocean floor. **Mapping the ocean floor can only be done by indirect methods, such as echo sounding, radar, sonar, and seismographic surveys.** All of these methods are based on the same principle: Energy waves, such as sound waves, sent down to the ocean surface are reflected from (bounce off) the ocean floor and return to the surface, where they are recorded. Knowing the speed of sound in water, which is about 1500 meters per second, and the time it takes sound waves to make a round trip, oceanographers can determine the ocean depth at any location along the ocean floor.

The most complete picture of the ocean floor has been pieced together from information gathered by *Seasat*, a scientific satellite launched in 1978. From the 8 billion readings radioed back by *Seasat*, scientists have created the most accurate map yet.

2–5 Section Review

1. Name three instruments used by oceanographers today to explore the ocean. How do these instruments compare with ones used in the earliest expeditions?
2. What two pieces of information are needed to map the ocean depth using sonar?

Connection—*You and Your World*
3. Even though the oceans are one of the grandest features of Planet Earth, we know relatively little about them. What are some reasons to explain this lack of knowledge?

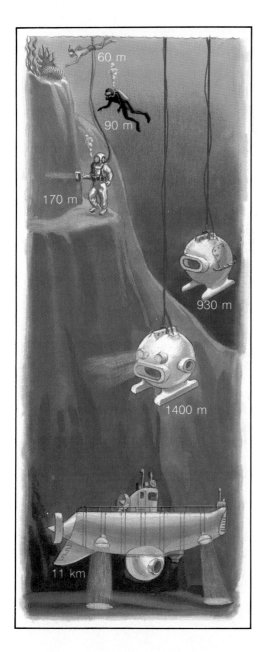

Figura 2-27 *Se utilizan diferentes instrumentos para explorar el océano. La profundidad del océano determina el tipo de instrumento utilizado. ¿Hasta qué profundidad puede una persona descender sin equipo especial para respirar?*

intervención humana. Mediante termómetros especiales registraron las temperaturas de las profundidades oceánicas y utilizando botellas especiales recogieron muestras del agua del océano.

Actualmente, los oceanógrafos tienen muchos instrumentos modernos que les ayudan a explorar los océanos. Las cámaras submarinas toman fotografías del fondo marino. Hay instrumentos llamados barrenadores que traen muestras de barro y arena del fondo del océano y varios vehículos, entre ellos las batisferas, los batiscafos y otros sumergibles, que pueden descender a explorar a grandes profundidades.

Uno de los objetivos más importantes de los oceanógrafos es hacer mapas del fondo marino. **Esos mapas sólo pueden hacerse con métodos indirectos, como el eco, el radar, el sonar y los estudios sismográficos.** Todos ellos se basan en el mismo principio: se envían desde la superficie del océano ondas de energía, como las de sonido, que se reflejan (rebotan) en el fondo marino y vuelven a la superficie, donde se registran. Al conocer la velocidad del sonido en el agua, que es de alrededor de 1500 metros por segundo, y el tiempo que toma que las ondas vayan y vuelvan, los oceanógrafos pueden determinar la profundidad del océano en cualquier lugar.

El panorama más completo del fondo marino se ha obtenido hasta el momento de la información recogida por el *Seasat*, un satélite científico lanzado en 1978. Con los 8000 millones de mediciones enviadas por el *Seasat*, los científicos han creado el mapa más preciso que existe hasta el momento.

2–5 Repaso de la sección

1. Nombra tres instrumentos usados actualmente por los oceanógrafos para explorar el océano. ¿Cómo se comparan estos instrumentos con los utilizados en las primeras expediciones?
2. ¿Cuáles son los dos datos necesarios para determinar la profundidad del océano con el sonar?

Conexión—*Tú y tu mundo*
3. Aunque los océanos son uno de los elementos más maravillosos de la Tierra, sabemos relativamente poco acerca de ellos. ¿Cuáles son algunas de las razones que explican esta falta de conocimiento?

2–6 Motions of the Ocean

Ocean water never stops moving. **There are three basic motions of ocean water: the up and down movement of waves, the steady movement of ocean currents, and the rise and fall of ocean water in tides.** In this section you will read more about each of these ocean movements.

Waves

Waves are pulses of energy that move through the ocean. Waves are set in motion by winds, earthquakes, and the gravitational pull of the moon. The most common source of energy for waves, however, is wind blowing across the surface of the ocean.

Have you ever observed ocean waves—first far out at sea and then closer to shore? If not, perhaps you have seen pictures of them. Ocean waves begin as wind-stirred ripples on the surface of the water. As more energy is transferred from wind to water, the waves formed look like great forward surges of rapidly moving water. But the water is not moving forward at all! Only energy moves forward through the water, producing one wave after another. The energy is passed from one particle of water to another. But the particles of water themselves remain in relatively the same positions.

Wave energy is not only passed forward from one water particle to another, it is also passed downward from particle to particle. With increasing depth, the motion of the particles decreases. At a certain depth, motion stops. In deep water, there are no waves except for those caused by tides and earthquakes.

The height of surface waves depends upon three different factors. Do you know what they are? These factors are the wind's speed, the length of time the wind blows, and the distance the wind blows over the water. As each of these factors increases, the height of a wave increases. And some waves can become really huge. The largest surface wave ever measured in the middle of any ocean occurred in the North Pacific on February 7, 1933. At that time, a wind storm was sweeping over a stretch of water thousands of kilometers long. A ship in the United States Navy, the *U.S.S. Ramapo*, was plowing through

Figure 2–28 *Waves are set in motion as energy is transferred from wind to water. The wave pulses of energy are passed forward from particle to particle, as well as downward from particle to particle. Notice that it is not the water that is moving forward, but the pulse of energy.*

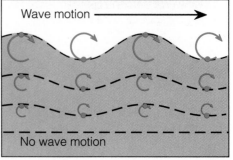

Wave motion →

No wave motion

2–6 Movimientos del océano

El agua marina nunca deja de moverse. **Hay tres movimientos básicos del agua marina: el movimiento hacia arriba y hacia abajo de las olas, el movimiento constante de las corrientes oceánicas y el ascenso y descenso del agua en las mareas.** En esta sección leerás más acerca de cada uno de estos movimientos.

Olas

Las olas son pulsaciones de energía que se mueven a través del océano. Tienen su origen en los vientos, los terremotos y la atracción gravitacional de la luna. La fuente más común de energía de las olas es el viento que sopla sobre la superficie del océano.

¿Has observado alguna vez las olas del océano? Si no, quizás hayas visto fotografías. Las olas empiezan como ondulaciones que causa el viento en la superficie del agua. A medida que se transfiere más energía del viento al agua, las olas que se forman parecen grandes ondas de agua que avanzan rápidamente. Pero el agua no se mueve en absoluto. Lo único que se mueve es la energía a través del agua, que produce una ola tras otra. La energía pasa de una partícula de agua a otra. Pero las partículas permanecen básicamente en la misma posición.

La energía de la ola no sólo pasa de partícula a partícula hacia adelante sino también hacia abajo. Cuando aumenta la profundidad, el movimiento de las partículas disminuye y a cierta profundidad cesa. En aguas profundas no hay olas, excepto las causadas por las corrientes y los terremotos.

La altura de la ola depende de tres factores. Estos son la velocidad del viento, la duración del viento y la distancia a que sopla el viento sobre el agua. Cuando aumenta uno de estos factores, aumenta la altura de la ola. Algunas olas pueden llegar a ser enormes. La ola superficial más grande que se ha medido en un océano se observó en el Pacífico Norte el 7 de febrero de 1933. Había en ese momento una tormenta de viento sobre una zona de agua de miles de kilómetros. Un buque de la armada de los Estados Unidos, el *U.S.S. Ramapo*, avanzaba sobre el mar cuando sus

Guía para la lectura
Piensa en estas preguntas mientras lees.

▶ *¿Cuáles son los tres movimientos básicos del océano?*

▶ *¿Qué causa estos movimientos?*

Figura 2–28 *Las olas se forman cuando se transfiere energía del viento al agua. Las pulsaciones de energía de la ola se transmiten de partícula a partícula hacia adelante y también hacia abajo. Recuerda que lo que se mueve no es el agua sino la pulsación de energía.*

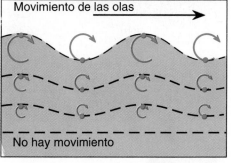

Movimiento de las olas →

No hay movimiento

FACTORS THAT AFFECT THE HEIGHT OF SURFACE WAVES

Wind Speed (m/sec)	Length of Time Wind Blows (hr)	Distance Wind Blows Over Water (km)	Average Height of Wave (m)
5.1	2.4	18.5	0.27
10.2	10.0	140.0	1.5
15.3	23.0	520.0	4.1
20.4	42.0	1320.0	8.5
25.5	69.0	2570.0	14.8

Figure 2–29 *The factors that affect the height of surface waves are shown in this chart. What happens to the height of a wave as the wind speed increases?*

the sea when its officers spotted and measured a gigantic wave. It was at least 34 meters high! Such a wave would rise above a ten-story apartment house.

WAVE CHARACTERISTICS Ocean waves, like all other waves, have several characteristics. The highest point of a wave is called the **crest.** The lowest point of a wave is called the **trough** (TRAWF). The horizontal distance between two consecutive (one after the other) crests or two consecutive troughs is called the **wavelength.** The vertical distance between a crest and a trough is called the wave height. Waves have various wavelengths and wave heights. The basic characteristics of waves are shown in Figure 2–30.

Figure 2–30 *Characteristics of ocean waves are shown in this diagram. What is the distance between two consecutive crests called? What is the lowest point of a wave called?*

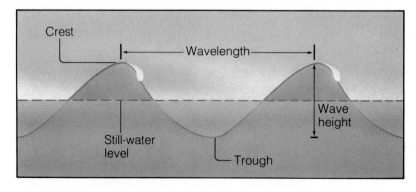

Biólogo(a) marino(a)

Los biólogos marinos estudian la vida oceánica, que va desde los plancton minúsculos unicelulares hasta las enormes ballenas azules, que son los organismos vivientes más grandes que existen.

Los biólogos marinos trabajan en las universidades, los gobiernos y la industria. Para ser un biólogo marino hay que tener interés en las ciencias y en el mar. Para obtener más información, escribe a la International Oceanographers Foundation, 3979 Rickenbacker Causeway, Virginia Key, Miami, Florida 33149.

FACTORES QUE AFECTAN LA ALTURA DE LAS OLAS SUPERFICIALES

Velocidad del viento (metros/segundo)	Duración del viento (horas)	Distancia que sopla el viento sobre el agua (kilómetros)	Altura media de la ola (metros)
5.1	2.4	18.5	0.27
10.2	10.0	140.0	1.5
15.3	23.0	520.0	4.1
20.4	42.0	1320.0	8.5
25.5	69.0	2570.0	14.8

Figura 2–29 *En este cuadro se indican los factores que afectan la altura de las olas superficiales. ¿Qué pasa con la altura de una ola a medida que aumenta la velocidad del viento?*

oficiales observaron y midieron una ola gigantesca. ¡Tenía por los menos 34 metros de alto! Una ola de este tamaño sobrepasaría a una casa de apartamentos de diez pisos.

CARACTERÍSTICAS DE LAS OLAS Las olas del océano, como todas las olas, tienen varias características. El punto más alto de una ola se llama **cresta.** El punto más bajo se llama **seno.** La distancia horizontal entre dos crestas consecutivas (una tras otra) o dos senos consecutivos se llama **longitud de la ola.** La distancia vertical entre una cresta y un seno es la altura de la ola. Las olas tienen distintas longitudes y alturas. En la figura 2–30 se muestran las características básicas de las olas.

Figura 2-30 *En este diagrama se muestran las características de las olas del océano. ¿Cómo se llama la distancia entre dos crestas consecutivas? ¿Cómo se llama el punto más bajo de una ola?*

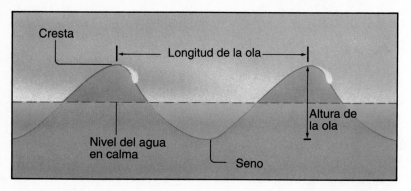

The amount of time it takes consecutive crests or troughs to pass a given point is called the wave period. The number of crests or troughs passing a given point in a certain wave period is called the wave frequency. What is the relationship between wavelength and wave frequency?

Out in the open ocean, waves stay about the same distance apart for thousands of kilometers. So wavelength is usually constant. These waves are called swells. Swells are long, wide waves that are not very high.

But waves change as they approach the shore. They slow down, and they get closer and closer together. Their wavelength decreases and their wave height increases. They finally crash forward as breakers and surge onto the shore. This surging water is called the surf.

The water then flows back toward the ocean. Bits of seaweed, sand, and pebbles are pulled back by the retreating water. This retreating water is called an undertow. Undertows can be quite strong. Occasionally, they can be strong enough to pose danger to swimmers, pulling them farther out into the ocean and under the water. Undertows can also extend for several kilometers offshore.

TSUNAMIS Some ocean waves are caused by earthquakes. These waves are called **tsunamis** (tsoo-NAH-meez). Tsunami is a Japanese word meaning "large wave in a harbor." Tsunamis are the highest ocean waves.

ACTIVITY WRITING

Sea Turtles

Sea turtles lay their eggs on sandy coastal beaches. On shore the female turtle digs a hole and begins to deposit her eggs. In time, the eggs hatch. The tiny turtles will scurry to the sea. They will spend years in the open sea. If they survive, female turtles will return years later to the same beach on which they hatched.

See if you can find information that explains this remarkable navigational ability. How are female sea turtles able to find their way without maps to guide them?

Figure 2–31 *The pattern of a swell as it reaches a sloping beach is shown in this diagram. What happens to the wavelength and the wave height as the wave nears the beach?*

Swell

Breaker

Surf

Shore

Wave height increases

Wave

El tiempo necesario para que dos crestas o senos consecutivos pasen por un punto dado se llama período de la ola. El número de crestas o senos que pasan por un punto dado en un período determinado es la frecuencia de la ola. ¿Cuál es la relación entre la longitud y la frecuencia de las olas?

En el mar abierto, las olas permanecen a la misma distancia durante miles de kilómetros. La longitud de las olas es generalmente constante. Estas olas se llaman mar tendida y son largas y anchas, pero no muy altas.

La longitud de las olas cambia cuando se acercan a la costa. Su velocidad se reduce y empiezan a estar cada vez más juntas. La longitud de las olas disminuye y aumenta su altura. Las olas se rompen por último sobre la playa.

El agua vuelve entonces hacia el océano llevando consigo trocitos de algas, arena y guijarros. El agua que se retira se llama contracorriente. Las contracorrientes pueden ser muy fuertes. A veces constituyen un peligro para los nadadores, porque los arrastran hacia el océano y bajo el agua. Las contracorrientes pueden tener varios kilómetros.

TSUNAMIS Algunas olas del océano son causadas por terremotos. Ese tipo de olas se llaman **tsunami**, que es una palabra japonesa que significa "gran ola en una bahía." Los tsunamis son las olas más altas del océano.

ACTIVIDAD
PARA ESCRIBIR

Tortugas marinas

Las tortugas marinas ponen sus huevos en las playas arenosas de la costa. La tortuga hembra hace un pozo y empieza a depositar sus huevos. Con el tiempo, salen las pequeñísimas tortuguitas, que se dirigen hacia el mar. Pasarán años en el mar abierto. Si sobreviven, las tortugas hembras volverán años más tarde a la misma playa en que nacieron.

Trata de obtener información para explicar esta increíble capacidad de navegación. ¿Cómo pueden las tortugas hembras encontrar su camino sin mapas que las guíen?

Figura 2–31 *En este diagrama se muestra un mar tendido cuando llega a una playa en declive. ¿Qué pasa con la longitud y la altura de las olas a medida que se acercan a la playa?*

Mar tendido

Rompiente

Espuma

Costa

Aumenta la altura de la ola

Ola

Figure 2–32 *The power of a tsunami left this boat high and dry on the dock.*

Tsunamis have very long wavelengths and are very deep. They carry a huge amount of energy. As tsunamis slow down in shallow water, they pile closer and closer together. Their wave heights increase. The energy that was once spread throughout a great depth of water is now concentrated in much less water. This energy produces the tsunamis, which can reach heights of 35 meters or more when they strike the shore. To give you some idea of the imposing height of a tsunami, consider this: The average height of a building story is between 3 and 4 meters. So a 35-meter wave is about the height of a ten-story building!

As you might suspect, tsunamis can cause great damage and loss of life along coastal areas. One of the most famous groups of tsunamis was caused by the volcanic eruption of Krakatoa between Java and Sumatra in 1883. Nine tsunamis that rose up to 40 meters high hit along the Java coast. Nothing was left of the coastal towns and about 36,000 people died.

Currents

You can easily see water moving on the surface of the ocean in the form of waves. But it is not only water on the surface that moves. Water below the surface also has motion. This water moves in streams called currents. Some currents are so large—up to several thousand kilometers long—that they are better described as "rivers" in the ocean. In fact, the mighty Mississippi River can be considered a mere brook when compared with the largest of the ocean currents. But long or short, all ocean currents are caused by the same two factors: wind patterns and differences in water density.

SURFACE CURRENTS Currents caused mainly by wind patterns are called **surface currents.** These currents usually have a depth of several hundred meters. Some surface currents are warm-water currents, others are cold-water currents. The temperature of a current depends upon where the current originates. A warm current begins in a warm area. A cold current begins in a cold area.

Surface currents that travel thousands of kilometers are called long-distance surface currents. The

A CTIVITY

DISCOVERING

Currently Current

1. Fill a glass half-full with ice-cold water. Add several drops of food coloring to the water.

2. Fill a clear glass bowl a little more than half-full with warm water.

3. Carefully pour the cold water down the side of the bowl. Observe what happens.

What is the purpose of the food coloring? Explain why the current forms. What type of ocean current does the current in the bowl most resemble?

■ Plan an investigation to see what kind of current, if any, forms when you add a glass of warm water with food coloring to a bowl of ice-cold water.

Figura 2–32 *La fuerza de un tsunami dejó a esta embarcación varada en el muelle.*

Las olas de los tsunamis tienen longitudes de onda muy largas y son muy profundas. Contienen una gran cantidad de energía. Al hacerse más lentas en aguas poco profundas, se acercan cada vez más entre sí. La altura de las olas aumenta. La energía que estaba difundida en una gran profundidad se concentra ahora en mucha menos agua. Esta energía produce los tsunamis, que pueden tener 35 metros de altura o más cuando llegan a la costa. Para darte una idea de esa altura, piensa que la altura media de cada piso de un edificio es 3 a 4 metros. Una ola de 35 metros equivale así a un edificio de diez pisos.

Como puedes sospechar, los tsunamis causan muchos daños en las zonas costeras. Uno de los grupos de tsunamis más famosos fue causado por la erupción volcánica del Krakatoa entre Java y Sumatra, en 1883. Nueve tsunamis de hasta 40 metros de alto golpearon la costa de Java. No quedaron rastros de las poblaciones costeras y murieron alrededor de 36,000 personas.

Corrientes

Es fácil ver el agua que se mueve en la superficie del mar en forma de olas. Pero no sólo el agua de la superficie se mueve. El agua por debajo de la superficie también está en movimiento. Esos movimientos se llaman corrientes. Algunas son tan grandes—de hasta miles de kilómetros de largo—que pueden describirse como "ríos" en el océano. Incluso el poderoso río Misisipí sería apenas un arroyo si se compara con la más grande de las corrientes oceánicas. Todas las corrientes oceánicas, ya sean largas o cortas, son causadas por los mismos factores: los vientos y las diferencias en la densidad del agua.

CORRIENTES SUPERFICIALES Las corrientes causadas principalmente por los vientos se llaman corrientes superficiales. Estas corrientes tienen generalmente varios cientos de metros de profundidad. Algunas son corrientes de agua caliente y otras de agua fría. La temperatura de una corriente depende del lugar en que se origina. Una corriente caliente empieza en una zona cálida; una corriente fría en una zona fría.

ACTIVIDAD

PARA AVERIGUAR

Corrientes

1. Llena un vaso hasta la mitad con agua helada. Añade varias gotas de colorante.

2. Llena un bol transparente hasta poco más de la mitad con agua tibia.

3. Vierte cuidadosamente el agua helada por el borde del bol y observa lo que ocurre.

¿Para qué sirve el colorante? Explica cómo se forman las corrientes. ¿A qué tipo de corriente del océano se parece más la corriente en el bol?

■ Planea una investigación para ver qué tipo de corriente se forma cuando añades un vaso de agua tibia con colorante en un bol de agua helada.

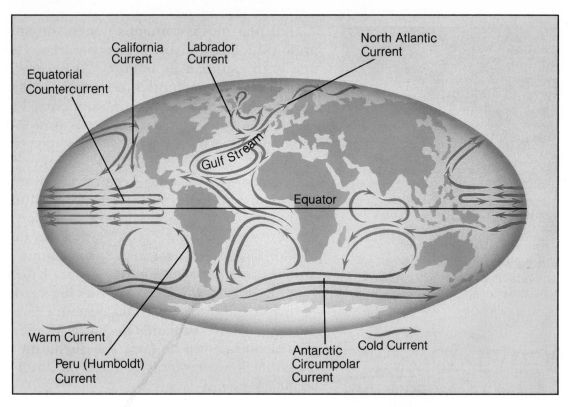

Figure 2-33 *This map shows the directions of flow of the major long-distance surface currents. Is the Gulf Stream a warm or a cold current?*

Gulf Stream is a well-known long-distance surface current. It is about 150 kilometers wide and may reach a depth of about 1000 meters. It carries warm water from the southern tip of Florida north along the eastern coast of the United States. It moves along at speeds greater than 1.5 meters per second. And more than 150 million cubic meters of water may pass a given point each second!

Figure 2–33 shows the major warm and cold surface currents of the world and the general directions in which they flow. Because all the oceans are connected, these ocean currents form a continuous worldwide pattern of water circulation.

You will notice from Figure 2–33 that the water in each ocean moves in a large, almost circular pattern. In the Northern Hemisphere, the currents move clockwise, or the same way the hands of a clock move. In the Southern Hemisphere, the currents move counterclockwise, or in the opposite direction. These motions correspond to the direction of wind circulation in each hemisphere.

As you might expect, surface currents that move over short distances are called short-distance surface currents. These currents usually are found near a shoreline where waves hit at an angle. When the

Figure 2-34 *Two surface currents converge, or come together, in the Atlantic Ocean near Bermuda.*

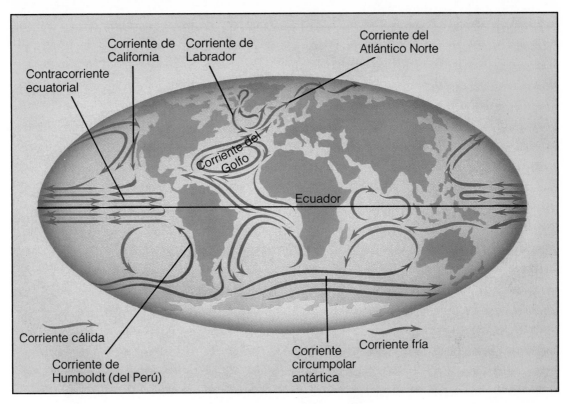

Corriente de California
Corriente de Labrador
Corriente del Atlántico Norte
Contracorriente ecuatorial
Corriente del Golfo
Ecuador
Corriente cálida
Corriente de Humboldt (del Perú)
Corriente circumpolar antártica
Corriente fría

Las corrientes superficiales que viajan miles de kilómetros se llaman corrientes superficiales de larga distancia. La corriente del Golfo es una corriente superficial de larga distancia muy conocida. Tiene unos 150 kilómetros de ancho y puede alcanzar una profundidad de 1000 metros. Lleva aguas cálidas del extremo sur de Florida hacia el norte, a lo largo de la costa este de los Estados Unidos. Se mueve a velocidades superiores a 1.5 metros por segundo y pueden pasar más de 150 millones de metros cúbicos de agua por un punto dado cada segundo.

En la figura 2–33 se muestran las principales corrientes superficiales cálidas y frías del mundo y la dirección en que fluyen. Puesto que todos los océanos están conectados, estas corrientes oceánicas forman un sistema mundial de circulación del agua.

Observarás en la figura 2–33 que el agua de cada océano se mueve en forma casi circular. En el Hemisferio Norte, las corrientes se mueven en la dirección de las agujas del reloj y en el Hemisferio Sur en dirección contraria a las agujas del reloj. Estos movimientos corresponden a la dirección de la circulación del viento en cada hemisferio.

Como cabe esperar, las corrientes superficiales de corta distancia se llaman corrientes superficiales de corta distancia. Estas corrientes están generalmente cerca de la costa, donde las olas pegan en ángulo.

Figura 2–33 *Este mapa muestra las direcciones de las principales corrientes superficiales de larga distancia. ¿La corriente del Golfo es cálida o fría?*

Figura 2–34 *Dos corrientes superficiales convergen, o se encuentran, en el océano Atlántico cerca de Bermuda.*

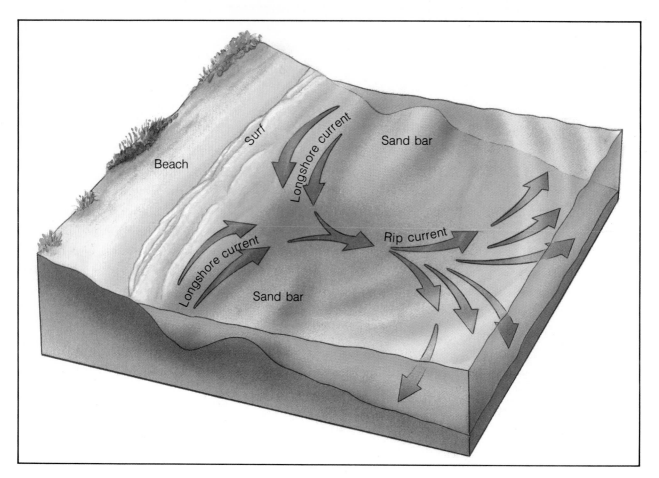

Figure 2–35 *When longshore currents cut through a sand bar, a rip current is formed.*

waves hit the shoreline, the water turns and produces currents that move parallel to the shoreline. These streams of water are called longshore currents.

As longshore currents move parallel to the shoreline, they pick up large quantities of material, such as sand from the beach. The sand is deposited in water close to the shoreline. A long, underwater pile of sand called a sand bar builds up.

Longshore currents can become trapped on the shoreline side of a sand bar. These currents may eventually cut an opening in the sandbar. The currents then return to the ocean in a powerful narrow flow called a rip current. A rip current is a type of undertow.

DEEP CURRENTS Some currents are caused mainly by differences in the density of water deep in the ocean. Such currents are called **deep currents.** The density, which you can think of as the heaviness of

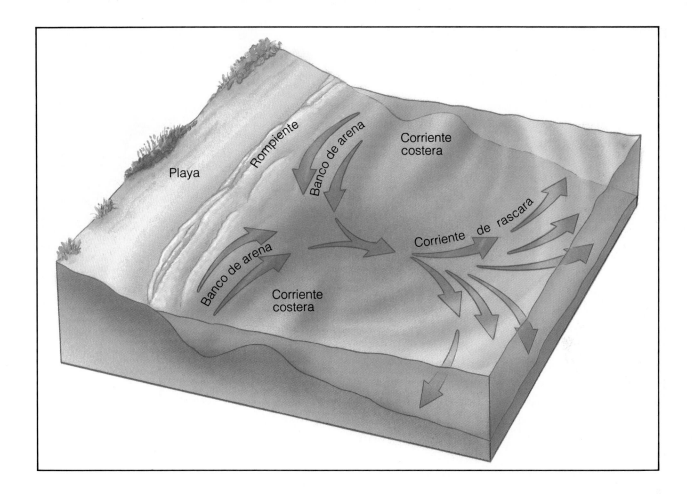

Figura 2–35 *Cuando las corrientes costeras atraviesan un banco de arena, se forma una corriente de resaca.*

Cuando las olas chocan contra la costa, el agua vuelve y produce corrientes paralelas a la costa, llamadas corrientes costeras.

Al moverse en forma paralela a la costa, estas corrientes recogen grandes cantidades de sustancias, como arena de la playa, que depositan en el agua cerca de la costa. Se forma entonces una larga pila de arena subterránea llamada banco de arena. Las corrientes costeras pueden quedar atrapadas en el lado costero de un banco de arena. En algún momento, es posible que corten una apertura en el banco de arena y vuelvan al océano en un flujo estrecho y poderoso llamado corriente de resaca. Este es un tipo de contracorriente.

CORRIENTES PROFUNDAS Algunas corrientes son causadas principalmente por las diferencias en la densidad del agua en el fondo marino. Éstas se llaman **corrientes profundas**. La densidad, que puedes imaginar como el peso del agua, es afectada

water, is affected by temperature and salinity. (Density is actually defined as mass per unit volume of a substance.) Cold water is more dense than warm water. And the saltier water is, the more dense it is. For example, cold dense water flowing from the polar regions moves downward under less dense warm water found in areas away from the poles.

Cameras lowered to the ocean floor have photographed evidence of powerful deep currents. The photograph in Figure 2–36 shows ripples carved into the sand of the ocean floor. In places on the floor, heavy clay has been piled into small dunes, as if shaped by winds. These "winds," scientists conclude, must be very strong ocean currents.

Most deep currents flow in the opposite direction from surface currents. For example, in the summer the Mediterranean Sea loses more water by evaporation than it gets back as rain. The salinity and density of the Mediterranean Sea increase. As a result, deep currents of dense water flow from the Mediterranean into the Atlantic Ocean. At the same time, the less salty and thus less dense water of the Atlantic Ocean flows into the Mediterranean at the water's surface.

The densest ocean water on Earth lies off the coast of Antarctica. This dense, cold Antarctic water sinks to the ocean floor and tends to flow north through the world's oceans. These deep Antarctic currents travel for thousands of kilometers. At the same time, warm surface currents near the equator tend to flow south toward Antarctica.

As the deep Antarctic currents come close to land, the ocean floor rises, forcing these cold currents upward. The rising of deep cold currents to the ocean surface is called **upwelling.** Upwelling is very important because the rising currents carry with them rich foodstuffs that have drifted down to the ocean floor. The foodstuffs are usually the remains of dead animals and plants. Wherever these deep currents rise, they turn the ocean into an area of plentiful ocean life. For example, deep currents move upward off the coasts of Peru and Chile. The nutrients they carry to the surface produce rich fishing grounds and important fishing industries in these areas.

Figure 2–36 *In this photograph you can see ripples carved into the ocean floor by a slow-moving deep current.*

Figure 2–37 *Areas of upwelling are important fishing areas because ocean life is plentiful. What factors cause upwelling?*

por la temperatura y la salinidad. (La densidad se define como masa por unidad de volumen de una sustancia.) El agua fría es más densa que el agua caliente. Y cuanto más salada, más densa es el agua. Por ejemplo, el agua densa y fría que fluye desde las regiones polares se mueve por debajo del agua cálida menos densa que se encuentra en las zonas alejadas de los polos.

Mediante cámaras colocadas en el lecho del océano se han fotografiado indicios de corrientes profundas poderosas. En la fotografía de la figura 2–36 se observan ondulaciones formadas en la arena del fondo marino. En algunos lugares, la arcilla pesada se ha apilado en pequeñas dunas, que parecen formadas por el viento. Los científicos deducen que esos "vientos" deben ser corrientes oceánicas muy poderosas.

La mayoría de las corrientes profundas corren en dirección opuesta a las corrientes superficiales. Por ejemplo, en el verano, el Mediterráneo pierde por evaporación más agua de la que recibe de la lluvia. La salinidad y la densidad del Mediterráneo aumentan. Se producen así corrientes profundas de agua densa que fluyen del Mediterráneo al Atlántico. Al mismo tiempo, el agua menos salada y menos densa del Atlántico fluye en la superficie hacia el Mediterráneo.

El agua de océano más densa está en la costa de la Antártida. Estas aguas densas y frías se van hacia el fondo y tienden a fluir hacia el norte a través de los océanos del mundo. Estas corrientes antárticas profundas viajan miles de kilómetros. Al mismo tiempo, las corrientes cálidas superficiales cercanas al ecuador tienden a fluir hacia el sur, hacia la Antártida.

A medida que las corrientes profundas de la Antártida se acercan a la tierra, el fondo del mar sube y obliga a subir a las corrientes. El ascenso de las corrientes frías profundas a la superficie del océano se llama **corriente ascendente**. Esas corrientes son muy importantes porque traen consigo abundantes alimentos depositados en el fondo del océano. Estos alimentos son generalmente los restos de animales y plantas muertas. Cuando las corrientes profundas suben a la superficie, el océano se convierte en una zona de vida oceánica abundante. Por ejemplo, hay corrientes profundas que ascienden cerca de las costas del Perú y de Chile. Los nutrientes que llevan a la superficie producen zonas pesqueras muy ricas y sustentan industrias pesqueras importantes en esas zonas.

Figura 2–36 *En esta foto puedes ver las ondulaciones formadas en el fondo marino por una corriente profunda y lenta.*

Figura 2–37 *Las zonas de corrientes ascendentes son zonas pesqueras importantes porque la vida marina es abundante. ¿Qué factores causan esas corrientes?*

Figure 2–38 *The daily rise and fall of tides is magnificently evident at the Bay of Fundy in Canada.*

Figure 2–39 *Spring tides occur when the sun and the moon are in line with the Earth. Neap tides occur when the sun and the moon are at right angles to the Earth.*

Tides

Tides are the regular rise and fall of ocean water caused by the gravitational attraction among the Earth, moon, and sun. The Earth's gravity pulls on the moon. But the moon's gravity also pulls on the Earth, producing a bulging of the ocean. The ocean bulges in two places: on the side of the Earth that faces the moon, and on the side of the Earth that faces away from the moon. Both bulges cause a high tide, or rising of ocean water, on nearby shorelines.

At the same time that the high tides occur, low tides occur between the two bulges. Observations show that at most places on Earth there are two high tides and two low tides every 24 hours.

Some high tides are higher than other high tides. For example, when the moon is at its full- and new-moon phases, the Earth has higher tides than at other times. These higher tides are called spring tides. Spring tides occur when the sun and the moon are in line with the Earth (which is the arrangement of the sun, moon, and Earth during full-moon and new moon phases). The increased gravitational effect due to the sun's gravity causes the ocean bulges to become even larger than usual.

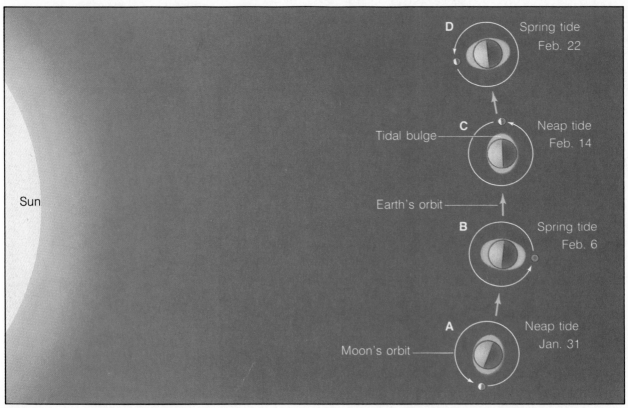

Figura 2–38 *El ascenso y el descenso diario de las mareas se observa magníficamente en la bahía de Fundy (Canadá).*

Figura 2–39 *Las mareas vivas se producen cuando el sol y la luna están en línea con la Tierra; las mareas muertas, cuando el sol y la luna están en ángulo recto con la Tierra.*

Mareas

Las mareas son el ascenso y el descenso regulares del agua marina causado por la atracción gravitacional entre la Tierra, la luna y el sol. La gravedad de la Tierra atrae a la luna, pero la gravedad de la luna también atrae a la Tierra y produce una subida del océano. El océano sube en dos sitios: del lado de la Tierra que enfrenta a la luna y del lado de la Tierra situado en dirección opuesta. En ambos sitios se produce una marea alta, una crecida del agua marina, en las costas cercanas.

Al mismo tiempo que se producen mareas altas, se producen mareas bajas entre las dos crecidas. Las observaciones muestran que en la mayor parte de la Tierra hay dos mareas altas y dos mareas bajas cada 24 horas.

Algunas mareas altas son más altas que otras. Por ejemplo, cuando hay luna llena y luna nueva, la Tierra tiene mareas más altas que en otros momentos. Estas se llaman mareas vivas y se producen cuando el sol y la luna están en línea con la Tierra (que es como están el sol, la luna y la Tierra cuando hay luna llena y luna nueva). El efecto gravitacional incrementado debido a la gravedad del sol hace que las crecidas de los océanos sean mayores que de costumbre.

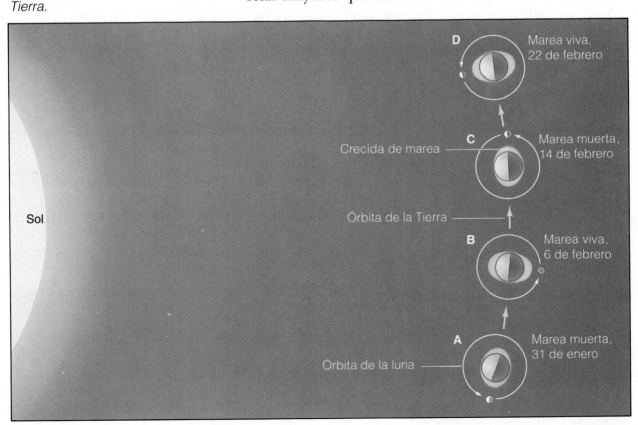

When the moon is at its first- and last-quarter phases, its gravitational pull on the oceans is partially canceled by the gravitational pull of the sun. High tides that are lower than usual result. These minimum high tides are called neap tides. What is the position of the sun and moon with respect to each other during neap tides?

2–6 Section Review

1. What are the three basic motions of the ocean?
2. What are four characteristics of a wave?
3. What are currents? What is the difference between surface currents and deep currents?
4. What are tides? What causes them?

Critical Thinking—*Relating Cause and Effect*

5. For maximum excitement, a surfer wants to find the highest waves possible. In what ocean would the surfer have the best chance of finding enormous waves? Why?

CONNECTIONS

The Sound of the Surf

Waves are beautiful to watch and thrilling to listen to. Even the smallest waves do not creep silently onto a beach. Instead they break with a gentle sigh. And when large waves break on shore, the crashing sounds are quite impressive. Did you ever wonder why waves make noise when they roll onto shore? The explanation may surprise you.

The answer to this question is as near as the bubble gum in your mouth. When you blow a bubble, you trap air in the gum. When the bubble breaks, it makes a popping sound. Breaking bubbles of trapped air also cause a sound when waves break. Ocean water picks up tiny bubbles of air, bubbles that become trapped within the water. When waves crash on the shore, the tiny air bubbles in the waves break. The characteristic sound of waves is produced. Keep this in mind, however. Even though there is a sound scientific reason that explains the *physics* of the noise, waves are still beautiful to look at and still wonderful to listen to.

Durante el primer y el último cuarto de las fases de la luna, la atracción gravitacional sobre los océanos se cancela parcialmente por la atracción gravitacional del sol. Las mareas altas son entonces más bajas que de costumbre y se llaman mareas muertas. ¿Cuál es la posición relativa del sol y de la luna durante las mareas muertas?

2–6 Repaso de la sección

1. ¿Cuáles son los tres movimientos básicos del océano?
2. ¿Cuáles serían cuatro características de una ola?
3. ¿Qué son las mareas? ¿Cuál es la diferencia entre corrientes superficiales y corrientes profundas?
4. ¿Qué son las mareas? ¿Qué las causa?

Pensamiento crítico—*Relacionar causa y efecto*
5. Para que sea más emocionante, un deportista del surf debe encontrar la ola más alta posible. ¿En cuál océano un surfista tendría las mejores posibilidades de encontrar olas enormes? ¿Por qué?

ACTIVIDAD
PARA HACER

La atracción de la luna

Los pronósticos mensuales de las mareas se publican generalmente en los periódicos el primer día del mes. También puedes encontrar pronósticos de mareas en el *Farmer's Almanac.*

Usa esa información para hacer un gráfico de la altura de la marea baja y de la marea alta en el mes. Hay dos mareas altas y dos mareas bajas por día. Indica solamente las alturas alcanzadas en las primeras horas del día.

¿Cuál es la relación de las fases de la luna con la altura de las mareas?

CONEXIONES

El sonido de las olas

Las olas son hermosas y tienen un sonido encantador. Incluso las olas más pequeñas se rompen en la playa con un dulce suspiro. Cuando una ola grande se rompe contra la playa, el ruido es impresionante. ¿Te has preguntado alguna vez por qué las olas hacen ese ruido al llegar a la playa? La explicación te sorprenderá.

La respuesta a esta pregunta está muy cerca de la goma de mascar que tienes en la boca. Cuando haces un globo, atrapas aire en la goma. Cuando el globo se rompe, hace un ruido explosivo. Las burbujas de aire que se rompen son también la causa del sonido que producen las olas al

romperse. El agua marina recoge pequeñísimas burbujas de aire, que quedan atrapadas en el agua. Cuando las olas se rompen, las pequeñísimas burbujas estallan y se produce entonces el sonido característico de las olas. Recuerda que aunque hay una razón científica que explica la *física* del ruido, las olas siguen siendo hermosas y teniendo un sonido maravilloso.

Laboratory Investigation

The Effect of Water Depth on Sediments

Problem

To determine the effects that differences in water depth have on the settling of sediments.

Materials *(per group)*

plastic tubes of different lengths that contain sediment samples and salt water

Procedure

1. Obtain a plastic tube from your teacher.
2. Make sure that both ends of the tube are securely capped.

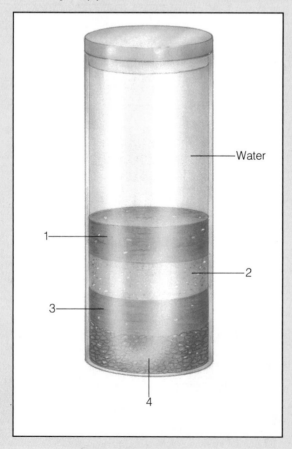

3. Hold the tube by both ends and gently tip it back and forth until the sediments in the tube are thoroughly mixed throughout the water.
4. Set the tube in an upright position in a place where it will not be disturbed.
5. Repeat steps 1 through 4 for each of the remaining tubes.
6. Carefully observe the sediments in each tube.

Observations

1. Make a detailed sketch to illustrate the heights of the different layers formed when the sediments in each tube settled.
2. What general statement can you make about the size of the sediment particles and the order in which each type of sediment settled in the tube?

Analysis and Conclusions

1. What effect does the length of the water column have on the number and types of sediment layers formed in each tube?
2. How are these tubes accurate models of what happens to sediments carried to the ocean?
3. What is the variable present in this investigation? What variables that may be present in the ocean are not tested in this investigation?
4. **On Your Own**   Design an investigation to determine the effect of different amounts of salinity on the formation of sediment layers.

Investigación de laboratorio

Efecto de la profundidad del agua sobre los sedimentos

Problema

Determinar qué efecto tienen las diferencias en profundidad del agua sobre el asentamiento de los sedimentos.

Materiales (por grupo)

tubos de plástico de diferentes tamaños con muestras de sedimentos y agua salada

Procedimiento

1. Pide a tu profesor (a) un tubo de plástico.
2. Asegúrate de que ambos extremos del tubo estén bien tapados.

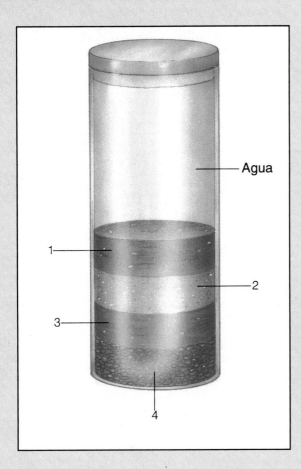

- Agua
- 1
- 2
- 3
- 4

3. Sostén el tubo por ambos extremos y agítalo suavemente hasta que los sedimentos estén bien mezclados con el agua.
4. Coloca el tubo de pie en un lugar donde nadie vaya a tocarlo.
5. Repite los pasos 1 a 4 para cada uno de los tubos restantes.
6. Observa cuidadosamente los sedimentos en cada tubo.

Observaciones

1. Haz un dibujo detallado para ilustrar las alturas de las diferentes capas que se forman cuando se asientan los sedimentos en cada tubo.
2. ¿Qué observación general puedes hacer sobre el tamaño de las partículas de sedimentos y el orden en que se asienta cada tipo de sedimento en el tubo?

Análisis y conclusiones

1. ¿Qué efecto tiene el largo de la columna de agua en el número y los tipos de capas de sedimentos que se forman en cada tubo?
2. ¿Son estos tubos modelos precisos de lo que ocurre cuando se arrastran sedimentos al océano?
3. ¿Cuál es la variable presente en esta investigación? ¿Qué variables puede haber en el océano que no se ponen a prueba en esta investigación?
4. **Por tu cuenta** Diseña una investigación para determinar los efectos de diferentes salinidades en la formación de capas de sedimentos.

Summarizing Key Concepts

2–1 The World's Oceans

▲ The Atlantic, Pacific, and Indian oceans are the three major oceans.

2–2 Properties of Ocean Water

▲ Ocean water is a mixture of gases and solids dissolved in pure water.

▲ Ocean water is classified into three zones based on water temperature: surface zone, thermocline, and deep zone.

2–3 The Ocean Floor

▲ A continental margin consists of a continental shelf, a continental slope, and a continental rise.

▲ Major features of the ocean floor include, abyssal plains, seamounts, guyots, trenches, midocean ridges, rift valleys, and reefs.

2–4 Ocean Life Zones

▲ Ocean life forms are classified by habits and depth in which they live.

▲ The three major ocean life zones are the intertidal, neritic and open-ocean zones.

2–5 Mapping the Ocean Floor

▲ The ocean floor is mapped by echo sounding, radar, sonar, and seismographic surveys.

2–6 Motions of the Ocean

▲ Motions of the ocean include waves, currents, and tides.

▲ Waves have the following characteristics: crests, troughs, wavelength, wave height, wave period, and wave frequency.

▲ Surface currents are caused mainly by wind patterns; deep currents by differences in the density of ocean water.

▲ Tides are the regular rise and fall of ocean water caused by the gravitational attraction among the Earth, moon, and sun.

Reviewing Key Terms

Define each term in a complete sentence.

2–2 Properties of Ocean Water
oceanographer
salinity
surface zone
thermocline
deep zone

2–3 The Ocean Floor
shoreline
continental margin
continental shelf
continental slope
continental rise
turbidity current
submarine canyon
abyssal plain
seamounts
guyot
trench
midocean ridge
coral reef
fringing reef
barrier reef
atoll

2–4 Ocean Life Zones
plankton
nekton
benthos
intertidal zone
neritic zone
bathyal zone
abyssal zone

2–6 Motions of the Ocean
crest
trough
wavelength
tsunami
surface current
deep current
upwelling

Guía para el estudio

Resumen de conceptos claves

2–1   Los océanos del mundo
▲ El Atlántico, el Pacífico y el Índico son los tres principales océanos.

2–2   Propiedades del agua marina
▲ El agua marina es una mezcla de gases y sólidos disueltos en agua pura.

▲ El agua marina se clasifica en tres zonas según la temperatura: zona superficial, termoclina y zona profunda.

2–3   El fondo marino
▲ El margen continental consiste en una plataforma continental, un talud continental y un glacis continental.

▲ Los principales rasgos del fondo marino son las llanuras abisales, las montañas submarinas, los guyotes, las fosas, las cordilleras mesooceánicas, los valles de hendidura y los arrecifes.

2– 4 Zonas de vida marina
▲ Las formas de vida marina se clasifican según sus hábitos y la profundidad a que viven.

▲ Las tres zonas principales de vida marina son la zona de marea, la zona nerítica y la zona de mar abierto.

2–5   Mapas del fondo marino
▲ Se hacen mapas del fondo marino mediante ecos, radar, sonar y estudios sismográficos.

2–6   Movimientos del océano
▲ Los movimientos del océano incluyen las olas, las corrientes y las mareas.

▲ Las olas tienen las siguientes características: crestas, senos, longitud, altura, período y frecuencia de la ola.

▲ Las corrientes superficiales son causadas principalmente por el viento; las corrientes profundas, por diferencias en la densidad del agua.

▲ Las mareas son el ascenso y descenso regular del agua marina causado por la atracción gravitacional entre la Tierra, la luna y el sol.

Repaso de palabras claves

Define cada palabra o palabras con una oración completa.

2–2   Propiedades del agua marina
oceanógrafo
salinidad
zona superficial
termoclina
zona profunda

2–3   El fondo marino
costa
margen continental
plataforma continental
talud continental
glacis continental
corriente turbia
cañón submarino
llanura abisal
montañas submarinas
guyote
fosa
cordillera mesooceánica
arrecife coralino
arrecife costero
arrecife de barrera
atolón

2–4   Zonas de vida marina
plancton
necton
bentos
zona de marea
zona nerítica
zona batial
zona abisal

2–6   Movimientos del océano
cresta
seno
longitud de la ola
tsunami
corriente superficial
corriente profunda
corriente ascendente

Chapter Review

Content Review

Multiple Choice

Choose the letter of the answer that best completes each statement.

1. The three major oceans of the world are the Atlantic, Pacific, and
   a. Arctic.
   b. Indian.
   c. Mediterranean.
   d. Caribbean.

2. The amount of dissolved salts in ocean water is called
   a. salinity.
   b. turbidity.
   c. upwelling.
   d. current.

3. The zone in the ocean where the temperature changes rapidly is called the
   a. surface zone.
   b. benthos.
   c. tide zone.
   d. thermocline.

4. The amount of time it takes consecutive wave crests or troughs to pass a given point is called the
   a. wavelength.
   b. tsunami.
   c. wave height.
   d. frequency.

5. All ocean currents are caused by
   a. winds and earthquakes.
   b. volcanoes and tides.
   c. winds and water density.
   d. tides and water density.

6. The most common source of energy for surface waves is
   a. wind.
   b. earthquakes.
   c. tides.
   d. volcanoes.

7. The deepest parts of the ocean are found in long, narrow crevices called
   a. guyots.
   b. seamounts.
   c. reefs.
   d. trenches.

8. Organisms that live on the ocean floor are called
   a. nekton.
   b. plankton.
   c. diatoms.
   d. benthos.

9. The rising of deep cold currents to the ocean surface is called
   a. surfing.
   b. upwelling.
   c. mapping.
   d. reefing.

10. High tides that are higher than other high tides are called
    a. tsunamis.
    b. neap tides.
    c. spring tides.
    d. ebb tides.

True or False

If the statement is true, write "true." If it is false, change the underlined word or words to make the statement true.

1. The most abundant salt in the ocean is <u>magnesium bromide</u>.
2. The lowest point of a wave is called the <u>crest</u>.
3. The Gulf Stream is a <u>long-distance</u> surface current.
4. Tides are caused mainly by the gravitational attraction of <u>Jupiter</u>.
5. The relatively flat part of a continental margin covered by shallow water is called a <u>continental slope</u>.
6. <u>Spring tides</u> occur during the first- and last-quarter phases of the moon.

Concept Mapping

Complete the following concept map for Section 2–1. Refer to pages 16–17 to construct a concept map for the entire chapter.

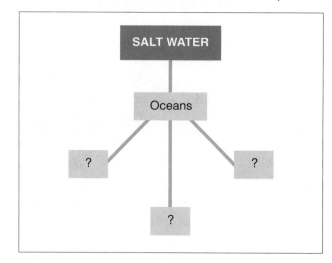

Repaso del capítulo

Repaso del contenido

Selección múltiple

Seleccióna la letra de la respuesta que complete mejor cada frase.

1. Los tres principales océanos del mundo son el Atlántico, el Pacífico y
   a. el Ártico.
   b. el Índico.
   c. el Mediterráneo.
   d. el Caribe.

2. La cantidad de sal disuelta en el mar se llama
   a. salinidad.
   b. turbidez.
   c. corriente ascendente.
   d. corriente.

3. La zona del océano en que la temperatura cambia rápidamente se llama
   a. zona superficial.
   b. bentos.
   c. zona de marea.
   d. termoclina.

4. El tiempo necesario para que dos crestas o senos de ola consecutivos pasen por un punto dado se llama
   a. longitud de la ola.
   b. tsunami.
   c. altura de la ola.
   d. frecuencia.

5. Todas las corrientes oceánicas son causadas por
   a. vientos y terremotos.
   b. volcanes y mareas.
   c. vientos y densidad del agua.
   d. mareas y densidad del agua.

6. La fuente más común de energía de las olas superficiales es
   a. el viento.
   b. los terremotos.
   c. las mareas.
   d. los volcanes.

7. Las partes más profundas del océano están en cañones largos y profundos llamados
   a. guyotes.
   b. montañas submarinas.
   c. arrecifes.
   d. fosas.

8. Los organismos que viven en el fondo del mar se llaman
   a. necton.
   b. plancton.
   c. diatomeas.
   d. bentos.

9. El ascenso de corrientes frías profundas a la superficie del océano se llama
   a. espuma.
   b. corriente ascendente.
   c. mapa.
   d. arrecife.

10. Las mareas altas que son más altas que otras mareas altas se llaman
    a. tsunami.
    b. mareas menguantes.
    c. mareas vivas.
    d. mareas muertas.

Verdadero o falso

Si la afirmación es verdadera, escribe "verdad."
Si es falsa, cambia las palabras subrayadas
para que sea verdadera.

1. La sal más abundante del océano es el <u>bromuro de magnesio</u>.
2. El punto más bajo de una ola se llama la <u>cresta</u>.
3. La corriente del Golfo es una corriente superficial de <u>larga distancia</u>.
4. Las mareas son causadas principalmente por la atracción gravitacional de <u>Júpiter</u>.
5. La parte relativamente plana y cubierta de agua poco profunda de un margen continental se llama <u>talud continental</u>.
6. Las <u>mareas vivas</u> se producen durante el primer y el tercer cuarto de las fases de la luna.

Mapa de conceptos

Completa el siguiente mapa de conceptos para la sección 2–1. Consulta las páginas I6–I7 para construir un mapa de conceptos para todo el capítulo.

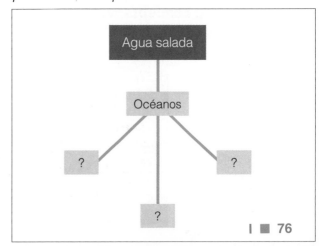

Concept Mastery

Discuss each of the following in a brief paragraph.

1. How do surface waves and deep waves differ?
2. How does the salinity of ocean water change with temperature?
3. Some of the largest animals in the oceans, (certain whales, for example) depend upon some of the smallest living organisms in the sea. Explain this statement.
4. List the three temperature zones of the ocean. Describe the physical conditions present in each zone.
5. Describe the topography of the ocean floor.
6. What are the three types of coral reefs? How are they alike? How are they different?

Critical Thinking and Problem Solving

Use the skills you have developed in this chapter to answer each of the following.

1. **Applying concepts** Many countries in the world extend their borders to a "two hundred mile limit" from shore. What are several reasons countries might impose this limit?
2. **Making inferences** Suppose conditions in the ocean changed and a major upwelling occurred off the coast of New York City. How would this change the life in the ocean in this area?
3. **Drawing conclusions** Suppose you were asked to design a special suit that would allow people to explore areas deep under the surface of the ocean. What are some important features the suit would need in order to help a diver survive?
4. **Applying concepts** Many legends tell of the appearance and disappearance of islands. Explain why such legends may be fact rather than fiction.
5. **Making calculations** Sound travels about 1500 meters per second in water. How deep would the ocean be if it took twenty seconds for a sound wave to return to the surface from the ocean bottom?
6. **Relating concepts** How do nekton organisms differ from benthos organisms?
7. **Identifying parts** The accompanying illustration shows a typical wave. Provide labels for the parts shown.
8. **Using the writing process** Suppose you and your family and friends lived in a huge glass bubble deep beneath the ocean waves. Write several pages in a diary to explain what life is like over a week's time.

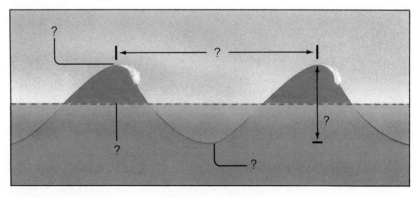

Dominio de conceptos

Analiza cada uno de los siguientes puntos en un párrafo breve.

1. ¿En qué se diferencian las olas superficiales y las olas profundas?

2. ¿Cómo cambia la salinidad del agua marina con la temperatura?

3. Algunos de los animales más grandes del océano (por ejemplo, algunas ballenas) dependen de algunos de los organismos marinos más pequeños. Explica esto.

4. Enumera las tres zonas de temperatura del océano. Describe las condiciones físicas en cada zona.

5. Describe la topografía del fondo marino.

6. ¿Cuáles son los tres tipos de arrecife coralino y en qué se diferencian?

Pensamiento crítico y resolución de problemas

Usa las destrezas que has desarrollado en este capítulo para resolver lo siguiente:

1. Aplicar conceptos Muchos países del mundo han extendido sus fronteras hasta un "límite de doscientas millas" de la costa. ¿Qué razones pueden tener los países para imponer ese límite?

2. Hacer inferencias Supón que las condiciones del océano cambiaran y se produjera una gran corriente ascendente cerca de la costa de la ciudad de Nueva York. ¿En qué forma cambiaría la vida marina en esa zona?

3. Sacar conclusiones Si se te pidiera que diseñaras un traje especial que permitiera a la gente explorar zonas profundas bajo la superficie del océano, ¿qué características importantes debería tener ese traje para ayudar a los buceadores a sobrevivir?

4. Aplicar conceptos Muchas leyendas relatan la aparición y la desaparición de islas.

Explica por qué es posible que esas leyendas se basen en hechos y no en ficciones.

5. Hacer cálculos El sonido viaja alrededor de 1500 metros por segundo en el agua. ¿Qué profundidad tendría el océano si una onda de sonido tardara veinte segundos en volver a la superficie desde el fondo marino?

6. Relacionar conceptos ¿En qué se diferencia el necton del bentos?

7. Identificar partes La ilustración que figura más abajo muestra una ola típica. Rotula las partes indicadas.

8. Usar el proceso de la escritura Imagina que tú, tu familia y tus amigos viven en una enorme burbuja de vidrio en el fondo del mar. Escribe varias páginas de un diario para explicar tu vida durante una semana.

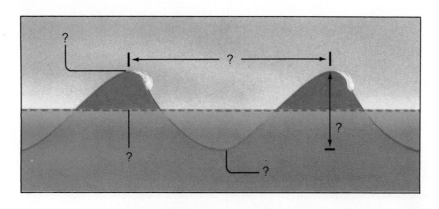

Earth's Fresh Water

The newspaper headlines said it all. Water, a substance most people take for granted, was creating problems all over the country. In some places there was too little water, in other places too much.

A severe drought in the West had left hundreds of square kilometers of forest dry. Forest fires raged in these areas, causing heavy damage. Firefighters battled in vain to stem the fire's destructive path.

Meanwhile, heavy rains in some southern states had flooded rivers, lakes, and streams. Dams could no longer hold the huge quantities of water building up behind them. In several places, dams collapsed. Water and thick streams of mud buried land and homes under a heavy sheet of wet, brown dirt.

Perhaps you have never thought of water as the cause of such problems. To you, water is a natural resource you use every day to stay alive. In fact, more than 500 billion liters of water are used every day in the United States alone. Within the next 20 years, this staggering volume will probably double! Where does our supply of fresh water come from? Will there always be enough? In this chapter you will learn about the Earth's supply of fresh water, as well as the answers to these questions.

Journal *Activity*

You and Your World The average American family uses 760 liters of water a day. In some parts of the world, however, the average family uses 7 to 10 liters of water a day! Suppose your family's supply of water were limited to 10 liters a day. In your journal, make a list of the things you would use this water for. Make a list of the things you couldn't do.

Fresh water is one of the Earth's most important natural resources.

Agua dulce terrestre

Guía para la lectura

Después de leer las siguientes secciones, podrás

3–1 Agua dulce en la superficie de la Tierra
- Identificar las fuentes de agua dulce en la superficie de la Tierra.
- Describir una cuenca de agua.

3–2 Agua dulce bajo la superficie de la Tierra
- Identificar las fuentes de agua dulce bajo la superficie de la Tierra.
- Explicar cómo el agua dulce forma cavernas, estalactitas y estalagmitas.

3–3 El agua como solvente
- Describir la forma en que la polaridad del agua hace que sea un buen solvente.
- Enumerar formas de proteger las reservas de agua dulce.

En los titulares de los diarios, podíamos ver que el agua, en que la mayoría de la gente casi ni piensa, estaba creando problemas en todo el país. En algunos sitios había demasiada agua y en otros muy poca.

Una grave sequía en el oeste había resecado cientos de kilómetros de bosques. Los incendios forestales causaban graves daños en esas zonas. Los bomberos luchaban en vano por contener el avance destructivo del fuego.

Entretanto, las lluvias intensas en algunos estados del sur habían inundado los ríos y los lagos. Las presas ya no podían contener las enormes cantidades de agua. En varios lugares, las presas reventaron. El agua y las corrientes de lodo sepultaron tierras y hogares bajo una pesada capa de barro húmedo.

Quizás nunca hayas pensado en el agua como la causa de esos problemas. Para ti, el agua es un recurso natural que usas todos los días. Se usan 500,000 millones de agua por día solamente en los Estados Unidos. ¡En los próximos 20 años, es probable que este volumen increíble se duplique! ¿De dónde viene el agua dulce que usamos? ¿Habrá suficiente? En este capítulo aprenderás acerca de las reservas de agua dulce de la Tierra y hallarás las respuestas para estas preguntas.

Diario *Actividad*

Tú y tu mundo La familia norteamericana promedio usa 760 litros de agua por día. Sin embargo, en algunas partes del mundo, la familia típica usa entre 7 y 10 litros de agua por día. Imagina que tu familia sólo dispone de 30 litros por día. Haz en tu diario una lista de las cosas para las que usarías esa agua y de las cosas que no podrías hacer.

◄ *El agua dulce es uno de los recursos más importantes de la Tierra.*

Guide for Reading

*Focus on this question as
you read.*

▶ *What are the major
sources of fresh water on
the Earth's surface?*

3–1 Fresh Water on the Surface of the Earth

When you look at a photograph of Planet Earth taken from space, you can observe that water is one of the most abundant substances on Earth's surface. In fact, astronauts—whose views of Earth differ from those of most people—have described the Earth as the blue planet!

A casual glance at a world map might make you think that the Earth has an unending supply of fresh water—a supply that can meet the needs of living things forever. After all, the oceans cover more than 70 percent of the Earth's surface. Actually, about 97 percent of all the water on Earth is found in the oceans. But most of the ocean water cannot be used by living things because it contains salt. The salt would have to be removed before ocean water could be used.

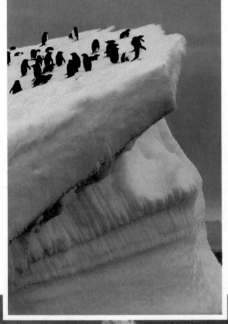

Figure 3–1 *Most water on Earth is salt water found in the oceans. Only a small percent is fresh water, most of which is trapped as ice in the polar icecaps. That leaves only a small portion of fresh water available for use by living things.*

Guía para la lectura

Piensa en esta pregunta mientras lees.

▶ *¿Cuáles son las principales fuentes de agua dulce en la superficie de la Tierra?*

3–1 Agua dulce en la superficie de la Tierra

Cuando miras una fotografía de la Tierra tomada desde el espacio, puedes observar que el agua es una de las sustancias más abundantes en la superficie terrestre. Los astronautas, cuya visión de la Tierra no es igual a la de la mayoría de la gente, han descrito la Tierra como el planeta azul.

Si miras un mapa del mundo pensarás que la Tierra tiene fuentes inacabables de agua dulce, capaces de satisfacer las necesidades de los seres vivientes para siempre. Después de todo, los océanos cubren más del 70% de su superficie. Alrededor del 97% de toda el agua de la Tierra está en los océanos, pero la mayor parte no puede ser utilizada por los seres vivos porque contiene sal. Para poder usar el agua del océano habría que eliminar la sal.

Figura 3–1 *La mayor parte del agua de la Tierra es agua salada de los océanos. Sólo un pequeño porcentaje es agua dulce, que está en su mayoría en forma de hielo en los casquetes polares. Esto deja sólo una pequeña porción de agua dulce para los seres vivos.*

Fresh water makes up only about 3 percent of the Earth's water. However, most of this fresh water cannot be used because it is frozen, mainly in the icecaps near the North and South poles and in glaciers. In fact, only about 15 percent of the Earth's fresh water can be used by living things. This extremely small percent represents the Earth's total supply of fresh water. With such a limited supply, you might wonder why the Earth does not run out of fresh water. Fortunately, the Earth's supply of fresh water is continuously being renewed.

The Water Cycle

Most of the fresh water on the Earth's surface is found in moving water and in standing water. Rivers, streams, and springs are moving water. Ponds, lakes, and swampy wetlands are standing water.

Water moves among these sources of fresh water, the salty oceans, the air, and the land in a cycle. A cycle has no beginning and no end. It is a continuous chain of events. The **water cycle** is the movement of water from the oceans and freshwater sources to the air and land and finally back to the oceans. The water cycle, also called the hydrologic cycle, constantly renews the Earth's supply of fresh water.

Three main steps make up the water cycle. The first step involves the heat energy given off by the sun. This energy causes water on the surface of the Earth to change to water vapor, the gas phase of water. This process is called **evaporation** (ih-vap-uh-RAY-shuhn). Enormous amounts of water evaporate from the oceans. Water also evaporates from freshwater sources and from the soil. Animals and plants release water vapor into the air as well. You might be surprised to learn just how much water actually evaporates into the air from a single plant. (As you might suspect, a scientist has measured it!) In one day, a single large tree can move more than 1800 liters of water from the ground, through its stems and branches, to its leaves, and finally into the air! Other organisms do not move quite the same amount of water as this single large tree. But if you consider the vast number of plants, animals, and other living things that are part of the water cycle, you can see that the total amount of water given off by living things is very large indeed.

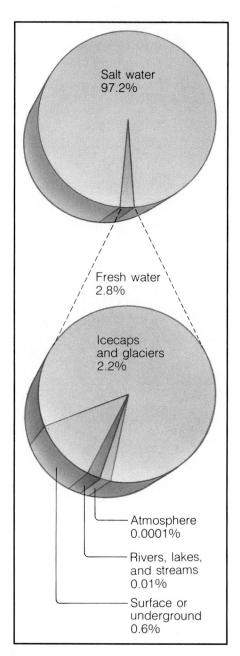

Figure 3–2 *This graph shows the distribution of Earth's water. What percent is fresh water? Is all this water available for use? Explain.*

El agua dulce es apenas un 3% del agua de la Tierra. Sin embargo, la mayor parte del agua dulce no puede usarse porque está congelada, principalmente en los casquetes polares y en los glaciares. En realidad, los seres vivos pueden usar sólo alrededor del 15% del agua dulce de la Tierra. Este porcentaje sumamente pequeño representa las reservas totales de agua dulce de la Tierra. Podrías preguntarte por qué no se acaba el agua dulce. Afortunadamente, las reservas de agua dulce de la Tierra se renuevan constantemente.

El ciclo del agua

La mayor parte del agua dulce en la superficie de la Tierra está en aguas que corren y en aguas en reposo. Los ríos, los arroyos y las fuentes son agua que corre. Los estanques, los lagos y las marismas son agua en reposo.

El agua se mueve entre estas fuentes de agua dulce, los océanos salados, el aire y el suelo en un ciclo. Un ciclo no tiene comienzo ni fin. Es una cadena continua de acontecimientos. El **ciclo del agua** es el movimiento del agua de los océanos y las fuentes de agua dulce al aire y el suelo y por último de vuelta a los océanos. El ciclo del agua, o ciclo hidrológico, renueva constantemente las reservas de agua dulce de la Tierra.

El ciclo del agua tiene tres pasos principales. El primero se relaciona con la energía térmica del sol. Esa energía hace que el agua de la superficie se convierta en vapor, que es la fase gaseosa del agua. Este proceso se llama **evaporación.** Enormes cantidades de agua se evaporan de los océanos. También se evapora agua de las fuentes de agua dulce y del suelo. Los animales y las plantas liberan también vapor de agua en el aire. Te sorprenderá saber cuánta agua se evapora de una sola planta. (Como puedes sospechar, un científico la ha medido.) Un solo árbol puede mover en un día más de 1800 litros de agua del suelo, a través de su tronco y sus ramas, hacia sus hojas y finalmente al aire. Otros organismos no mueven tanta agua, pero si consideras el gran número de plantas, animales y otros seres que son parte del ciclo del agua verás que la cantidad total de agua que liberan los seres vivos es muy grande.

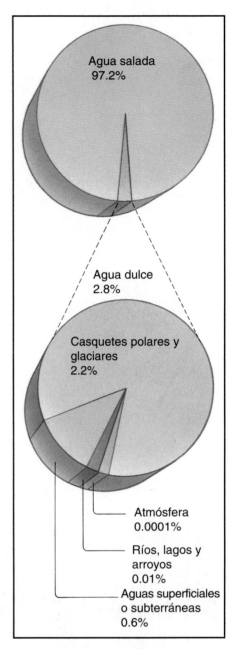

Figura 3–2 *Esta gráfica muestra la distribución del agua de la Tierra. ¿Qué porcentaje es agua dulce? ¿Está disponible para usar? Explica tu respuesta.*

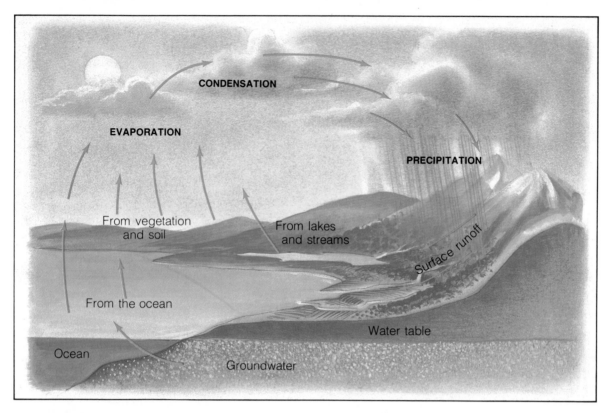

Figure 3-3 *The water cycle constantly renews the Earth's supply of fresh water. What three processes make up the water cycle?*

Figure 3-4 *A large tree can release up to 1800 liters of water a day into the atmosphere. By what process does liquid water in a tree become water vapor in the atmosphere?*

The second step of the water cycle involves a process called **condensation** (kahn-dehn-SAY-shuhn). Condensation is the process by which water vapor changes back into a liquid. For condensation to occur, the air containing the water vapor must be cooled. And this is exactly what happens as the warm air close to the Earth's surface rises. As it moves farther from the Earth's surface, the warm air cools. Cool air cannot hold as much water vapor as warm air. In the cooler air, most of the water vapor condenses into droplets of water that form clouds. But these clouds are not ''salty'' clouds. Do you know why? When water evaporates from the oceans, the salt is left behind. Water vapor is made of fresh water only.

During the third step of the cycle, water returns to the Earth in the form of rain, snow, sleet, or hail. This process is called **precipitation** (prih-sihp-uh-TAY-shuhn). Precipitation occurs when the water droplets that form in clouds become too numerous and too heavy to remain afloat in the air. The water that falls as rain, snow, sleet, or hail is fresh water. After the water falls, some of it returns to the

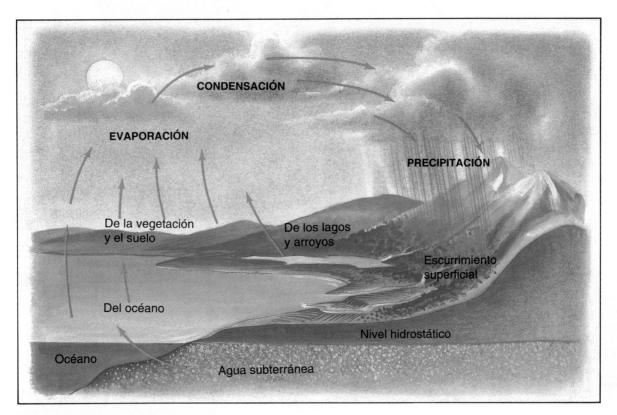

Figura 3–3 *El ciclo del agua renueva constantemente las reservas de agua dulce de la Tierra. ¿Cuáles son los tres procesos del ciclo del agua?*

Figura 3–4 *Un árbol grande puede liberar hasta 1800 litros de agua en la atmósfera. ¿Cuál es el proceso mediante el cual el agua líquida en un árbol se convierte en vapor de agua*

El segundo paso del ciclo del agua entraña un proceso llamado **condensación.** Durante este proceso el vapor de agua vuelve a su estado líquido. Para que haya condensación, el aire que contiene el vapor debe enfriarse. Y esto es lo que ocurre cuando el aire cercano a la superficie de la Tierra asciende. El aire frío no puede retener tanto vapor de agua como el aire caliente, y la mayor parte del vapor de agua se condensa entonces en gotitas que forman las nubes. Esas nubes no son "saladas." ¿Sabes por qué? Cuando el agua se evapora de los océanos, deja atrás la sal. El vapor de agua sólo contiene agua dulce.

En el tercer paso del ciclo, el agua vuelve a la Tierra en forma de lluvia, nieve, aguanieve o granizo. Este proceso se llama **precipitación** y ocurre cuando las gotitas de agua de las nubes son demasiado numerosas y pesadas para flotar en el aire. El agua que cae en forma de lluvia, nieve, aguanieve o granizo es agua dulce. Después de caer, parte del agua vuelve a la

Figure 3–5 *The third step of the water cycle is precipitation, which may occur as rain, snow, sleet, or hail.*

atmosphere through evaporation. The cycle of water movement continues. The Earth's supply of fresh water is continuously renewed.

Some of the water that falls as precipitation may run off into ponds, lakes, streams, rivers, or oceans. Some may soak into the ground and become **groundwater.** Groundwater is the water that remains in the ground. At some point, the groundwater flows underground to the oceans. You will learn more about groundwater in the next section.

Frozen Water

If you make a snowball out of freshly fallen snow and hold it tightly in your hands for awhile, the warmth of your body will cause the snow to melt. Snow is actually a solid form of water. You may also notice that some of the snow pressed together by your hands forms ice. The same thing happens when new snow falls on top of old snow. The pressure of the piled-up snow causes some of the snow to change into ice. In time, a **glacier** forms. A glacier is a huge mass of moving ice and snow.

Making a Model of the Water Cycle

1. Stir salt into a small jar filled with water until no more will dissolve. Pour a 1-cm deep layer of the salt water into a large, wide-mouthed jar.

2. Place a paper cup half filled with sand in the center of the jar.

3. Loosely cover the jar's mouth with plastic wrap. Seal the wrap around the jar's sides with a rubber band.

4. Place a small rock or weight on the plastic wrap directly over the paper cup.

5. Place the jar in direct sunlight. After several hours, observe the setup. Carefully remove the plastic wrap and try to collect a few drops of the water that cling to the undersurface. Taste this water.

What is the purpose of sealing the jar? What did you notice about the taste of the water? What processes of the water cycle are in this model?

■ Develop another model to show the effect of temperature on the water cycle.

atmósfera con la evaporación. El ciclo del agua continúa y las reservas de agua dulce de la Tierra se renuevan constantemente.

Parte del agua que cae en forma de precipitación corre hacia los estanques, los arroyos, los ríos y los océanos. Otra parte se absorbe en el suelo y se convierte en **agua subterránea**. El agua subterránea es el agua que queda en el suelo. En algún momento, el agua subterránea corre por debajo de la superficie hacia el mar. Aprenderás más sobre el agua subterránea en la próxima sección.

Agua congelada

Si haces una bola de nieve fresca y la sostienes firmemente entre las manos durante un momento, el calor de tu cuerpo hará que la nieve se derrita. La nieve es una forma sólida del agua. También observarás que parte de la nieve que has apretado entre las manos se convierte en hielo. Lo mismo ocurre cuando cae nieve nueva sobre nieve antigua. La presión de la nieve apilada hace que parte de ésta se convierta en hielo. Con el tiempo se forma un **glaciar.** Un glaciar es una enorme masa de agua y nieve en movimiento.

ACTIVIDAD

PARA AVERIGUAR

Modelo del ciclo del agua

1. Echa sal en un frasco pequeño lleno de agua hasta que no puedas disolver más. Vierte un centímetro del agua salada en un recipiente grande de boca ancha.

2. Coloca en el centro del recipiente un vaso de papel lleno hasta la mitad de arena

3. Cubre la boca del frasco con una película de plástico. Asegura la película con una liga.

4. Coloca una pequeña piedra o un peso sobre el plástico directamente sobre el vaso de papel.

5. Pon el frasco al sol. Después de varias horas, observa lo que ocurre. Levanta con cuidado la película y trata de recoger algunas gotas de agua adheridas al lado inferior. Prueba el agua.

¿Para qué hay que sellar el recipiente? ¿Qué has observado acerca del sabor del agua? ¿Qué procesos del ciclo del agua hay en este modelo?

■ Prepara otro modelo para mostrar el efecto de la temperatura en el ciclo del agua.

ACTIVITY

The Water Cycle

Write a 250-word essay describing the water cycle. Use the following words in your essay:

water cycle
vapor
evaporation
condensation
precipitation
groundwater
surface runoff
watershed

Glaciers form in very cold areas, such as high in mountains and near the North and the South poles. Because of the extremely cold temperatures in these areas, the snow that falls does not melt completely. As more snow falls, it covers the older snow. As the snow builds up, the pressure on the older snow squeezes the snow crystals together. Eventually ice forms. When the layers of ice become very thick and heavy, the ice begins to move.

Glaciers contain about 2 percent of the available fresh water on the Earth. As sources of fresh water become more scarce, scientists are trying to develop ways to use this frozen supply of fresh water.

VALLEY GLACIERS   Long, narrow glaciers that move downhill between the steep sides of mountain valleys are called **valley glaciers.** Usually, valley glaciers follow channels formed in the past by running water. As a valley glacier moves downhill, it bends and twists to fit the shape of the surrounding land. The valley walls and the weight of the ice itself keep the glacier from breaking apart. But on its surface, the ice cracks. Cracks on the surface of glaciers are called crevasses (krih-VAS-sehz).

As a valley glacier slides downward, it tears rock fragments from the mountainside. The rock fragments become frozen in the glacier. They cut deep grooves in the valley walls. Finer bits of rock smooth the surfaces of the valley walls in much the same way

Figure 3–6 *Valley glaciers are long, narrow glaciers that move downhill between mountain valleys. Here you see valley glaciers in the Alps (left) and in Alaska (right).*

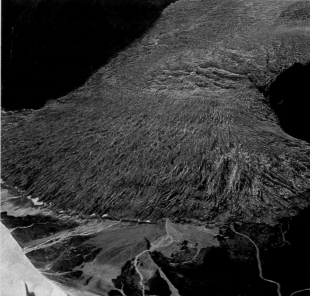

ACTIVIDAD

PARA ESCRIBIR

El ciclo del agua

Escribe un ensayo de 250 palabras describiendo el ciclo del agua. Usa en tu ensayo las siguientes palabras:
ciclo del agua
vapor
evaporación
condensación
precipitación
agua subterránea
escurrimiento superficial
vertiente

Los glaciares se forman en zonas muy frías, como las montañas muy altas y cerca de los polos. A causa de las temperaturas extremadamente frías, la nieve que cae no se derrite por completo. A medida que cae más nieve, esta nieve cubre la nieve más antigua y a medida que se acumula, la presión sobre la nieve antigua oprime los cristales de nieve. Con el tiempo se forma hielo. Cuando las capas de hielo se hacen muy espesas y pesadas, el hielo empieza a moverse.

Los glaciares contienen alrededor del 2% del agua dulce disponible de la Tierra. A medida que las fuentes se hacen más escasas, los científicos están tratando de idear formas de usar estas reservas congeladas de agua dulce.

GLACIARES DE VALLE Los glaciares largos y estrechos que descienden por las pendientes escarpadas de los valles montañosos se llaman **glaciares de valle.** Generalmente, siguen los canales formados antiguamente por el agua. A medida que descienden, se curvan para adecuarse a la forma del suelo circundante. Las paredes de los valles y el peso del hielo impiden que el glaciar se rompa, pero la superficie del hielo se agrieta. Las grietas en la superficie de los glaciares se llaman fisuras.

Al deslizarse, los glaciares desgarran fragmentos de roca de las laderas. Esos fragmentos quedan congelados en el glaciar y cortan surcos profundos en las paredes de los valles. Los fragmentos más pequeños alisan las paredes de los valles de manera

Figura 3–6 *Los glaciares de valle son glaciares largos y estrechos que descienden entre los valles de las montañas. Se ven aquí glaciares de valle en los Alpes (izquierda) y en Alaska (derecha).*

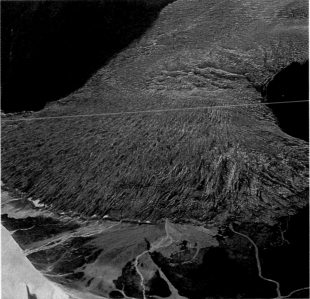

Figure 3-7 *A crevasse, or crack in a glacier, can make mountain climbing a difficult sport indeed.*

as a carpenter's sandpaper smooths the surface of a piece of wooden furniture.

Mountains located anywhere from the equator to the poles can contain glaciers. Many glaciers are found in the United States. Mount Rainier in Washington State and Mount Washington in New Hampshire contain small glaciers. Glaciers can also be found in many mountains of Alaska.

As a valley glacier moves, some of the ice begins to melt, forming a stream of water. This water is called meltwater. Meltwater is usually nearly pure water. Some cities use meltwater as a source of their drinking water. Boulder, Colorado, uses meltwater from the nearby Arapaho Glacier. Meltwater is also used in some places to generate electricity in hydroelectric plants. But some problems arise in the use of meltwater in these ways. Building channels or pipelines to transport meltwater from glaciers to cities can be costly. And the construction of hydroelectric plants in the underdeveloped areas where glaciers are located could alter the surrounding environment.

CONTINENTAL GLACIERS In the polar regions, snow and ice have built up to form thick sheets. These thick sheets of ice are called **continental glaciers,** or polar ice sheets. Continental glaciers cover millions of square kilometers of the Earth's surface and may be several thousand meters thick. Continental glaciers move slowly in all directions.

Figure 3-8 *Continental glaciers such as Mertz Glacier in Antarctica cover millions of square kilometers.*

similar a la forma en que el papel de lija de un carpintero alisa la superficie de un mueble de madera.

Todas las montañas, estén cerca del ecuador o de los polos, pueden contener glaciares. En los Estados Unidos hay muchos glaciares. El monte Rainier en el estado de Washington y el monte Washington en New Hampshire contienen pequeños glaciares. También hay glaciares en muchas montañas de Alaska.

A medida que un glaciar avanza, parte del hielo comienza a derretirse y forma una corriente de agua. Esta agua, llamada agua de deshielo, generalmente es casi pura. Algunas ciudades usan agua de deshielo como fuente de agua potable. Boulder, Colorado, usa agua de deshielo del glaciar de Arapaho. El agua de deshielo se usa también en algunas partes para generar electricidad en plantas hidroeléctricas, pero esto plantea algunos problemas. La construcción de canales o tuberías para transportar el agua de deshielo de los glaciares a las ciudades puede ser costosa. Y la construcción de plantas hidroeléctricas en las zonas poco desarrolladas en que están situados los glaciares puede alterar el medio circundante.

GLACIARES CONTINENTALES   En las regiones polares, la nieve y el hielo han formado capas muy gruesas. Estas gruesas capas de hielo se llaman **glaciares continentales** o mantos de hielo. Los glaciares continentales cubren millones de kilómetros cuadrados y pueden tener miles de metros de espesor. Los glaciares continentales se mueven lentamente en todas direcciones.

Figura 3–7 *Una fisura, o grieta, en un glaciar puede hacer muy difícil el deporte de escalar montañas.*

Figura 3–8 *Los glaciares continentales como el glaciar de Mertz, en la Antártida, cubren millones de kilómetros cuadrados.*

Continental glaciers are found in Greenland and Antarctica. Nearly 80 percent of Greenland is covered by ice. More than 90 percent of Antarctica is covered by ice. These huge glaciers are more than 3200 meters thick at the center. In the future, continental glaciers could be another source of fresh water.

ICEBERGS At the edge of the sea, continental glaciers form overhanging cliffs. Large chunks of ice, called **icebergs,** often break off from these cliffs and drift into the sea. Some icebergs are as large as the state of Rhode Island! The continental glaciers of Greenland and Antarctica are the major sources of icebergs in ocean waters.

Icebergs can pose a major hazard to ships. In 1912, the ocean liner *Titanic* sank after smashing into an iceberg in the North Atlantic Ocean. Many lives were lost as this ship, thought to be unsinkable, plunged to the ocean bottom on her first voyage. Today, sea lanes are patrolled constantly by ships and planes on the lookout for icebergs.

Much fresh water is frozen in icebergs. Attempts have been made to develop ways of towing icebergs to areas that need supplies of fresh water, such as deserts. But transporting icebergs from Greenland and Antarctica poses several problems. First, the effects of an iceberg on local weather conditions must be evaluated. Second, the cost and time involved in moving the iceberg must be considered.

Figure 3–9 *Icebergs, which often have spectacular shapes, are large chunks of ice that break off glaciers and drift into the sea. Only a small part of an iceberg rises above the water's surface. Can you explain the meaning of the phrase "tip of the iceberg"?*

Hay glaciares continentales en Groenlandia y en la Antártida. Casi el 80% de Groenlandia y más del 90% de la Antártida están cubiertos de hielo. Estos enormes glaciares tienen más de 3200 metros de espesor en el centro. En el futuro, es posible que los glaciares continentales sean otra fuente de agua dulce.

ICEBERGS Al borde del mar, los glaciares continentales forman grandes acantilados. Muchas veces se desprenden de ellos trozos de hielo llamados **icebergs**, que flotan hacia el mar. Algunos icebergs son tan grandes como el estado de Rhode Island. Los mantos de hielo de Groenlandia y de la Antártida son las principales fuentes de icebergs de las aguas del océano.

Los icebergs constituyen un problema grave para la navegación. En 1912, el transatlántico *Titanic* se hundió después de chocar con un iceberg en el Atlántico Norte. Se perdieron muchas vidas cuando este buque, que se creía que no podía hundirse, se precipitó al fondo del océano en su primer viaje. Las vías marítimas están ahora constantemente patrulladas por buques y aeronaves que vigilan los icebergs.

Gran parte del agua dulce está congelada en forma de icebergs. Se ha pensado en remolcar icebergs hacia las zonas que necesitan agua dulce, como los desiertos. Pero el transporte de icebergs desde Groenlandia y la Antártida plantea varios problemas. En primer lugar, es preciso evaluar los efectos de un iceberg en las condiciones atmosféricas locales. En segundo lugar, es preciso tener en cuenta el costo y el tiempo que entrañan el transporte del iceberg.

Figura 3–9 *Los icebergs, que pueden tener formas espectaculares, son grandes trozos de hielo desprendidos de los glaciares que flotan en el mar. Sólo una parte pequeña de un iceberg flota sobre el agua.¿Puedes explicar el sentido de la frase "la punta del iceberg"?*

Third, scientists would have to find a way of preventing the iceberg from melting during the ocean journey. Can you think of ways to use icebergs?

Running Water

Rivers and streams are important sources of fresh water. Many cities and towns were built near rivers and streams. The water is used for irrigating crops, generating electricity, drinking, and other household uses. Rivers and streams are also used for recreational purposes, such as fishing, swimming, and boating. Industry and commerce depend on rivers for transporting supplies and equipment and for shipping finished products. River and stream water is also used to cool certain industrial processes. In the past, industries and towns used rivers and streams as natural sewers to carry away waste products. Today, although pollution is still a problem, strict controls regulate the kinds and amounts of wastes that can be dumped into rivers and streams.

Rain and melted snow that do not evaporate or soak into the soil flow into rivers and streams. The water that enters a river or stream after a heavy rain or during a spring thaw of snow or ice is called **surface runoff.**

The amount of surface runoff is affected by several factors. One factor is the type of soil the precipitation falls on. Some soils soak up more water

ACTIVITY

CALCULATING

I Am Thirsty

An average person needs about 2.5 L of water a day to live.

Use this amount to calculate how much water an average person needs in a year. How much water is needed by your class to live in a day? In a year?

Figure 3–10 *Running water from rivers and streams is an important resource used for crop irrigation and for generating electricity in hydroelectric plants.*

En tercer lugar, los científicos deberían encontrar formas de impedir que el iceberg se derritiera durante el viaje por el océano. ¿Puedes pensar en formas de usar los icebergs?

Agua corriente

Los ríos y arroyos son fuentes importantes de agua. Muchas ciudades se construyeron cerca de ríos y arroyos. El agua se usa para regar cultivos, para generar electricidad, para beber y para otros usos domésticos. Los ríos y arroyos se usan también para el recreo, como pescar, nadar y pasear en bote. La industria y el comercio dependen de los ríos para transportar suministros, equipos y productos terminados. El agua de los ríos y arroyos se usa también para enfriar algunos procesos industriales. Antiguamente, las industrias y las ciudades usaban los ríos y arroyos como alcantarillas naturales para sus desechos. Actualmente, aunque la contaminación sigue siendo un problema, hay controles estrictos que regulan las clases y las cantidades de desechos que se pueden arrojar a los ríos y los arroyos.

La lluvia y la nieve derretida que no se evaporan ni se absorben en el suelo fluyen hacia los ríos y los arroyos. El agua que entra a un río o a un arroyo después de una lluvia copiosa o durante un deshielo primaveral se llama **escurrimiento superficial.**

La cantidad de escurrimiento superficial se ve afectada por varios factores. Un factor es el tipo de suelo en que cae la precipitación. Algunos suelos

ACTIVIDAD
PARA CALCULAR

Tengo sed

Una persona promedio necesita unos 2.5 litros de agua por día para vivir.

Usa esta cantidad para calcular el agua que necesita por año una persona promedio. ¿Cuánta agua necesita tu clase para vivir un día?, ¿y un año?

Figura 3–10 *El agua de los ríos y arroyos es un recurso importante. Se usa para regar cultivos y para generar electricidad en las plantas hidroeléctricas.*

Figure 3–11 *Over the course of millions of years, the Colorado River has carved the Grand Canyon out of the Earth's rocky crust.*

than others. These soils have more spaces between their particles. The space between particles of soil is called **pore space.** The more pore space a soil has, the more water it will hold. The condition of the soil also affects the amount of runoff. If the soil is dry, it will soak up a great deal of water and reduce the surface runoff. If the soil is wet, it will not soak up much water. Surface runoff will increase.

The number of plants growing in an area also affects the amount of surface runoff. Plant roots absorb water from the soil. In areas where there are many plants, large amounts of water are absorbed. There is less surface runoff. The season of the year is another factor that affects the amount of surface runoff. There will be more runoff during rainy seasons and during the spring in areas where large amounts of snow are melting.

A land area in which surface runoff drains into a river or a system of rivers and streams is called a **watershed.** Watersheds vary in size. Especially large watersheds can cover millions of acres and drain their water into the oceans. Watersheds prevent floods and water shortages by controlling the amount of water that flows into streams and rivers. Watersheds also help to provide a steady flow of fresh water into the oceans. How do you think the construction of roads in a watershed area might affect nearby rivers and streams?

Figura 3–11 *En el curso de millones de años, el río Colorado ha formado el Gran Cañón del Colorado en la corteza rocosa de la Tierra.*

Actividad

PARA CALCULAR

La cuenta del agua

En algunas zonas, un organismo estatal o privado suministra el agua y cobra a los hogares por el agua que usan. Si un hogar promedio usa 38,000 litros de agua por mes y el costo del agua es $0.50 por 1000 litros, ¿cuál será la cuenta de agua a fin de mes? ¿Cuál será el aumento si el costo sube a $0.65 por 1000 litros?

absorben más agua que otros. Esos suelos tienen más espacio entre sus partículas. Los espacios entre partículas de suelo se llaman **espacio de poros**. Cuanto más espacio de poros tiene un suelo, más agua retendrá. La condición del suelo afecta también la cantidad de escurrimiento. Si está seco, absorberá una gran cantidad de agua y reducirá el escurrimiento superficial. Si está mojado, no absorberá mucha agua y aumentará el escurrimiento superficial.

Las plantas que crecen en una zona afectan también el escurrimiento superficial. Las raíces absorben agua del suelo. Donde hay muchas plantas se absorben grandes cantidades de agua y hay menos escurrimiento superficial. La estación del año es otro factor que afecta el volumen de los escurrimientos. Hay más escurrimiento en las estaciones lluviosas, y durante la primavera, en las zonas en que se derriten grandes cantidades de nieve.

Una zona en que los escurrimientos fluyen a un río o un sistema de ríos y arroyos se llama **cuenca.** Las cuencas pueden tener distintos tamaños. Las muy grandes cubren millones de hectáreas y vierten sus aguas en los océanos. Las cuencas previenen las inundaciones y la escasez de agua al controlar la cantidad de agua que fluye hacia los arroyos y los ríos. Proporcionan también un flujo constante de agua dulce hacia los océanos. ¿Cómo crees que la construcción de carreteras en una cuenca podría afectar los ríos y los arroyos cercanos?

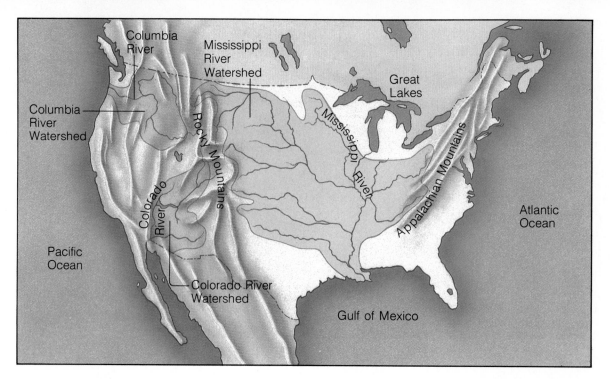

Many rivers are sources of fresh water. The amount of water in a river and the speed at which the water flows affect the usefulness of a river as a source of fresh water. Rivers that move quickly carry a lot of water. But because the water is moving rapidly, fast-moving rivers also carry a large amount of soil, pebbles, and other sediments. The water in these rivers often looks cloudy. Slow-moving rivers do not churn up as much sediment. Their water is clearer. These rivers are better sources of fresh water.

In recent years, pollution has had an effect on the usefulness of rivers and streams as sources of fresh water. If a river or stream has many factories along its banks that discharge wastes into the water, the water becomes polluted. Water in a polluted river or stream must be cleaned before it can be used. Some rivers are so heavily polluted that they cannot be used as a source of fresh water.

Standing Water

Within a watershed, some of the surface runoff gets caught in low places. Standing bodies of fresh water are formed there. Depending on their size, these standing bodies of water are called lakes or ponds.

Figure 3–12 *The major watersheds of the United States are shown in this map. Which watershed is the largest?*

Figure 3–13 *Our supply of fresh water is reduced every year by dangerous wastes released into the water. In what ways can you personally reduce water pollution?*

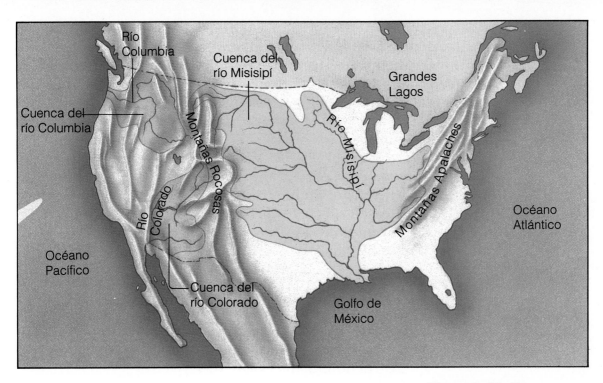

Figura 3–12 *En este mapa se indican las principales cuencas de los Estados Unidos. ¿Cuál es la mayor?*

Muchos ríos son fuentes de agua dulce. La cantidad de agua de un río y la velocidad con que fluye afectan su utilidad como fuente de agua dulce. Los ríos que se mueven rápidamente transportan una gran cantidad de agua pero arrastran también una gran cantidad de tierra, guijarros y otros sedimentos. El agua de esos ríos suele parecer turbia. Los ríos que se mueven lentamente no arrastran tantos sedimentos y sus aguas son más claras. Estos ríos son mejores fuentes de agua para beber.

En los últimos años, la contaminación ha afectado la utilidad de los ríos y los arroyos como fuentes de agua dulce. Si en la ribera de un río o un arroyo hay muchas fábricas que descargan desechos en el agua, ésta se contamina. Es preciso limpiar el agua de un río o un arroyo contaminado antes de poder utilizarla. Algunos ríos están tan contaminados que no pueden usarse como fuente de agua dulce.

Agua en reposo

Dentro de una cuenca parte de los escurrimientos quedan atrapados en lugares bajos. Se forman ahí masas de agua dulce estancada. Según su tamaño, esas masas de agua se llaman lagos o estanques.

Figura 3–13 *Nuestras reservas de agua dulce disminuyen cada año a causa de los desechos peligrosos que se arrojan al agua. ¿Cómo puedes ayudar a reducir la contaminación?*

Activity Bank

How Does a Fish Move?, p.168

Like rivers and streams, lakes and ponds receive their water from the land. Surface runoff keeps lakes and ponds from drying up. In many areas, these standing bodies of water are important sources of fresh water. Moosehead Lake, in Maine, is a natural source of fresh water. It is 56 kilometers long and varies from 3 to 16 kilometers wide. The pine-forested shores of the lake hold huge amounts of water from rains and melting snow. The water is released slowly to the lake, so flooding is not likely. During times of drought (long periods with little rainfall), the lake holds water in reserve.

LAKES AND PONDS   Lakes are usually large, deep depressions in the Earth's crust that have filled with fresh water. Rain, melting snow, water from springs and rivers, and surface runoffs fill these depressions. A lake is sometimes formed when there is a natural obstruction, or blockage, of a river or stream. Lakes can be found in many places on the Earth. They are found most frequently at relatively high altitudes and in areas where glaciers were once present.

Ponds are shallow depressions in the Earth's crust that have filled with fresh water. They are usually smaller and not as deep as lakes. Because the water is shallow, sunlight can penetrate to the bottom of a pond. Plants need light to make food, so plants can be found throughout a pond. Lakes, however, often have very deep parts where sunlight cannot reach. Will you find plants at the bottom of a deep lake?

Figure 3–14 *Standing water is found in lakes and ponds throughout the world. What is the difference between a lake and a pond?*

Pozo de actividades

¿Cómo se mueve un pez?, p. 168

Al igual que los ríos y los arroyos, los lagos y los estanques reciben el agua del suelo. Los escurrimientos superficiales impiden que los lagos y los estanques se sequen. En muchas partes, estas masas de agua son fuentes importantes de agua dulce. El lago Moosehead, en Maine, es una fuente natural de agua dulce. Tiene 56 kilómetros de largo y entre 3 y 16 kilómetros de ancho. Los bosques de pinos de las costas del lago retienen enormes cantidades de agua de las lluvias y la nieve derretida. El agua fluye lentamente hacia el lago, de modo que no es probable que éste se inunde. En tiempos de sequía (períodos largos con poca lluvia), el lago mantiene reservas de agua.

LAGOS Y CHARCAS   Los lagos son generalmente depresiones grandes y profundas en la corteza de la Tierra que se han llenado de agua. La lluvia, la nieve derretida, el agua de los manantiales y los ríos y los escurrimientos superficiales llenan esas depresiones. A veces se forma un lago cuando hay una obstrucción natural en un río o un arroyo. Hay lagos en muchos lugares de la Tierra, frecuentemente en zonas altas y en sitios donde hubo glaciares antes.

Las charcas son depresiones menos profundas que se han llenado de agua dulce. Son generalmente más pequeñas y menos profundas que los lagos. La luz solar puede penetrar hasta el fondo de las charcas. Las plantas necesitan luz para producir alimentos, y es posible por eso encontrar plantas a través de una charca. Los lagos suelen tener en cambio partes muy profundas adonde no llega el sol. ¿Encontrarás plantas en el fondo de un lago profundo?

Figura 3–14 *Hay agua en reposo en los lagos y los estanques de todo el mundo. ¿Cuál es la diferencia entre un lago y una charca?*

RESERVOIRS The most frequently used sources of fresh water are artificial lakes known as **reservoirs** (REHZ-uhr-vwahrz). A reservoir is built by damming a stream or river that runs through a low-lying area. When the stream or river is dammed, water backs up behind the dam, forming a reservoir. Reservoirs have been built near cities and towns and in mountainous regions throughout the country.

Reservoirs serve several purposes. They help to prevent flooding by controlling water during periods of heavy rain and runoff. Reservoirs store water. During periods when rainfall and runoff are scarce, reservoirs serve as sources of drinking water for nearby towns and cities. In certain areas, reservoirs provide irrigation water for farms. The water held in reservoirs can also be used to generate electricity. Hydroelectric generators are built in the walls of a dam. The water stored in the reservoir can generate electricity when it moves through turbines, which are connected to the dams. Hydroelectric plants convert the energy of moving water into electrical power.

A reservoir, however, cannot be used for all purposes at the same time. Why is this so? Suppose a reservoir is used to store water. To use the water to generate electricity, the water would have to be drawn from the reservoir. The reservoir would no longer be storing water.

Figure 3–15 *The effects of a drought in California in 1991 can be seen in the low water level in the San Luis Reservoir.*

3–1 Section Review

1. What are the major sources of fresh water on the Earth's surface?
2. How much of the Earth's supply of fresh water is available for use? Where is the bulk of fresh water on Earth found?
3. Briefly outline the water cycle.

Critical Thinking—*Applying Concepts*

4. A builder wants to level all the trees in a watershed area to construct homes. What would be some effects of the builder's actions on the watershed and on nearby rivers and streams?

ACTIVITY

CALCULATING

Hydroelectric Power

The total potential hydroelectric power of the world is 2.25 billion kilowatts. Only 363 million kilowatts of this is actually being utilized, however. The United States uses one sixth of the world's hydroelectric power. Calculate the percent of the world's hydroelectric power that is actually being used. What percent of the world's hydroelectric power is used in the United States?

EMBALSES Las fuentes más utilizadas de agua dulce son lagos artificiales llamados **embalses**. Se construye un embalse levantando una presa en un arroyo o un río que atraviesa una zona baja. El agua se acumula detrás de la presa y forma un embalse. Se han construido embalses cerca de las ciudades y los pueblos y en las regiones montañosas de todo el país.

Los embalses sirven para muchos fines. Ayudan a prevenir las inundaciones al controlar el agua durante los períodos de lluvias y escurrimientos abundantes. En los períodos secos, los embalses sirven como fuentes de agua potable para los pueblos y las ciudades cercanas. En algunas zonas, los embalses proporcionan agua para los cultivos. El agua de los embalses puede utilizarse también para generar electricidad. Las plantas hidroeléctricas se construyen en las paredes de un embalse. El agua de los embalses puede generar electricidad cuando pasa a través de turbinas conectadas a las presas. Las plantas hidroeléctricas convierten la energía del agua en movimiento en energía eléctrica.

Sin embargo, un embalse no puede usarse para todos los fines al mismo tiempo. ¿Por qué? Supón que un embalse se use para conservar agua. Si se quiere usar el agua para generar electricidad será preciso sacar el agua del embalse, y éste ya no almacenaría agua.

Figura 3–15 *Los efectos de una sequía en California en el año 1991 se observan en el bajo nivel de agua del embalse de San Luis.*

3–1 Repaso de la sección

1. ¿Cuáles son las principales fuentes de agua dulce en la superficie terrestre?
2. ¿Qué parte de las reservas de agua dulce de la Tierra está disponible para su uso? ¿Dónde está la mayor parte del agua dulce de la Tierra?
3. Haz un esbozo del ciclo del agua.

Pensamiento crítico—*Aplicar conceptos*
4. Un constructor quiere cortar todos los árboles en el area de una cuenca para construir casas. ¿Cuáles serían algunos de los efectos de esto en la cuenca, los ríos y arroyos cercanos?

ACTIVIDAD

PARA CALCULAR

Energía hidroeléctrica

El potencial hidroeléctrico total del mundo asciende a 2,250 millones de kilovatios. Sin embargo, sólo se utilizan 363 millones de kilovatios. Los Estados Unidos usa una sexta parte de la energía hidroeléctrica del mundo. Calcula el porcentaje de la energía hidroeléctrica del mundo que se utiliza. ¿Qué porcentaje de la energía hidroeléctrica se usa en Estados Unidos?

CONNECTIONS

Water, Water Everywhere— And Everyone Wants to Use It

There is nothing more soothing than the sound of raindrops hitting a windowpane. Most outdoor activities are postponed during a heavy rain. But you can be sure that the rain will eventually stop, and the sun will shine once again. You might not be happy when it rains, but you should be thankful. For rain replenishes the Earth's supply of fresh water.

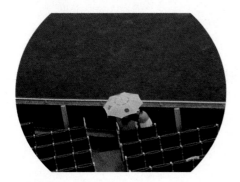

Water is needed by all forms of life on Earth. Without water, Earth would be a dry and lifeless planet. Visit a desert after a heavy rain and you will see plants appear in the once dry, blowing sands. These plants take advantage of the rain to flower and make seeds before the soil again becomes too dry to support life.

People make great demands on the Earth's supply of fresh water. The average American family uses 760 liters of water a day—and not just to satisfy their thirsts. About half of that total is used to flush away wastes and for showers and baths. Seventy-five liters or more is used each time a dishwasher or a clothes washer cleans up after us.

The *technology* to manufacture the many products that contribute to our way of life takes water—often a great deal of water. For example, about 3.8 million liters of water are used to produce a ton of copper—the metal used to make electric wires and the pennies jingling in your pocket. Almost 1.1 million liters of water are used to make a ton of aluminum—a metal used to make cooking utensils and food containers. It even takes about 3.7 liters of water to make a single page in this textbook. We hope you feel that this was water well used!

Agua y más agua— y todos quieren usarla

No hay nada más apacible que el sonido de las gotas de lluvia en una ventana. La mayoría de las actividades al aire libre se aplazan cuando cae una lluvia copiosa. Pero puedes estar seguro de que en algún momento dejará de llover y volverá a brillar el sol. Es posible que no te alegre que llueva, pero deberías estar agradecido. La lluvia repone las reservas de agua dulce de la Tierra.

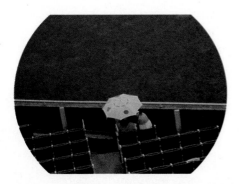

Todas las formas de vida de la Tierra necesitan agua. Sin agua, la Tierra sería un planeta seco y sin vida. Visita un desierto después de una buena lluvia y verás que crecen plantas en las arenas antes secas. Esas plantas aprovechan la lluvia para formar semillas antes de que el suelo vuelva a resecarse.

Los seres humanos usan grandes cantidades de agua dulce. La familia norteamericana media usa 760 litros de agua por día, y no sólo para calmar su sed. Casi la mitad se usa para arrastrar desechos y para bañarse. Se usan 75 o más litros cada vez que un lavaplatos o un lavarropas limpia lo que ensuciamos.

La *tecnología* para manufacturar los muchos productos que contribuyen a nuestra forma de vida usa agua, a menudo mucha agua. Por ejemplo, se usan 3.8 millones de litros de agua para producir una tonelada de cobre, que se usa para hacer cables eléctricos y los peniques en nuestro bolsillo. Se usan casi 1.1 millones de litros de agua para producir una tonelada de aluminio, que se usa en utensilios de cocina y envases para alimentos. Se necesitan 3.7 litros de agua para fabricar una página de este libro. Espero que pienses que valió la pena.

3-2 Fresh Water Beneath the Surface of the Earth

Not all of the water that falls to the Earth as rain, snow, sleet, or hail runs off into lakes, ponds, rivers, and streams. Some of the water soaks into the ground. Water contained in the ground is one of the Earth's most important natural resources. There is more fresh water below the surface of the land than in all the lakes and reservoirs on the Earth's surface.

Groundwater

If you live in a rural, or country, area, you probably do not get your water from a reservoir or river. More likely, your water is pumped from a well in the ground. As you learned in the previous section, the water stored in the ground is known as groundwater. In many areas, groundwater provides a continuous supply of fresh water.

Groundwater is present because the various forms of precipitation—rain, snow, sleet, and hail—do not stop traveling when they hit the ground. Instead, the precipitation continues to move slowly downward through pores, or spaces, in the rocks and soil. If the rocks and soil have many pores between their particles, they can hold large quantities of groundwater. Sand and gravel are two types of soil that contain many pores.

As the water seeps down, it passes through layers of rocks and soil that allow it to move quickly. Material through which water can move quickly is described as **permeable** (PER-mee-uh-buhl). Sandstone is a rock that is very permeable. But clay, which has small pores between its particles, is not as permeable. Clay is sometimes described as **impermeable.**

UNDERGROUND ZONES Groundwater continues to move downward through permeable rock and soil until it reaches an impermeable layer of rock. When it reaches an impermeable layer, it can go no farther. So the groundwater begins to fill up all the pores above the impermeable layer. This underground region in which all the pores are

Figure 3-16 *Some of the water that falls to Earth as rain, snow, sleet, or hail soaks into the ground. In some places this water is very close to the Earth's surface. So a well such as this can be used to obtain water.*

3–2 Agua dulce bajo la superficie de la Tierra

No toda el agua que cae en forma de lluvia, nieve, aguanieve o granizo corre hacia los lagos, charcas, ríos y arroyos. Parte del agua se escurre en el suelo. El agua contenida en el suelo es uno de los recursos más importantes de la Tierra. Hay más agua dulce bajo la superficie de la Tierra que en todos los lagos y embalses sobre la superficie.

Agua subterránea

Si vives en una zona rural, probablemente no obtienes agua de un embalse o un río sino de un pozo. Como has aprendido en la sección anterior, el agua almacenada en el suelo se llama agua subterránea. En muchas zonas, el agua subterránea es una fuente constante de agua dulce.

Hay agua subterránea porque las distintas formas de precipitación—lluvia, nieve, aguanieve y granizo—no se detienen cuando llegan al suelo. Siguen avanzando lentamente hacia abajo a través de los poros, o los espacios, de las rocas y el suelo. Si las rocas y el suelo tienen muchos poros entre sus partículas, pueden retener grandes cantidades de agua. La arena y la grava son dos tipos de suelo con muchos poros.

A medida que el agua se filtra hacia abajo, pasa a través de capas de roca y de suelos que le permiten moverse rápidamente. Las sustancias a través de las cuales el agua puede moverse rápidamente se describen como **permeables.** La piedra calcárea es muy permeable, pero la arcilla, que tiene poros pequeños, no lo es tanto. La arcilla se describe a veces como **impermeable.**

ZONAS SUBTERRÁNEAS   El agua subterránea sigue descendiendo a través de las rocas y los suelos permeables hasta que llega a una capa impermeable y no puede seguir avanzando. El agua subterránea llena entonces todos los poros por encima de la capa impermeable. Esta región subterránea en que

Guía para la lectura

Piensa en estas preguntas mientras lees.

▶ *¿Cómo se forma el agua subterránea?*

▶ *¿Por qué es importante el agua subterránea?*

Figura 3–16 *Parte del agua que cae en forma de lluvia, nieve, aguanieve o granizo se absorbe en el suelo. En algunos lugares, el agua está muy cerca de la superficie y puede usarse un pozo como éste para sacar agua.*

filled with water is called the **zone of saturation** (sach-uh-RAY-shuhn).

An example from the kitchen may help you to understand what happens when spaces in the ground become filled with water. You may never have looked closely at the sponge on a kitchen sink. When a sponge is barely moist, only some of the spaces in the sponge are filled with water. Most of the spaces hold air. When you place the sponge in water, it swells. Eventually, all the spaces are filled and the sponge cannot take up any more water. The ground acts in much the same way as the sponge. Once the spaces in the ground are filled, the ground is saturated. It cannot hold any more water.

Above the water-filled zone, the ground is not as wet. Pores in the soil and rocks are filled mostly with air. This drier region in which the pores are filled mostly with air is called the **zone of aeration.**

The surface between the zone of saturation and the zone of aeration is an important boundary. It

Figure 3–17 *A cross section of the zones of underground water is shown here. What separates the zone of aeration from the zone of saturation?*

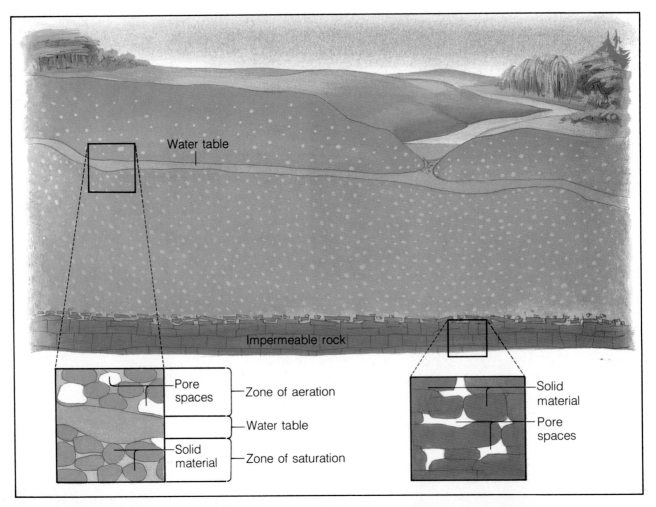

todos los poros están llenos de agua se llama **zona de saturación**.

Un ejemplo tomado de la cocina te ayudará a entender lo que pasa cuando los espacios del suelo se llenan de agua. Quizás nunca hayas mirado de cerca una esponja de cocina. Cuando está apenas húmeda, sólo algunos de los espacios están llenos de agua. La mayoría contienen aire. Cuando pones la esponja en el agua, se hincha de agua hasta que todos los espacios se llenan y la esponja ya no puede retener más agua. El suelo actúa de manera muy parecida a la esponja. Una vez que los espacios en el suelo se llenan, el suelo se satura y ya no puede retener más agua.

Por encima de la zona llena de agua, el suelo no está tan húmedo. Los poros de la tierra y de las rocas están llenos principalmente de aire. La región más seca en que los poros están llenos principalmente de aire se llama la **zona de aireación.**

La superficie entre la zona de saturación y la zona de aireación es un límite importante. Marca el

Figura 3–17 *Éste es un corte de las zonas de agua subterránea. ¿Qué separa la zona de aireación de la zona de saturación?*

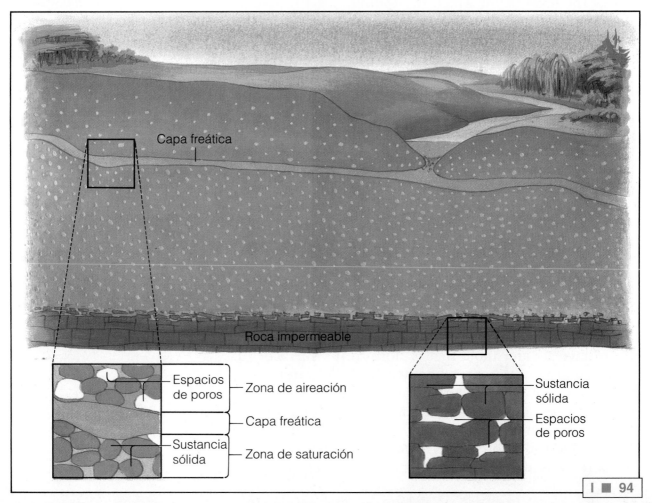

Capa freática

Roca impermeable

Espacios de poros — Zona de aireación

Capa freática

Sustancia sólida — Zona de saturación

Sustancia sólida

Espacios de poros

Figure 3–18 *What factors influence the levels of the water table in this marsh (left) and at this Saharan oasis (right)?*

marks the level below which the ground is saturated, or soaked, with water. This level is called the **water table.** See Figure 3–17.

At the seashore, the water table is easy to find. After you dig down 10 or 20 centimeters, you may notice that the hole you are digging fills with water. At this point, you have located the water table. In general, the water table is not very deep near a large body of water.

In areas near hills or mountains, the water table may be deep within the ground. In low-lying areas such as valleys with swamps and marshes, the water table may be close to or at the surface. The depth of the water table also varies with the climate of an area. It may be deep in very dry areas, such as deserts. It may be close to the surface in wet, low-lying forest areas. In very moist climate regions, the water table may come right to the surface and form a swamp, lake, or spring. Why do you think low-lying areas have a water table that is close to the surface?

Even in the same area, the depth of the water table may change. Heavy rains and melting snows will make the water table rise. If there is a long, dry period, the water table will fall. The depth of the water table will also change if wells are overused or if many wells are located in a small area. Wells are

nivel por debajo del cual el suelo está saturado con agua. Este nivel se llama **capa freática** (figura 3–17).

A la orilla del mar, es fácil encontrar la capa freática. Si cavas 10 o 20 centímetros, verás que el pozo se llena de agua. Haz encontrado la capa freática. En general, la capa freática no está muy profunda cerca de una gran masa de agua.

En las zonas cercanas a colinas o montañas, la capa freática puede estar muy por debajo del suelo. En las zonas bajas como los valles con pantanos o marismas, puede estar cerca de la superficie o en la superficie. La profundidad de la capa freática varía también con el clima. Puede estar muy profunda en las zonas secas, como los desiertos, y cerca de la superficie en las zonas boscosas húmedas y bajas. En las regiones con clima muy húmedo, la capa freática puede llegar a la superficie en la forma de un pantano, un lago o una fuente. ¿Por qué crees que las zonas bajas tienen una capa freática cercana a la superficie?

Incluso en la misma zona, la profundidad de la capa freática puede variar. Las lluvias intensas y la nieve derretida pueden hacer que la capa freática suba. Si hay un período largo de sequía, bajará. La profundidad variará también si se usan demasiado los pozos o si hay muchos pozos en una zona pequeña.

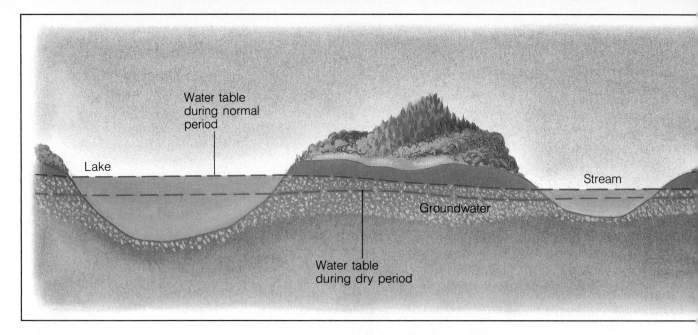

Figure 3–19 *The water table follows the shape of the land. Springs, swamps, and ponds sometimes form where the water table meets the land's surface. What happens to the water table during a dry period?*

holes drilled or dug to the water table to bring water to the surface. The use of several wells in an area may draw so much water from the water table that only very deep wells are able to pump water to the surface. Figure 3–19 shows some characteristics of the water table.

The depth of the water table may have other effects. In order to provide a proper foundation for a tall building, a builder must dig a deep hole. In some places in New York City, the water table is very high, and water rapidly fills the foundation hole. This water must be pumped out in order for construction to proceed. This extra work adds to the cost of a building. In certain areas, wells are dug to provide a source of household water. It is relatively inexpensive to dig a well in areas where the water table is high. In areas where the water table is deep, however, it can be very expensive to dig a well. Remember—a water table is always present, no matter where you live. And you will always reach it if you dig deep enough!

AQUIFERS As groundwater moves through a permeable rock layer, it often reaches an impermeable rock layer or the water table. At this point, the groundwater may move sideways through a layer of rock or sediment that allows it to pass freely. Such a layer is called an **aquifer** (AK-wuh-fer). Aquifers are

Spring

Stream

Swamp

Sea

usually layers of sandstone, gravel, sand, or cracked limestone.

Because rocks form in layers, a layer of permeable rock may become trapped between two layers of impermeable rock. Sandstone (permeable rock) trapped between two layers of shale (impermeable rock) is an example. If the layer of sandstone contains water, an aquifer forms. An aquifer may also form when soil saturated with groundwater is located above an impermeable rock layer.

An aquifer is a source of groundwater. To reach this water, a well is often dug or drilled into the aquifer. Groundwater moves into the well hole and forms a pool. Each time water is pumped from the well, more water moves through the aquifer into the well hole. Nassau and Suffolk counties in New York State pump much of the water used by their inhabitants from huge aquifers.

Because water often moves great distances through aquifers, these underground water sources are extremely vulnerable to pollution. Any pollutants added to an aquifer may spread through the aquifer, endangering water sources far from the pollutants' point of origin.

In some places where the underground rock layers slope, an aquifer carries water from a higher altitude to a lower altitude. If the aquifer is trapped between two layers of impermeable rock, pressure may build up at the lower altitude. A well

ACTIVITY

DISCOVERING

Drought and the Water Table

1. Fill a deep clear-glass baking dish about halfway with sand. Make sure that the sand covers the bottom.

2. Slowly add enough water so that 1 cm of water is visible above the surface of the sand.

3. Add more sand above the water in only one half of the baking dish.

4. Observe the water level during the next few days.

What changes do you notice in the water level?

■ What different conditions of the water table does your model represent?

■ Design an experiment to show the effect of drought on the water table in an area with a clay soil.

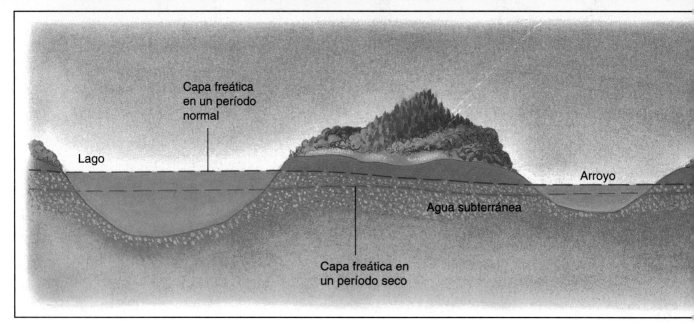

Figura 3–19 *La capa freática sigue la forma de la Tierra. A veces se forman fuentes, marismas y charcas donde la capa freática llega a la superficie. ¿Qué pasa con la capa freática durante un período de sequía?*

Los pozos son agujeros perforados o cavados hasta la capa freática para traer agua. Cuando se usan muchos pozos en una zona, es posible que se extraiga tanta agua de la capa freática que sólo se pueda bombear agua de pozos muy profundos. En la figura 3–19 se muestran algunas características de la capa freática.

La profundidad de la capa freática puede tener otros efectos. Para construir cimientos adecuados para un edificio alto, el constructor necesita cavar un pozo profundo. En algunos lugares de la ciudad de Nueva York, la capa freática está muy alta y el pozo se llena rápidamente de agua, que es preciso extraer con bombas para poder construir. Este trabajo adicional aumenta el costo de los edificios. En algunas zonas, se cavan pozos para obtener agua para uso doméstico. Es relativamente poco costoso cavar un pozo en las zonas donde la capa freática está alta, pero en las zonas en que está muy profunda, puede ser muy caro. Recuerda que, cualquiera sea el sitio en que vivas, siempre hay una capa freática. Y si cavas lo suficiente siempre la encontrarás.

ACUÍFERA Cuando el agua subterránea se mueve a través de una capa de roca permeable, llega muchas veces a una capa de roca impermeable o a la capa freática. Al llegar allí, es posible que se mueva lateralmente a través de una capa de roca o sedimento que le permita pasar libremente. Esa capa se llama **acuífera.** Las acuíferas son generalmente capas de piedra arenisca, grava, arena o roca calcárea agrietada.

Fuente

Arroyo

Pantano

Mar

Debido a que las rocas se forman en capas, es posible que una capa de roca permeable quede atrapada entre dos capas de roca impermeable. La piedra arenisca (roca permeable) atrapada entre dos capas de esquistos (roca impermeable) es un ejemplo de esto. Si la capa de arenisca contiene agua, se forma una acuífera. También puede formarse una acuífera cuando el suelo saturado de agua subterránea está encima de una capa de roca impermeable.

Una acuífera es una fuente de agua subterránea. Para llegar a esta agua, muchas veces se cava o se perfora un pozo hasta la acuífera. El agua subterránea se mueve hacia el hueco del pozo y forma un estanque. Cada vez que se bombea agua del pozo, se mueve más agua de la acuífera hacia el hueco del pozo. Los condados de Nassau y Suffolk en el estado de Nueva York extraen gran parte del agua que usan sus habitantes de enormes acuíferas.

A causa de que estas fuentes de agua subterránea son sumamente vulnerables a la contaminación, cualquier contaminante que se añade a una acuífera puede difundirse por toda la acuífera y poner en peligro fuentes de agua distantes del punto de origen de los contaminantes.

Donde las capas de roca subterránea están en declive, una acuífera lleva agua de las zonas altas a las bajas. Si la acuífera está atrapada entre dos capas de roca impermeable, es posible que aumente la presión en la parte

ACTIVIDAD

PARA AVERIGUAR

La sequía y la capa freática

1. Llena hasta la mitad con arena una fuente de horno profunda y transparente. Asegúrate de que la arena cubra el fondo.

2. Añade lentamente agua hasta que se vea 1 centímetro de agua por encima de la superficie de la arena.

3. Añade más arena por encima del agua solamente en la mitad de la fuente.

4. Observa el nivel del agua durante los próximos días.

¿Qué cambios observas en el nivel del agua?

■ ¿Qué diferentes condiciones de la capa freática representa tu modelo?

■ Diseña un experimento para mostrar el efecto de una sequía en la capa freática en una zona con suelo arcilloso.

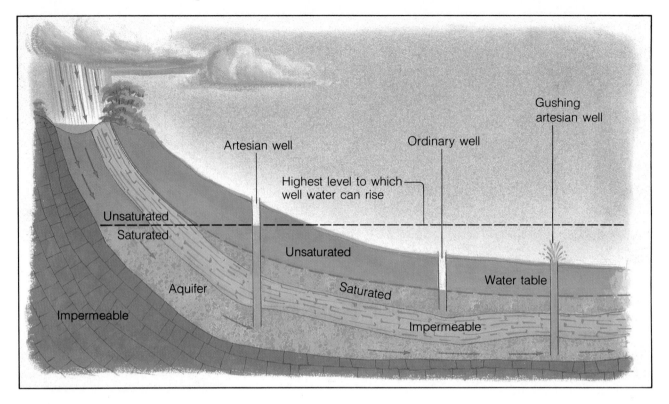

Figure 3–20 *Groundwater can be obtained from an aquifer by means of an ordinary well or an artesian well. The amount of water pressure in an artesian well depends on how close the well is to the water table.*

drilled into the aquifer at this point will provide water without pumping. A well from which water flows on its own without pumping is called an artesian (ahr-TEE-zhuhn) well. See Figure 3–20.

Groundwater Formations

In some areas, the underlying rock is limestone. Because limestone is affected by groundwater in a particular way, underground **caverns** (KAV-ernz) often form in these areas. As water moves down through the soil, it combines with carbon dioxide to form a weak acid that can dissolve limestone. This acid, called carbonic acid, is the weak acid found in seltzer water and other carbonated beverages. You are probably familiar with this weak acid as the "fizz" in a carbonated beverage.

When groundwater enters cracks in limestone, the carbonic acid it contains causes the cracks to become wider. If this process continues long enough, underground passages large enough to walk through may be formed.

Sometimes large underground caverns with many passages are formed. If you walk through these caverns, you will see what looks like long stone icicles

Figure 3–21 *This giant sinkhole in Winter Park, Florida, was caused when groundwater dissolved the limestone base on which part of the town was constructed.*

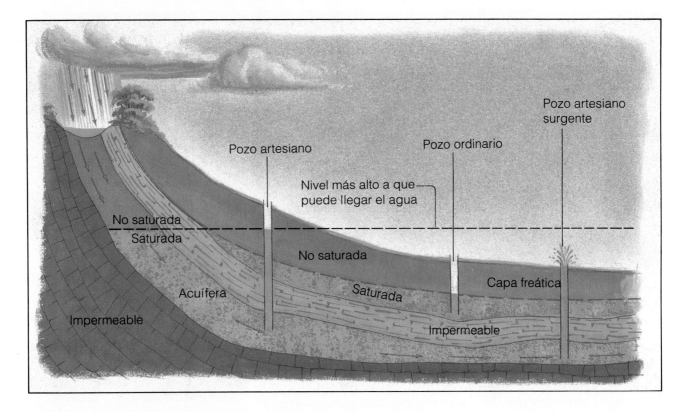

Pozo artesiano surgente

Pozo artesiano

Pozo ordinario

Nivel más alto a que puede llegar el agua

No saturada

Saturada

No saturada

Saturada

Capa freática

Acuífera

Impermeable

Impermeable

Figura 3–20 *Se puede obtener agua de una acuífera mediante un pozo ordinario o un pozo artesiano. La presión del agua en el pozo artesiano depende de cuán cerca está el pozo de la capa freática.*

más baja. Un pozo perforado en la acuífera en ese punto proporcionará agua sin necesidad de bombear. Un pozo en que el agua fluye sola sin necesidad de bombear se llama artesiano (figura 3–20).

Formaciones subterráneas

En algunas zonas, la roca subterránea es calcárea. Ya que la roca calcárea se ve afectada por el agua de una manera especial, muchas veces se forman **cavernas** subterráneas en esas zonas. A medida que el agua se escurre a través del suelo, se combina con dióxido de carbono para formar un ácido débil que disuelve la piedra calcárea. Este ácido, llamado ácido carbónico, es el ácido débil que se encuentra en muchas bebidas gaseosas. Probablemente lo conoces como el "gas" de las bebidas gaseosas.

Cuando el agua subterránea penetra en las grietas de la piedra calcárea, el ácido carbónico que contiene hace que las grietas se ensanchen. Si este proceso continúa durante mucho tiempo, pueden formarse pasajes subterráneos suficientemente grandes para caminar por ellos.

A veces se forman grandes cavernas subterráneas con muchos corredores. Si caminas a través de esas cavernas, verás lo que parecen largos carámbanos de

Figura 3–21 *Este sumidero gigantesco en Winter Park, Florida, se formó cuando el agua subterránea disolvió la base de roca calcárea sobre la cual se construyó parte del pueblo.*

Figure 3–22 *In many caverns, underground lakes are formed as groundwater moves through limestone. This lake is found in Hams Caves, Spain. What are the cavern formations hanging from the ceiling and rising from the ground called?*

hanging from the ceilings. These icicles are called stalactites (stuh-LAK-tights). Stalagmites (stuh-LAG-mights) look like stone icicles built up from the floors of the caverns. Stalactites and stalagmites are formed when dissolved substances in groundwater are deposited. You will learn more about the dissolving properties of water in the next section.

3–2 Section Review

1. How does groundwater form?
2. What are the three underground zones through which groundwater moves?
3. What causes differences in the depth of the water table?
4. Describe the formation of the following: aquifer, artesian well, cavern.

Connection—*Ecology*

5. Because it is too expensive to truck dangerous pollutants away from the plant, the factory manager proposes that a hole be dug deep in the ground on the side of the factory building and that wastes be dumped into this hole. Predict the effects of this action on the water pumped from wells a short distance from this factory.

piedra que cuelgan del techo. Estos carámbanos se llaman estalactitas. Las estalagmitas tienen la misma forma, pero están en el piso de las cavernas. Las estalactitas y las estalagmitas se forman cuando se depositan sustancias disueltas en el agua subterránea. Aprenderás más sobre las propiedades de disolución del agua en la próxima sección.

Figura 3–22 *En muchas cavernas se forman lagos subterráneos cuando el agua avanza a través de la piedra calcárea. Este lago está en las Cuevas de Hams, en España. ¿Cómo se llaman las formaciones que cuelgan del techo y que se levantan del suelo?*

3–2 Repaso de la sección

1. ¿Cómo se forma el agua subterránea?
2. ¿Cuáles son las tres zonas subterráneas a través de las cuales se mueve el agua subterránea?
3. ¿Qué causa las diferencias en la profundidad de la capa freática?
4. Describe la formación de los siguientes elementos: acuífera, pozo artesiano, caverna.

Conexión—*Ecología*
5. El administrador de una fábrica, aduciendo que es demasiado costoso transportar los contaminantes peligrosos lejos de la planta, propone que se cave un pozo profundo en la tierra, al costado del edificio de la fábrica, y que se arrojen en él los desechos. ¿Puedes predecir los efectos de esa acción en el agua que se bombea de pozos situados a corta distancia de esta fábrica?

Guide for Reading

*Focus on this question as
you read.*

▶ *How does the structure of
a water molecule relate to
its ability to dissolve
substances?*

3-3 Water as a Solvent

Water is the most common substance on Earth. It exists as a solid, a liquid, or a gas. Water moves in a cycle among the oceans, the air, and the land. Water changes form as it moves through this cycle. In this section, you will take a look at the chemical makeup of water and some of its important properties.

Composition of Water

A water molecule (MAHL-uh-kyool) is the smallest particle of water that has all the properties of water. A water molecule forms when two atoms of hydrogen and one atom of oxygen combine. (Atoms are the basic building blocks of all materials on Earth.) The chemical formula for water is H_2O. As you can see, this formula describes the number of atoms of hydrogen (2) and oxygen (1) that combine to form a water molecule.

In a water molecule, the atom of oxygen has a slight negative charge (−). Each atom of hydrogen has a slight positive charge (+). So a molecule of water has oppositely charged ends. See Figure 3–23. These charged ends give a water molecule the property known as **polarity** (poh-LAR-uh-tee). You might be familiar with the property of polarity as it applies to a magnet. A magnet has two poles—a positive pole and a negative pole. Each pole attracts the oppositely charged pole of another magnet.

It is the polarity of water molecules that makes water a **solvent** (SAHL-vuhnt). A solvent is a substance in which another substance dissolves. The dissolving process produces a **solution.** A solution contains two or more substances mixed on the molecular level.

For example, if you pour a small quantity of salt into a container of water, the salt will dissolve in the water. Although you will not be able to see the dissolved salt, you will know that it is there if you taste the water. The water molecules, having oppositely charged ends, attract the charged particles that make up the salt. It is as if the water molecules "pull" the charged particles out of the solid salt, dissolving the salt.

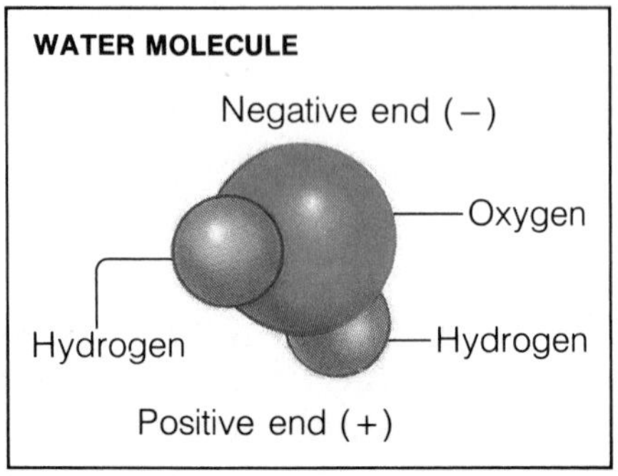

WATER MOLECULE

Negative end (−)

Oxygen

Hydrogen

Hydrogen

Positive end (+)

Figure 3–23 *A molecule of water ~xhibits the property of polarity. 'his property important?*

3–3 El agua como solvente

El agua es la sustancia más común de la Tierra. Existe en forma sólida, líquida o gaseosa y se mueve en un ciclo entre los océanos, el aire y la tierra, cambiando de forma a medida que avanza a través de ese ciclo. En esta sección, observaremos la composición química del agua y algunas de sus propiedades importantes.

Composición del agua

Una molécula de agua es la partícula más pequeña de agua que tiene todas sus propiedades. Se forma cuando se combinan dos átomos de hidrógeno y un átomo de oxígeno. (Los átomos son los bloques básicos de toda materia.) La fórmula química del agua es H_2O. Como puedes ver, esta fórmula describe el número de átomos de hidrógeno (2) y de oxígeno (1) que se combinan para formar una molécula de agua.

En una molécula de agua, el átomo de oxígeno tiene una carga ligeramente negativa (−). Cada átomo de hidrógeno tiene una carga ligeramente positiva (+). Una molécula de agua tiene así extremos con cargas opuestas (figura 3–23). Estos extremos cargados dan a la molécula de agua la propiedad conocida como **polaridad.** Tal vez conozcas la polaridad cuando se aplica a un imán. Un imán tiene dos polos, uno positivo y uno negativo. Cada polo atrae el polo con carga opuesta de otro imán.

La polaridad de las moléculas hace que el agua sea un **solvente.** Un solvente es una sustancia en la que se disuelve otra sustancia. El proceso produce una **solución.** Una solución contiene dos o más sustancias mezcladas al nivel molecular.

Por ejemplo, si echas una pequeña cantidad de sal en un recipiente con agua, la sal se disolverá en el agua. Aunque no puedas ver la sal disuelta, sabrás que está ahí si pruebas el agua. Las moléculas de agua, por tener extremos con cargas opuestas, atraen las partículas cargadas que forman la sal. Es como si las moléculas de agua "arrastraran" las partículas cargadas de la sal sólida, disolviendo la sal.

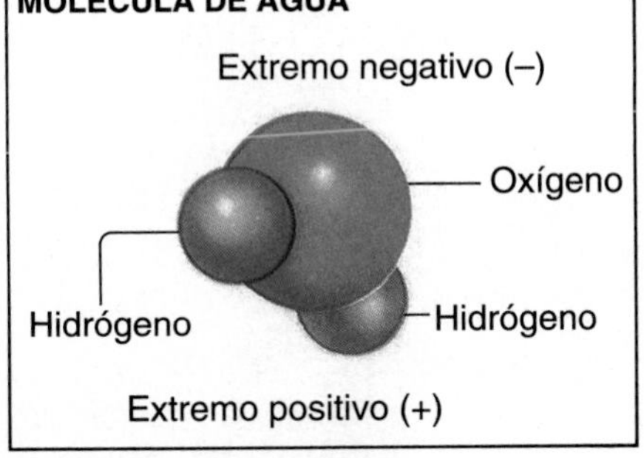

MOLÉCULA DE AGUA

Extremo negativo (−)

Oxígeno

Hidrógeno — Hidrógeno

Extremo positivo (+)

Figura 3–23 *Una molécula de agua exhibe la propiedad de la polaridad. ¿Por qué es importante ésta propiedad?*

Because of its polarity, water is able to dissolve many different substances. Water can dissolve so many different substances, in fact, that it is called the universal solvent. You probably use water as a solvent every day without realizing it. For example, flavoring and carbon dioxide gas are dissolved in water to make soft drinks. In fact, all the beverages you drink contain substances dissolved in water. What other products can you name that are made with water?

Farmers use water to dissolve fertilizers for crops. Many medicines use water to dissolve the medication. Certain minerals and chemicals are dissolved in water in water-treatment plants to remove harmful minerals, chemicals, and wastes. For example, chlorine, a chemical that kills bacteria, is added to drinking water. In some cities and towns, fluorides are also added to water. The dissolved fluorides help to prevent tooth decay.

Figure 3–24 *In this sewage-treatment plant in California, water hyacinths are used to help purify "dirty" water.*

PROBLEM ??? Solving

How Sweet It Is

Several factors affect the rate at which a substance dissolves in water.

Making inferences Use the photographs to determine these factors.

A causa de esa polaridad, el agua puede disolver muchas sustancias diferentes. Puede disolver tantas sustancias que se le llama el solvente universal. Probablemente usas agua como solvente todos los días sin darte cuenta. Por ejemplo, se disuelven sabores y dióxido de carbono en el agua para hacer bebidas gaseosas. De hecho, todas las bebidas contienen sustancias disueltas en agua. ¿Qué otros productos que se hacen con agua puedes mencionar?

Los agricultores usan agua para disolver fertilizantes para los cultivos. En muchos medicamentos se usa agua para disolver la medicación. Se disuelven algunos minerales y productos químicos en el agua en las plantas de tratamiento de agua para eliminar minerales, productos químicos y desechos nocivos. Por ejemplo, se añade cloro, un producto químico que mata las bacterias, en el agua potable. En algunas ciudades y pueblos, también se añaden fluoruros al agua. Los fluoruros disueltos ayudan a prevenir las caries dentales.

Figura 3–24 *En esta planta de tratamiento de aguas de California, se usan jacintos acuáticos para ayudar a purificar el agua "sucia".*

PROBLEMA ??? a resolver

¡Qué dulzura!

Varios factores afectan la velocidad a que se disuelve una sustancia en el agua.

Hacer inferencias Usa la fotografía para determinar estos factores.

Figure 3–25 *As water evaporates from the hot springs, piles of salts are left behind. Is the water most likely hard or soft? Why?*

ACTIVITY

DISCOVERING

Water as a Solvent

1. Chalk is composed of calcium carbonate, a substance found in many rocks. Add a piece of chalk to a glass of water. To another glass of water, add some quartz sand.

2. Allow both to soak for 30 minutes and then feel each sample.

What happened to the chalk? What happened to the sand? Why do you think certain substances dissolve in water more quickly than others? Why is most beach sand made of quartz?

■ Plan investigations to determine the ability of water to dissolve other substances.

Hardness of Water

The taste, odor, and appearance of water vary from area to area. The differences depend on the amounts and types of materials dissolved in the water.

The water that you drink may come from a surface source or from a groundwater source. This water may be "hard" or "soft." The hardness or softness of water depends on the source of the water and the types of rocks and soils the water comes in contact with. **Hard water** contains large amounts of dissolved minerals, especially calcium and magnesium. Soap will not lather easily in hard water. Also, hard water causes deposits of minerals to build up in water heaters and plumbing systems. **Soft water** does not contain these minerals. Soap lathers easily in soft water, and mineral deposits do not build up when soft water is used.

Some water is softened naturally as it passes through and reacts with rock formations that contain certain minerals. These minerals remove the calcium and magnesium from the water, making it soft. Many homes with hard water have water softeners that remove the minerals that make the water hard. Do you know what type of water you have in your home? How could you experiment to find out?

Quality of Water

Water is necessary to all life on Earth. So it is important to maintain the quality of our water.

Figura 3–25 *Cuando el agua se evapora de estas aguas termales, deja atrás pilas de sal. ¿Es más probable que el agua sea, "dura" o "blanda"? ¿Por qué?*

ACTIVIDAD

PARA AVERIGUAR

El agua como solvente

1. La tiza está compuesta de carbonato de calcio, una sustancia que se encuentra en muchas rocas. Pon un trozo de tiza en un vaso con agua. Pon un poco de arena de cuarzo en otro vaso.

2. Deja ambas sustancias remojando durante 30 minutos y luego toca cada muestra.

¿Qué pasó con la tiza? ¿Qué pasó con la arena? ¿Por qué crees que algunas sustancias se disuelven en el agua más rápidamente que otras? ¿Por qué la mayor parte de la arena de la playa está compuesta de cuarzo?

■ Diseña investigaciones para determinar la capacidad del agua de disolver otras sustancias.

Dureza del agua

El sabor, el olor y el aspecto del agua varían de zona en zona. Las diferencias dependen de las cantidades y tipos de materias disueltos en el agua.

El agua que bebes puede provenir de una fuente superficial o una fuente subterránea. Puede ser "dura" o "blanda." La dureza o la blandura del agua dependen de la fuente de agua y de los tipos de rocas y de suelos con que el agua entra en contacto. El **agua dura** contiene grandes cantidades de minerales disueltos, especialmente calcio y magnesio. El jabón no hace espuma fácilmente en el agua dura. El agua dura también hace que se formen depósitos de minerales en los calentadores de agua y los sistemas de tuberías. El **agua blanda** no contiene esos minerales. El jabón hace espuma fácilmente en el agua blanda y no se forman depósitos de minerales.

A veces el agua se suaviza naturalmente cuando pasa a través de formaciones rocosas que contienen ciertos minerales. Esos minerales quitan el calcio y el magnesio del agua y hacen que se convierta en agua blanda. Muchas casas con agua dura tienen suavizadores de agua que extraen los minerales que hacen que el agua sea dura. ¿Sabes qué tipo de agua hay en tu casa? ¿Cómo podrías hacer un experimento para averiguarlo?

Calidad del agua

El agua es necesaria para todo ser viviente en la Tierra. Es por eso importante mantener la calidad del agua. Lamentablemente, muchas de las fuentes

Unfortunately, many of Earth's freshwater sources are becoming polluted. In nature, water is usually filtered as it passes through soil and sand. This filtering removes impurities. But the careless dumping of sewage, silt, industrial wastes, and pesticides into water has produced many serious problems. Because so many different substances can be dissolved in water, water is becoming more and more polluted.

Water pollution limits the amount and kinds of wildlife that can live in water. Water pollution also affects supplies of drinking water and destroys recreational areas. Among the chemicals that cause water pollution are nitrates and phosphates. These chemicals are used on farms to improve the growth of plants or to kill harmful insects. Nitrates and phosphates have entered the groundwater in many areas and must be removed before water can be used for drinking or swimming.

Federal laws have been passed to prevent industries from dumping certain chemical wastes into the Earth's waters. Waste-water treatment systems are being built to remove pollution from water before it enters rivers and lakes. Although Earth is called the water planet (and the supply of water seems unending), the truth is that we have a limited supply of fresh water. This water must be protected from sources of pollution. Can you think of some other steps that might be taken to do just this?

Figure 3-26 *One of the most serious problems facing society is the pollution of its water supply. Here you see an oil spill in Galveston Bay, Texas.*

ctivity Bank

What Is the Effect of Phosphates on Plant Growth?, p.169

3-3 Section Review

1. Describe the structure of a molecule of water. How is this structure related to its ability to act as a solvent?
2. What is hard water? Soft water?
3. What are three sources of water pollution? Why must the water supply be protected from pollutants?

Critical Thinking—*Designing an Experiment*
4. Design an experiment to compare the hardness of two sources of water using only common, everyday substances. You can use tap water from your home, bottled water, or water from your school or the home of a friend or relative.

de agua dulce están siendo contaminadas. En la naturaleza, el agua se filtra cuando pasa por el suelo y la arena. Esta filtración elimina las impurezas. Pero el vertimiento indiscriminado de aguas cloacales, sedimentos, desechos industriales y pesticidas en el agua ha causado muchos problemas graves. Debido a que tantas sustancias diferentes pueden disolverse en el agua, el agua está contaminándose cada vez más.

La contaminación del agua limita la cantidad y los tipos de animales y plantas silvestres que pueden vivir en el agua. Afecta también la disponibilidad de agua potable y destruye zonas de recreo. Entre los productos químicos que hacen que el agua se contamine están los nitratos y los fosfatos. Estos productos se usan en la agricultura para estimular el crecimiento de las plantas y para matar insectos dañinos. En muchas zonas el agua subterránea contiene nitratos y fosfatos que deben eliminarse antes de poder usar el agua para beber o para nadar.

Se han aprobado leyes federales que prohiben que la industria arroje que ciertos desechos químicos en las aguas de la Tierra. Se están construyendo sistemas de tratamiento de aguas residuales para eliminar la contaminación antes de que el agua entre a los ríos y los lagos. Aunque la Tierra se llama el planeta acuático (y las reservas de agua parecen ilimitadas), la verdad es que tenemos reservas limitadas de agua dulce. Esas aguas deben protegerse de las fuentes de contaminación. ¿Puedes pensar en otras medidas que podrían adoptarse para lograr esto?

Figura 3–26 *Uno de los problemas más graves que enfrenta la sociedad es la contaminación de sus reservas de agua. Puedes ver aquí un derramamiento de petróleo en la bahía de Galveston, en Texas.*

3–3 Repaso de la sección

1. Describe la estructura de una molécula de agua. ¿Cómo se relaciona esta estructura con su capacidad de actuar como solvente?
2. ¿Qué es agua "dura"?, ¿Qué es agua "blanda"?
3. ¿Cuáles son tres fuentes de contaminación del agua?, ¿Por qué es preciso proteger las reservas de agua de los contaminantes?

Pensamiento crítico—*Diseñar un experimento*
4. Diseña un experimento para comparar la dureza de dos fuentes de agua utilizando solamente sustancias de uso diario. Puedes utilizar agua del grifo de tu casa, agua embotellada o agua de tu escuela o de la casa de un amigo o un pariente

Pozo de actividades
¿Qué efecto tienen los fosfatos en el crecimiento de las plantas?, p. 169

Laboratory Investigation

Porosity of Various Soils

Problem

How can the water-holding capability, or porosity, of various soils be determined?

Materials *(per group)*

250 mL sand
250 mL clay
250 mL gravel
4 small paper cups
2 L water
500-mL graduated cylinder

Procedure 🔺

1. Fill the first paper cup about three-fourths full of sand. Fill the second paper cup about three-fourths full of clay. Fill the third paper cup about three-fourths full of gravel. Fill the fourth paper cup about three-fourths full of a mixture of sand, clay, and gravel.

2. Fill the graduated cylinder with water to the 500 mL mark. Slowly pour water into the first cup. Let the water seep through the sand. Slowly add more water until a small pool of water is visible on the surface of the sand. At this point, the sand can hold no more water.

3. Determine the amount of water you added to the sand by subtracting the amount of water left in the graduated cylinder from 500 mL. Record this figure in the appropriate place in a data table similar to the one shown here.

4. Repeat steps 2 and 3 for the cups of clay, gravel, and the mixture of sand, clay, and gravel.

Observations

1. Which soil sample holds the most water?
2. Which soil sample holds the least water?

Soil	Amount of Water Added to Soil
Sand	
Clay	
Gravel	
Sand, clay, gravel	

Analysis and Conclusions

1. Why can some soil samples hold more water than others?
2. What can you conclude about the porosity of the soil samples you used?
3. If you wished to test the porosity of the soil found on your school grounds, what procedure would you follow? Which tested soil sample do you think the soil of the grounds at your school would most resemble?
4. **On Your Own** What effects, if any, do the roots of plants have on the porosity of soil? Design an experiment to test your hypothesis.

Investigación de laboratorio

Porosidad de distintos suelos

Problema

¿Cómo puede determinarse la capacidad de retención de agua, o porosidad, de distintos suelos?

Materiales *(por grupo)*

250 mL de arena
250 mL de arcilla
250 mL de grava
4 vasos de papel pequeños
2 litros de agua
un cilindro graduado de 500 mL

Procedimiento

1. Llena las tres cuartas partes de la taza con arena. Haz lo mismo con arcilla en la segunda taza y con grava en la tercera taza. En la cuarta taza, echa una mezcla de arena, arcilla y grava hasta llenar las tres cuartas partes.

2. Llena el cilindro graduado con agua hasta llegar a la marca de 500 ml. Vierte agua lentamente en la primera taza. Deja que el agua se filtre a través de la arena y añade agua lentamente hasta que se vea una pequeña capa de agua en la superficie de la arena. En ese momento, la arena ya no puede retener más agua.

3. Determina la cantidad de agua que has añadido a la arena restando la cantidad de agua que queda en el cilindro graduado de 500 ml. Anota esta cifra en el lugar apropiado en un cuadro de datos similar al que se muestra aquí.

4. Repite los pasos 2 y 3 para las tazas de arcilla y de grava y para la mezcla de arena, arcilla y grava.

Observaciones

1. ¿Qué tipo de suelo retiene más agua?
2. ¿Qué tipo de suelo retiene menos agua?

Suelo	Cantidad de agua añadida al suelo
Arena	
Arcilla	
Grava	
Arena, arcilla y grava	

Análisis y conclusiones

1. ¿Por qué algunos tipos de suelo retienen más agua que otros?

2. ¿Qué conclusiones pueden extraer sobre la porosidad de las muestras que has utilizado?

3. Si quisieras poner a prueba la porosidad del suelo en el patio de tu escuela, ¿qué procedimiento seguirías? ¿A cuál de las muestras de suelo crees que se parece más el de tu escuela?

4. **Por tu cuenta** ¿Qué efectos te parece que tiene la porosidad del suelo sobre las raíces de las plantas? Diseña un experimento para poner a prueba tu hipótesis.

Summarizing Key Concepts

3–1 Fresh Water on the Surface of the Earth

▲ Fresh water—one of the Earth's most precious resources—is found in lakes, ponds, rivers, streams, springs, and glaciers.

▲ The water cycle is the continuous movement of water from the oceans and sources of fresh water to the air and land and then back to the oceans.

▲ The three steps in the water cycle are evaporation, condensation, and precipitation.

▲ A land area in which surface runoff drains into a river or system of streams and rivers is called a watershed.

3–2 Fresh Water Beneath the Surface of the Earth

▲ Fresh water beneath the ground's surface is called groundwater.

▲ The water table is the underground level below which all the pore spaces are filled with water. The water table separates the zone of aeration from the zone of saturation.

▲ The depth of the water table depends on the location of groundwater, the climate of the area, the amount of rainfall, the type of soil, and the number of wells drawing water.

▲ Groundwater formations include caverns, stalactites, and stalagmites.

3–3 Water as a Solvent

▲ A molecule of water is made up of two atoms of hydrogen combined with one atom of oxygen.

▲ Because of the polarity of water molecules, water is a good solvent. It can dissolve many substances.

▲ Water may be hard or soft depending on the kinds and amounts of minerals in it.

▲ People must protect and conserve their sources of fresh water.

Reviewing Key Terms

Define each term in a complete sentence.

3–1 Fresh Water on the Surface of the Earth

water cycle
evaporation
condensation
precipitation
groundwater
glacier
valley glacier
continental glacier
iceberg
surface runoff
pore space
watershed
reservoir

3–2 Fresh Water Beneath the Surface of the Earth

permeable
impermeable
zone of saturation
zone of aeration
water table
aquifer
cavern

3–3 Water as a Solvent

polarity
solvent
solution
hard water
soft water

Resumen de conceptos claves

3–1 Agua dulce en la superficie de la Tierra

▲ El agua dulce—uno de los recursos más preciosos de la Tierra—se encuentra en los lagos, estanques, ríos, arroyos, fuentes y glaciares.

▲ El ciclo del agua es el movimiento continuo del agua de los océanos y de las fuentes de agua dulce hacia el aire, a la tierra y de vuelta a los océanos.

▲ Los tres pasos en el ciclo del agua son la evaporación, la condensación y la precipitación.

▲ Una zona en que los escurrimientos superficiales desembocan en un río o un sistema de ríos y arroyos se llama una cuenca.

3–2 Agua dulce bajo la superficie de la Tierra

▲ El agua dulce que se encuentra debajo de la superficie se llama agua subterránea.

▲ La capa freática es el nivel subterráneo por debajo del cual todos los espacios de poros están llenos de agua. La capa freática separa la zona de aireación de la zona de saturación.

▲ La profundidad de la capa freática depende de la ubicación del agua subterránea, del clima de la zona, de la cantidad de lluvia, del tipo de suelo y del número de pozos que extraen agua.

▲ Las formaciones subterráneas incluyen las cavernas, las estalactitas y las estalagmitas.

3–3 El agua como solvente

▲ Una molécula de agua está formada de dos átomos de hidrógeno combinados con un átomo de oxígeno.

▲ A causa de la polaridad de las moléculas de agua, el agua es un buen solvente. Puede disolver muchas sustancias.

▲ El agua puede ser dura o blanda según las clases y cantidades de minerales que contiene.

▲ Debemos proteger y conservar nuestras fuentes de agua dulce.

Repaso de palabras claves

Define cada palabra o palabras con una oración completa.

3–1 Agua dulce en la superficie de la Tierra
ciclo del agua
evaporación
condensación
precipitación
agua subterránea
glaciar
glaciar de valle
glaciar continental
iceberg
escurrimiento superficial
poro
cuenca
estanque

3–2 Agua dulce bajo la superficie de la Tierra
permeable
impermeable
zona de saturación
zona de aireación
capa freática
acuífera
caverna

3–3 El agua como solvente
polaridad
solvente
solución
agua dura
agua blanda

Chapter Review

Content Review

Multiple Choice

Choose the letter of the answer that best completes each statement.

1. The continuous movement of water from the oceans and freshwater sources to the air and land and back to the oceans is called the
   a. nitrogen cycle.   c. runoff.
   b. water cycle.   d. oxygen cycle.
2. The process in which water vapor changes to a liquid is called
   a. precipitation.   c. condensation.
   b. evaporation.   d. runoff.
3. Very thick sheets of ice found mainly in polar regions are called
   a. aquifers.
   b. crevasses.
   c. valley glaciers.
   d. continental glaciers.
4. The space between soil particles is called
   a. pore space.
   b. zone of aeration.
   c. surface runoff.
   d. polarity.

5. The underground region where all the pores are filled with water is called the
   a. zone of saturation.
   b. aquifer.
   c. watershed.
   d. zone of aeration.
6. The level below which all of the pore spaces in the soil are filled with water is called the
   a. water table.   c. meltwater.
   b. groundwater.   d. watershed.
7. The property of water that enables it to dissolve many substances easily is called
   a. hardness.   c. softness.
   b. polarity.   d. permeability.
8. A substance in which another substance dissolves is called a
   a. solution.
   b. saturated substance.
   c. solvent.
   d. molecule.

True or False

If the statement is true, write "true." If it is false, change the underlined word or words to make the statement true.

1. The process by which water changes to a gas is <u>condensation</u>.
2. Rain, snow, sleet, and hail are all forms of <u>precipitation</u>.
3. Water that enters a river or a stream after a heavy rain or during thawing of snow or ice is called <u>groundwater</u>.
4. In dry desert areas, the water table is usually very <u>shallow</u>.
5. Materials through which water can move quickly are described as <u>saturated</u>.

Concept Mapping

Complete the following concept map for Section 3–1. Refer to pages I6–I7 to construct a concept map for the entire chapter.

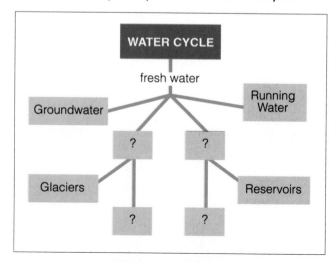

Repaso del capítulo

Repaso del contenido

Selección múltiple

Escoge la letra de la respuesta que complete mejor cada frase.

1. El movimiento continuo del agua de los océanos y las fuentes de agua dulce al aire y a la tierra y de vuelta a los océanos se llama
  a. ciclo del nitrógeno.
  b. ciclo del agua.
  c. escurrimiento.
  d. ciclo del oxígeno.

2. El proceso por el cual el vapor de agua se convierte en un líquido se llama
  a. precipitación.
  b. evaporación.
  c. condensación.
  d. escurrimiento.

3. Las capas espesas de hielo que se encuentran en muchas regiones polares se llaman
  a. acuíferas.
  b. grietas.
  c. glaciares de valle.
  d. glaciares continentales.

4. El espacio entre las partículas de suelo se llama
  a. espacio de poros.
  b. zona de aireación.
  c. escurrimiento superficial.
  d. polaridad.

5. La región subterránea donde todos los poros están llenos de agua se llama
  a. zona de saturación.
  b. acuífera.
  c. cuenca.
  d. zona de aireación.

6. El nivel por debajo del cual todos los poros del suelo están llenos de agua se llama
  a. capa freática.
  b. agua subterránea.
  c. agua de deshielo.
  d. cuenca.

7. La propiedad del agua que le permite disolver muchas sustancias se llama
  a. dureza.
  b. polaridad.
  c. blandura.
  d. permeabilidad.

8. La sustancia en que otra sustancia se disuelve se llama
  a. solución.
  b. sustancia saturada.
  c. solvente.
  d. molécula.

Verdadero o falso

Si la afirmación es verdadera, escribe "verdad." Si es falsa, cambia las palabras subrayadas para que sea verdadera.

1. El proceso por el cual el agua se convierte en gas es la <u>condensación</u>.
2. La lluvia, la nieve, el aguanieve y el granizo son formas de <u>precipitación</u>.
3. El agua que entra a un río o un arroyo después de una lluvia intensa o cuando se derrite la nieve o el hielo se llama <u>agua subterránea</u>.
4. En las zonas desérticas y secas, la capa freática es generalmente muy poco <u>profunda</u>.
5. Las sustancias a través de las cuales el agua puede moverse rápidamente se describen como <u>saturadas</u>.

Mapa de conceptos

Completa el siguiente mapa de conceptos para la Sección 3–1. Consulta las páginas I6–I7 para construir un mapa de conceptos para todo el capítulo.

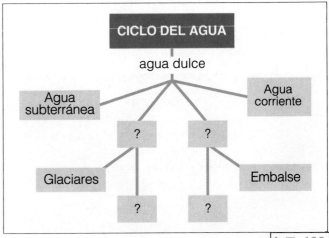

Concept Mastery

Discuss each of the following in a brief paragraph.

1. What is the water cycle? How does this cycle renew the Earth's supply of fresh water?
2. Describe the structure of a molecule of water. How does this structure affect its ability to dissolve substances?
3. What is a watershed? Why are watersheds important?
4. Why is it important to keep from polluting underground sources of water?
5. What is the difference between a lake and a reservoir? How could both bodies of water be used to supply a city with water?
6. Why is it important to protect our sources of fresh water? Why is it important to develop new sources?
7. What is hard water? How does hard water differ from soft water?
8. What is an aquifer? How can aquifers be used as a source of fresh water?

Critical Thinking and Problem Solving

Use the skills you have developed in this chapter to answer each of the following.

1. **Making diagrams** Two different areas of the United States receive the same amount of rainfall during a day. Area A has soil that contains many large pores and rocks made of sandstone. The soil in Area B is mainly heavy clay. Area A is a desert. Area B is a swamp. For each area draw two diagrams: one that shows the level of the water table before a day of rain and one that shows the level after a day of rain.
2. **Designing an experiment** Clouds are not salty. The salt from the oceans is left behind when the water evaporates. Devise an experiment to illustrate this fact. Describe the problem, materials, procedure, expected observations, and your conclusions.

3. **Applying concepts** Water molecules have polarity. Explain how water molecules can attract each other. Illustrate your explanation.
4. **Applying concepts** Pure water evaporates continuously from the oceans while salts are left behind. Explain why the salinity of ocean water does not increase over time.
5. **Relating concepts** A factory dumps harmful chemical wastes into a huge hole dug in the ground behind the building. Explain why and how these chemicals might affect a well located in a town several kilometers away from the factory site.
6. **Designing an experiment** Soap does not lather easily in hard water. It does so, however, in soft water. Devise a simple test to determine if water from a tap in your school is hard or soft.
7. **Using the writing process** Develop an advertising campaign to warn people about the dangers of polluting rivers and streams. You might want to design a poster campaign and/or write a letter to your neighbors to enlist their help.

Dominio de conceptos

Comenta cada uno de los siguientes puntos en un párrafo breve.

1. ¿Qué es el ciclo del agua? ¿Cómo renueva este ciclo las reservas de agua dulce de la Tierra?
2. Describe la estructura de una molécula de agua. ¿Cómo afecta esta estructura su capacidad de disolver sustancias?
3. ¿Qué es una vertiente? ¿Por qué son importantes las cuencas?
4. ¿Por qué es importante no contaminar las fuentes de agua subterránea?
5. ¿Cuál es la diferencia entre un lago y un embalse?, ¿Cómo podrían utilizarse ambas masas de agua para abastecer una ciudad?
6. ¿Por qué es importante proteger nuestras fuentes de agua dulce?, ¿Por qué es importante desarrollar nuevas fuentes?
7. ¿Qué es el agua dura?, ¿En qué difiere el agua dura del agua blanda?
8. ¿Qué es una acuífera?, ¿Cómo pueden usarse las acuíferas como fuente de agua dulce?

Pensamiento crítico y solución de problemas

Usa las destrezas que has desarrollado en este capítulo para resolver lo siguiente:

1. **Hacer diagramas** Dos zonas diferentes de los Estados Unidos reciben la misma cantidad de lluvia en un día. El suelo de la zona A tiene muchos poros grandes y rocas de arenisca. El suelo de la zona B es denso y principalmente arcilloso. La zona A es un desierto. La zona B es una marisma. Haz dos diagramas para cada zona: uno que muestre la altura del nivel hidrostático antes de un día de lluvia y el otro la altura del nivel hidrostático después de un día de lluvia.
2. **Diseñar un experimento** Las nubes no son saladas. La sal de los océanos se deja atrás cuando el agua se evapora. Diseña un experimento para ilustrar este hecho. Describe el problema, los materiales, el procedimiento, las observaciones previstas y tus conclusiones.

3. **Aplicar conceptos** Las moléculas de agua tienen polaridad. Explica cómo pueden atraerse entre sí las moléculas de agua. Ilustra tu explicación.
4. **Aplicar conceptos** De los océanos se evapora constantemente agua pura, dejando atrás las sales. Explica por que la salinidad del agua del océano no aumenta con el tiempo.
5. **Relacionar conceptos** Una fábrica vierte desechos químicos nocivos en un enorme pozo cavado en el suelo detrás del edificio. Explica por qué y cómo esos productos químicos podrían afectar un pozo situado en una ciudad a varios kilómetros de distancia del lugar de la fábrica.
6. **Diseñar un experimento** El jabón no hace espuma fácilmente en agua dura. Sin embargo, sí hace espuma en agua blanda. Diseña una prueba sencilla para determinar si el agua del grifo en tu escuela es dura o blanda.
7. **Usar el proceso de la escritura** Desarrolla una campaña publicitaria para advertir a la gente sobre los peligros de contaminar los ríos y los arroyos. Tal vez quieras diseñar un cartel y escribir una carta dirigida a tus vecinos para obtener su ayuda.

Earth's Landmasses

Guide for Reading

After you read the following sections, you will be able to

4–1 The Continents
- Identify the continents.
- Explain the relationship of continents to the Earth's landmasses.

4–2 Topography
- List the characteristics of mountains, plains, and plateaus.

4–3 Mapping the Earth's Surface
- Recognize the importance of longitude and latitude in mapping the Earth.
- Identify the time zones and time differences in the United States.

4–4 Topographic Maps
- Identify ways in which the Earth's features are shown on topographic maps.

Just imagine how hard it would be to visit a strange place for the first time without a map to guide you. Although someone might be able to give you accurate directions to this unfamiliar location, it is certainly easier and more helpful if you look at a map and visualize the trip before you begin.

The same idea holds true for the pilots of an airplane. Without maps, it would be very difficult for an airplane leaving Illinois to arrive in Germany. With accurate maps, however, you can enjoy a frankfurter at a baseball game in Chicago, and the next day eat a knockwurst at a soccer game in Berlin.

Throughout history, as people explored Planet Earth, maps became more and more accurate. By the middle of the eighteenth century, maps showed the Earth's land areas in the same shapes and sizes you see on maps today. Today, map-making is aided by photographs taken by high-flying satellites.

In this chapter, you will learn about different land features. You will also learn how these land features are represented on maps, and you will gain a better understanding of maps in general.

Journal *Activity*

You and Your World If you live in a city or town, make a map of your neighborhood. If you live in a rural area, make a map of the road you live along. Include places of interest and landmarks that would make it easy for a relative or friend to find your home if they wanted to visit you.

In centuries past, maps of Earth were drawn by the skilled hands of artists. Today a new type of Earth map—made from thousands of images relayed by satellite—shows just how remarkably beautiful Earth is.

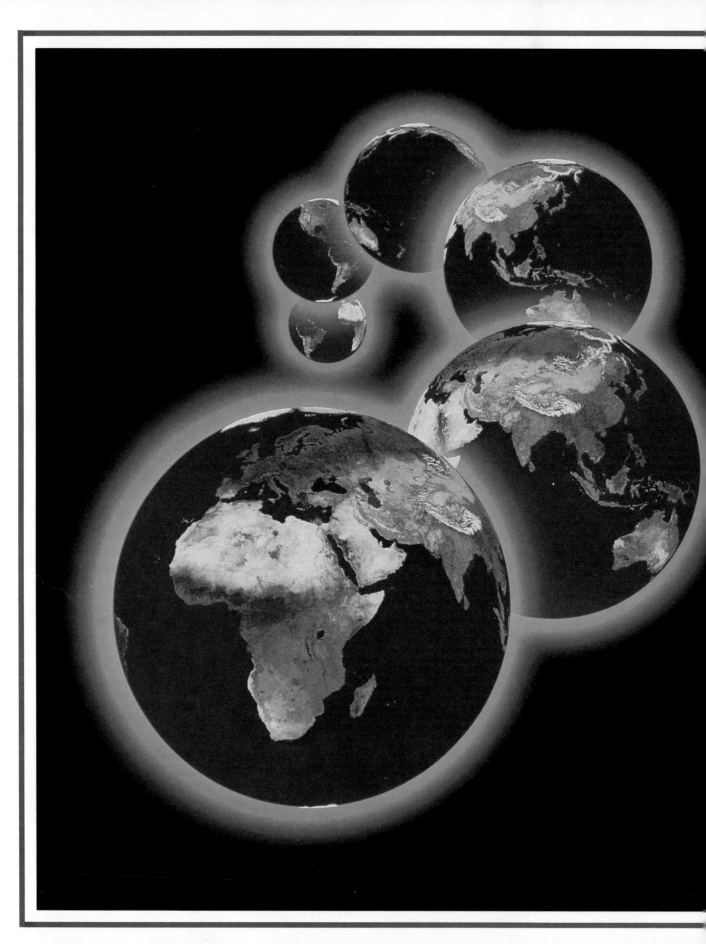

Masas continentales

Guía para la lectura

Después de leer las siguientes secciones, podrás

4–1 Los continentes
- Identificar los continentes.
- Explicar las relaciones entre los continentes y las masas continentales terrestres.

4–2 Topografía
- Enumerar las características de las montañas, las llanuras y las mesetas.

4–3 Mapas de la superficie terrestre
- Reconocer la importancia de la longitud y la latitud en los mapas de la Tierra.
- Identificar los husos horarios y las diferencias de hora en los Estados Unidos.

4–4 Mapas topográficos
- Identificar las formas en que se indican las características en los mapas topográficos.

Imagina qué difícil sería visitar por primera vez un lugar extraño sin un mapa para guiarte. Aunque alguien podría darte instrucciones precisas, es ciertamente más fácil, y más útil, mirar un mapa y visualizar el viaje antes de empezar.

Lo mismo se aplica a los pilotos de un avión. Sin mapas, sería muy difícil para un avión salir de Illinois y llegar a Alemania. Sin embargo, con mapas precisos, puedes ver un partido de béisbol en Chicago y un partido de fútbol al día siguiente en Berlín.

A lo largo de la historia, a medida que se exploraba el planeta, los mapas se hacían cada vez más precisos. Para mediados del siglo dieciocho, los mapas mostraban las masas continentales con la misma forma y el mismo tamaño que los mapas actuales. Hoy en día, para trazar mapas, se cuenta con la ayuda de fotografías tomadas desde satélites.

En este capítulo aprenderás acerca de las diferentes características terrestres. Aprenderás también cómo se representan esas características en los mapas y podrás entender mejor los mapas en general.

Diario *Actividad*

Tú y tu mundo Si vives en una ciudad o un pueblo, haz un mapa de tu vecindario. Si vives en una zona rural, haz un mapa de la carretera sobre la que vives. Incluye los lugares interesantes o que ayudarían a un pariente o un amigo a encontrar tu casa si quisiera hacerte una visita.

◄ *En el pasado, había que recurrir a artistas expertos para dibujar mapas de la Tierra. En la actualidad, un nuevo tipo de mapa, hecho mediante miles de imágenes transmitidas por satélite, muestra cuán hermosa es realmente la Tierra.*

4–1 The Continents

All the land on Earth is surrounded by oceans. There are many **islands**, or small landmasses completely surrounded by water, scattered throughout the oceans. But there are only four major landmasses on Earth. Each major landmass consists of one or more **continents**. A continent is a landmass that measures millions of square kilometers and rises a considerable distance above sea level. Each continent has at least one large area of very old rock exposed at its surface. This area is called a shield. Shields form the cores of the continents. The shield of North America is located in Canada.

There are seven continents on the Earth: Asia, Africa, Europe, Australia, North America, South America, and Antarctica. Some of the continents are joined to form a single landmass. See Figure 4–2. For example, Asia and Europe are joined together as one landmass, called Eurasia. And Africa is connected to Asia by a small piece of land. These three continents—Asia, Africa, and Europe—make up one giant landmass, the largest landmass on Earth.

The second largest landmass consists of the continents of North America and South America. Central America is located just to the south of North America. Central America is part of the North American continent. At the point where Central America connects to South America, the continents of North America and South America are joined.

The third largest landmass is the continent of Antarctica. Antarctica is about twice the size of the United States. Antarctica has only recently been explored. In fact, the first known exploration of Antarctica occurred in 1901.

Antarctica is very different from the other continents. It is almost completely covered by a thick icecap. In fact, the Antarctic icecap is the largest in

Figure 4–1 *Mount Everest is considered to be the highest point on Earth. The lowest point on Earth is the Dead Sea. The difference in altitude between these two points is 9200 meters!*

4–1 Los continentes

Toda la tierra del planeta está rodeada de océanos. Hay muchas **islas,** o pequeñas masas de tierra completamente rodeadas de agua, esparcidas por los océanos. Pero sólo hay cuatro masas continentales y cada una consiste en uno o más **continentes.** Un continente es una masa continental que mide millones de kilómetros cuadrados y se eleva a una distancia considerable sobre el nivel del mar. Cada continente tiene en su superficie por lo menos una gran zona de rocas antiguas expuestas. Esta zona se llama escudo y forma el núcleo de los continentes. El escudo de América del Norte está en el Canadá.

Hay siete continentes en la Tierra: Asia, África, Europa, Australia, América del Norte, América del Sur y Antártida. Algunos continentes están unidos formando una sola masa continental (figura 4–2). Por ejemplo, Asia y Europa forman una masa continental llamada Eurasia, y África está conectada con Asia por un pequeño trozo de tierra. Estos tres continentes—Asia, África y Europa—forman una gigantesca masa continental, la mayor de la Tierra.

La segunda masa continental está formada por América del Norte y América del Sur. América Central está directamente al sur de América del Norte y forma parte del continente norteamericano. En el punto en que América del Sur se conecta con América Central, se unen los dos continentes.

La tercera masa continental es la Antártida, que tiene el doble del tamaño de Estados Unidos. La primera exploración conocida de la Antártida se realizó en 1901.

La Antártida es muy distinta de los demás continentes. Está cubierta, casi por completo, por el casquete de hielo más grande del mundo, con una

Figura 4–1 *El monte Everest se considera el punto más alto de la Tierra. El más bajo es el mar Muerto. La diferencia en altura entre los dos puntos es de 9200 metros.*

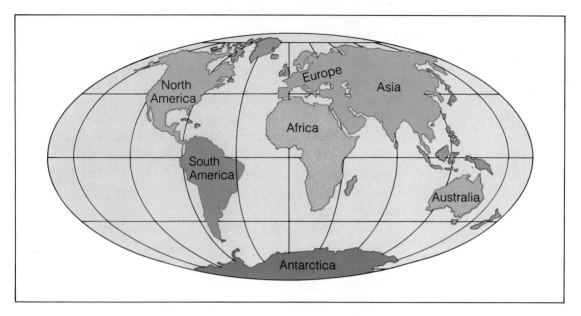

Figure 4–2 *This map shows the major islands and the seven continents of the world. Which continents make up the Earth's largest landmass?*

the world and covers an area of 34 million square kilometers! The Antarctic icecap is so large that it extends into the surrounding ocean. It contains almost 90 percent of the ice on the Earth's surface.

Antarctica is certainly the coldest area on Earth. In July 1983, the temperature in Vostok, Antarctica, dropped to nearly −89.2°C, the lowest temperature ever recorded on Earth. Many scientific stations have been built on Antarctica. Some scientific teams study life on the continent. Others study the land beneath the ice. Still others study conditions in the atmosphere over Antarctica. Today, one of the major areas of study is the depletion of the ozone layer over Antarctica. In the past several years, "holes" in the ozone layer have been observed there. Scientists study these areas in an attempt to determine the long-term effects of ozone depletion. Because of the extreme cold, however, the scientists who live and work in Antarctica are only temporary visitors to this continent.

Australia is the smallest landmass still considered a continent. It is the only continent that is a single country. Sometimes, Australia is referred to as the island continent. Why do you think this term is used to describe Australia?

ACTIVITY

CALCULATING

Comparing the Continents

1. From a globe, trace the outline of each of the seven continents. Cut out the outlines. Trace each outline on a piece of graph paper. Shade in the outlined continents.

2. Consider each square on the graph paper as an area unit of 1. Calculate the area units for each of the seven continents to the nearest whole unit. For example, suppose a continent covers all of 45 units, about one half of 20 units, and about one fourth of 16 units. The total area units this continent covers will be 45 + 10 + 4, or 59.

List the continents from the smallest to the largest.

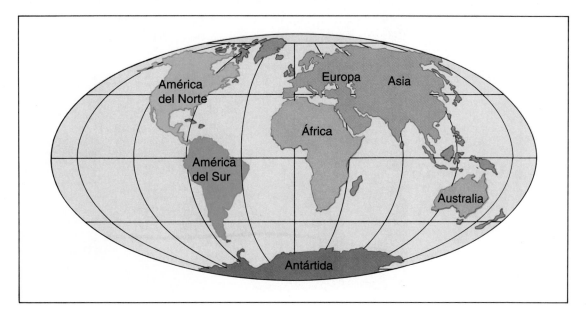

Figura 4–2 *Este mapa muestra las principales islas y los siete continentes del mundo. ¿Qué continentes forman la masa continental más grande de la Tierra?*

superficie de 34 millones de kilómetros cuadrados. El casquete de hielo de la Antártida es tan grande que se extiende en el océano circundante. Contiene casi 90 por ciento del hielo de la superficie terrestre.

La Antártida es, ciertamente, el lugar más frío de la Tierra. En julio de 1983, la temperatura en Vostok, en la Antártida, bajó a casi –89.2° centígrados, la más baja que se haya registrado nunca en la Tierra. Se han construido muchas estaciones científicas en la Antártida. Algunos científicos estudian la vida en el continente, otros estudian el suelo bajo el hielo y otros las condiciones de la atmósfera. Uno de los principales problemas estudiados en la actualidad es el agotamiento de la capa de ozono sobre la Antártida. En los últimos años se han observado allí varios "agujeros." Los científicos estudian esto para determinar los efectos a largo plazo del agotamiento del ozono. Sin embargo, a causa del terrible frío, los científicos que viven y trabajan en la Antártida sólo visitan este continente temporariamente.

Australia es la masa continental más pequeña considerada como continente. Es el único continente que es un solo país. Australia ha sido llamada a veces el continente insular. ¿Por qué crees que se usa este término para describir a Australia?

ACTIVIDAD

PARA CALCULAR

Comparar los continentes

1. Usando un globo terráqueo, traza el contorno de cada uno de los siete continentes. Recórtalos. Traza los contornos sobre papel cuadriculado y sombrea los dibujos.

2. Considera que cada cuadrado del papel es una unidad de superficie. Calcula las unidades de superficie que tiene cada uno de los siete continentes, redondeando hasta la unidad más cercana. Por ejemplo, supón que un continente cubre 45 unidades completas, aproximadamente la mitad de 20 unidades y alrededor de una cuarta parte de 16 unidades. Cubrirá un total de 45 + 10 + 4, ó 59, unidades de superficie.

Enumera los continentes, del más pequeño al más grande.

Figure 4-3 *Australia is a continent country completely surrounded by water. These steep cliffs border on the Indian Ocean.*

4-1 Section Review

1. Identify the seven continents.
2. What is a landmass? A continent? An island?
3. What makes the continent of Antarctica unusual? What makes Australia unusual?

Critical Thinking—*Applying Concepts*
4. Predict what would happen if the average temperature of Antarctica rose to 5°C.

4-2 Topography

Over billions of years, the surface of the Earth has changed many times. These changes are produced by several factors. Weather conditions such as wind and heat change the surface. Running water reshapes the land. Earthquakes and volcanoes cause major changes in the Earth's surface. Earthquakes can build up or level mountains, and volcanoes can produce new islands. Surtsey, an island off the coast of Iceland, was produced in 1963 by volcanic eruptions on the seabed. Even people alter the Earth's appearance. For example, they use huge earth-moving machinery to smooth the Earth's surface in order to construct the buildings that make up a large

Figura 4–3 *Australia es un país continente rodeado completamente de agua. Estos empinados arrecifes están sobre el océano Índico.*

4–1 Repaso de la sección

1. Identifica los siete continentes.
2. ¿Qué es una masa continental? ¿Un continente? ¿Una isla?
3. ¿Qué tiene de especial la Antártida? ¿Qué tiene de especial Australia?

Pensamiento crítico—*Aplicar conceptos*
4. Predice qué pasaría si la temperatura media de la Antártida aumentara a 5°C.

Guía para la lectura

Piensa en esta pregunta mientras lees.

▶ *¿Cuáles son los tipos principales de regiones de paisaje?*

4–2 Topografía

A lo largo de miles de millones de años, la superficie de la Tierra ha cambiado muchas veces. Esos cambios se deben a distintos factores. El viento y el calor afectan la superficie. El agua en movimiento altera el paisaje. Los terremotos pueden levantar o aplanar montañas y los volcanes pueden crear nuevas islas. Surtsey, una isla en la costa de Islandia, surgió en 1963 como resultado de erupciones volcánicas submarinas. Los seres humanos alteran también el aspecto de la Tierra. Por ejemplo, se usa maquinaria pesada para alisar la superficie a fin de construir los edificios de las grandes ciudades. ¿Qué

city. What other human activities can you think of that might change the shape of the land?

Scientists refer to the shape of the Earth's surface as its **topography** (tuh-PAHG-ruh-fee). The Earth's topography is made up of different kinds of **landscapes**. A landscape is the physical features of the Earth's surface found in an area. Figure 4–5 shows landscape regions of the United States. In which landscape region do you live?

There are three main types of landscape regions: mountains, plains, and plateaus. Each type has different characteristics. One characteristic of a landscape region is **elevation**, or height above sea level. Some landscape regions have high elevations; others have low elevations. Within a landscape region, the elevation can vary from place to place. The difference in a region's elevations is called its **relief**. If a landscape region has high relief, there are large differences in the elevations of different areas within the landscape region. What do you think is true of a landscape region with low relief?

Figure 4–4 *Earth's landmasses are constantly undergoing changes. The island of Surtsey appeared in 1963 as a result of volcanic eruption on the ocean floor.*

Figure 4–5 *This map shows the major landscape regions of the continental United States. What type of landscape region covers most of the land shown? In what type of landscape region do you live?*

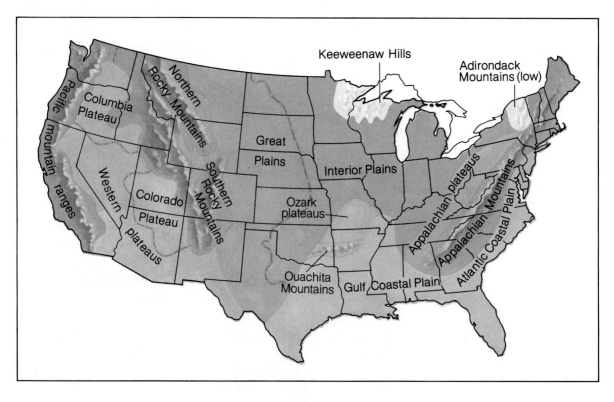

otras actividades humanas podrían cambiar la forma de la Tierra?

Los científicos se refieren a la forma de la superficie terrestre como su **topografía.** La topografía está formada por diferentes tipos de **paisajes.** Los paisajes son las características físicas de la superficie terrestre que se encuentran en una región o una zona. En la figura 4–5 se muestran las regiones de paisaje de los Estados Unidos. ¿En qué región de paisaje vives?

Hay tres tipos principales de regiones de paisaje: montañas, llanuras y mesetas. Cada tipo tiene características diferentes. Una de ellas es la **elevación**, o la altura sobre el nivel del mar. Algunas regiones tienen elevaciones altas; otras tienen elevaciones bajas. Dentro de una región de paisaje, la elevación puede variar de sitio en sitio. La diferencia en las elevaciones de una región se llama su **relieve.** Si una región de paisaje tiene un relieve alto, hay grandes diferencias en las elevaciones de distintas zonas dentro de la región. ¿Qué te parece que ocurre en una región de paisaje con un relieve bajo?

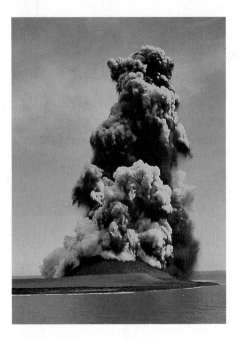

Figura 4–4 *Las masas continentales sufren cambios constantes. La isla de Surtsey nació en 1963 a raíz de una erupción volcánica submarina.*

Figura 4–5 *Este mapa muestra las principales regiones de paisaje de la parte continental de los Estados Unidos. ¿Qué tipo de paisaje cubre la mayor parte de la superficie? ¿En qué tipo de paisaje vives?*

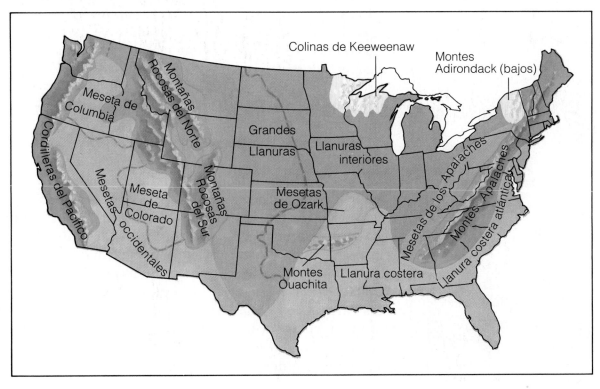

ACTIVITY

CALCULATING

Mountain Landscapes

Mountain landscapes cover about one fifth of the Earth's surface. The total land area of the Earth's surface is about 148,300,000 km². How much of the surface of the Earth has a mountain landscape?

Figure 4-6 *Mountains may form when the Earth's crust breaks into great blocks that are then tilted or lifted (top). Folded mountains form when layers of the Earth's crust wrinkle into wavelike folds (bottom).*

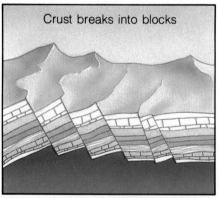
Crust breaks into blocks

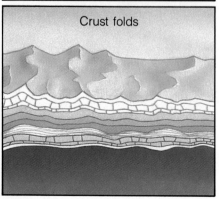
Crust folds

Mountains

Mountains make up one type of landscape region. Mountains are natural landforms that reach high elevations. Mountains have narrow summits, or tops, and steep slopes, or sides. Mountain landscapes have very high relief.

What do you think is the difference between a hill and a mountain? Most geologists agree that a mountainous area rises at least 600 meters above the surrounding land. But the actual height of a mountain is given as its height above sea level. For example, Pike's Peak in Colorado rises about 2700 meters above the surrounding land. But its actual height above sea level is 4301 meters.

The highest mountain in the world is Mount Everest. Mount Everest is part of the Himalayas, a great chain of mountains in Asia that extends from Tibet to Pakistan. The peak of Mount Everest soars more than 8 kilometers! The highest mountain in the United States is Mount McKinley in the state of Alaska. It is more than 6 kilometers high. What mountains are closest to your home?

All mountains did not form at the same time. Some mountains are old; others are relatively young. Mountains are built very slowly. It is thought that the Rocky Mountains began to form about 65 million years ago. It took about 10 million years for these mountains to reach their maximum height. You might be surprised to learn that geologists consider the Rocky Mountains to be "young" mountains. In this case, "young" and "old" are relative terms compared to the age of the Earth.

Mountains can be formed in several ways. Some mountains result from the folding and breaking of the Earth's surface. Other mountains are created when hot magma (liquid rock) from the Earth's interior breaks through the Earth's surface. (You will learn more about the Earth's interior in Chapter 5.)

Streams and rivers in mountain areas move very quickly. The higher and steeper the mountain slopes, the faster the water flows. Mountain streams and rivers carry rocks of all sizes. When there is heavy rainfall or when snow melts, the streams and rivers become so swollen with water that they can even carry small boulders.

Actividad

Paisajes montañosos

Las montañas cubren alrededor de la quinta parte de la superficie de la Tierra. La superficie terrestre total es de aproximadamente 148,300,000 km². ¿Cuánto mide la superficie con paisajes de montañas?

Figura 4–6 *Pueden formarse montañas cuando la corteza de la Tierra se rompe en grandes bloques que luego se inclinan o se elevan (arriba). Las montañas plegadas se forman cuando las capas de la corteza se doblan en pliegues como olas (abajo).*

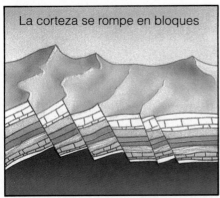

La corteza se rompe en bloques

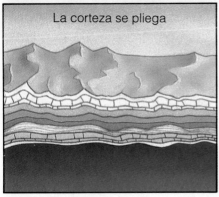

La corteza se pliega

Montañas

Las **montañas** son un tipo de región de paisaje. Son formaciones naturales que alcanzan altas elevaciones, con cumbres o picos estrechos y laderas o lados escarpados. Los paisajes montañosos tienen un relieve muy alto.

¿Cuál crees que es la diferencia entre una colina y una montaña? La mayoría de los geólogos están de acuerdo en que una zona montañosa se eleva por lo menos 600 metros por encima del terreno circundante. Pero la altura real de una montaña se expresa como su altura sobre el nivel del mar. Por ejemplo, el Pico Pikes en Colorado se eleva a 2700 metros sobre el terreno circundante, pero su altura real sobre el nivel del mar es 4301 metros.

La montaña más alta del mundo es el Monte Everest. El Monte Everest forma parte de los Himalayas, una gran cadena de montañas que se extiende en Asia desde el Tibet hasta el Pakistán. Su pico tiene más de 8 kilómetros de altura. La montaña más alta de los Estados Unidos es el Monte McKinley, en Alaska. Tiene más de 6 kilómetros de altura. ¿Cuáles son las montañas cercanas a tu casa?

No todas las montañas se formaron al mismo tiempo. Algunas son muy antiguas y otras relativamente jóvenes. Las montañas se forman muy lentamente. Se cree que las Montañas Rocosas empezaron a formarse hace 65 millones de años. Les llevó 10 millones de años llegar a su altura máxima. Los geólogos consideran que las Montañas Rocosas son montañas "jóvenes." En este caso, los términos "viejo" y "joven" son relativos en comparación con la edad de la Tierra.

Las montañas pueden formarse de varias maneras. Algunas se forman cuando la superficie de la Tierra se pliegua y se rompe. Otras se forman cuando magma caliente (roca líquida) surge del interior de la Tierra. (Aprenderás más sobre el interior de la Tierra en el capítulo 5.)

Los arroyos y los ríos se mueven muy rápidamente en las zonas montañosas. Cuanto más altas y escarpadas son las laderas de las montañas, más rápido corre el agua. Los arroyos y ríos de las montañas transportan rocas de todos los tamaños. Cuando hay lluvias intensas o cuando se derrite la nieve, esos arroyos y ríos crecen tanto que hasta pueden arrastrar pequeños peñascos.

Figure 4–7 *Some of the world's mountains are described below. In what state is the highest mountain in North America located?*

SOME OF THE WORLD'S MOST FAMOUS MOUNTAINS

Name	Height Above Sea Level (meters)	Location	Interesting Facts
Aconcagua	6959	Andes in Argentina	Highest mountain in the Western Hemisphere
Cotopaxi	5897	Andes in Ecuador	Highest active volcano in the world
Elbert	4399	Colorado	Highest mountain of Rockies
Everest	8848	Himalayas on Nepal-Tibet border	Highest mountain in the world
K2	8611	Kashmir	Second highest mountain in the world
Kanchenjunga	8598	Himalayas on Nepal-India border	Third highest mountain in the world
Kilimanjaro	5895	Tanzania	Highest mountain in Africa
Logan	5950	Yukon	Highest mountain in Canada
Mauna Kea	4205	On volcanic island in Hawaii	Highest island mountain in the world
Mauna Loa	4169	On volcanic island in Hawaii	Famous volcanic mountain
McKinley	6194	Alaska	Highest mountain in North America
Mitchell	2037	North Carolina	Highest mountain in the Appalachians
Mont Blanc	4807	France	Highest mountain in the Alps
Mount St. Helens	2549	Cascades in Washington	Recent active volcano in the United States
Pikes Peak	4301	Colorado	Most famous of the Rocky Mountains
Rainier	4392	Cascades in Washington	Highest mountain in Washington
Vesuvius	1277	Italy	Only active volcano on the mainland of Europe
Whitney	4418	Sierra Nevadas in California	Highest mountain in California

Figura 4–7 *Estas son algunas de las montañas de la Tierra.
¿En qué estado está la montaña mas alta de America del Norte?*

ALGUNAS DE LAS MONTAÑAS MÁS FAMOSAS DEL MUNDO

Nombre	Altura sobre del nivel del mar (metros)	Ubicación	Datos interesantes
Aconcagua	6959	Andes en la Argentina Occidental	Montaña más alta del Hemisferio
Cotopaxi	5897	Andes en el Ecuador	Volcán activo más alto del mundo
Elbert	4399	Colorado	Montaña más alta de las Rocosas
Everest	8848	Himalayas, frontera de Nepal y el Tibet	Montaña más alta del mundo
K2	8611	Cachemira	Segunda montaña más alta del mundo
Kanchenjunga	8598	Himalayas, frontera de Nepal y la India	Tercera montaña más alta del mundo
Kilimanjaro	5895	Tanzanía	Montaña más alta de África
Logan	5950	Yukón	Montaña más alta del Canadá
Mauna Kea	4205	Isla volcánica en Hawai	Montaña en una isla más alta del mundo
Mauna Loa	4169	Isla volcánica en Hawai	Montaña volcánica famosa
McKinley	6194	Alaska	Montaña más alta de América del Norte
Mitchell	2037	Carolina del Norte	Montaña más alta de los Apalaches
Mont Blanc	4807	Francia	Montaña más alta de los Alpes
Mount St. Helens	2549	Cascades en Washington Estados Unidos	Volcán recientemente activo en los
Pikes Peak	4301	Colorado	Pico más famoso de las Montañas Rocosas
Rainier	4392	Cascades en Washington	Montaña más alta de Washington
Vesubio	1277	Italia	Único volcán activo en Europa continental
Whitney	4418	Sierra Nevada en California	Montaña más alta de California

Figure 4–8 *The Rocky Mountains are considered "young" mountains because they formed a mere 65 million years ago (left). Mountains in the Appalachian Range are "old" mountains, having formed more than 300 million years ago (top right). Mount Kilimanjaro in Africa is an example of a mountain formed by volcanic activity (bottom right).*

Figure 4–9 *This stream, swollen with water from mountain snows, flows quickly.*

Streams and rivers often carve valleys in mountains. Valleys in older mountains are usually wide. Valleys in younger mountains are usually narrow. Why do you think this is so?

Individual mountains, which are mountains that are not part of a group, can be found in all parts of the world. These mountains are usually the products of volcanic activity during which magma broke through the Earth's surface. Examples of volcanic mountains are Fujiyama in Japan, Vesuvius in Italy, and Kilimanjaro in Tanzania.

Most mountains, however, are part of a group of mountains called a **mountain range**. A mountain range is a roughly parallel series of mountains that have the same general shape and structure. A group of mountain ranges in one area is called a **mountain system**. The Great Smoky, Blue Ridge, Cumberland, and Green mountain ranges are all in the Appalachian mountain system in the eastern United States.

Most mountain ranges and mountain systems are part of an even larger group of mountains called a **mountain belt.** The pattern of mountain belts on the Earth is shown in Figure 4–10.

There are two major mountain belts in the world. The Circum-Pacific belt rings the Pacific Ocean. The Eurasian-Melanesian belt runs across northern

Figura 4–8 *Las Montañas Rocosas se consideran montañas "jóvenes" porque se formaron hace sólo 65 millones de años (izquierda). Los Apalaches son montañas "viejas" porque se formaron hace más de 300 millones de años (arriba a la derecha). El Kilimanjaro en Africa es un ejemplo de montaña formada por la actividad volcánica (abajo a la derecha).*

Figura 4–9 *Este arroyo cargado de agua proveniente de nieves de la montaña corre rápidamente.*

Los arroyos y ríos forman a veces valles en las montañas. Los valles de las montañas más viejas son generalmente anchos y los de las montañas más jóvenes, estrechos. ¿Por qué crees que es así?

En todas partes del mundo, hay montañas aisladas, que no forman parte de un grupo, si no que son generalmente productos de la actividad volcánica. Ejemplos de montañas volcánicas son el Fujiyama en el Japón, el Vesubio en Italia y el Kilimanjaro en Tanzanía.

Sin embargo, la mayoría de las montañas forman parte de un grupo de montañas llamado **cordillera.** Una cordillera es una serie aproximadamente paralela de montañas con la misma forma y estructura general. Un grupo de cordilleras se llama un **sistema montañoso.** Las cordilleras de Great Smoky, Blue Ridge, Cumberland y Green están todas en el sistema montañoso de los Apalaches, al este de los Estados Unidos.

La mayoría de las cordilleras y los sistemas montañosos forman parte de un grupo aún mayor de montañas llamado **cinturón montañoso.** En la figura 4–10 se muestran los cinturones montañosos de la Tierra.

Hay dos cinturones montañosos principales en el mundo. El cinturón del Pacífico bordea el Océano Pacífico y el cinturón de Eurasia y Melanesia atraviesa

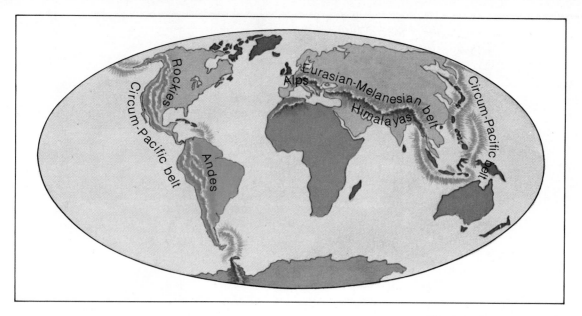

Africa, southern Europe, and Asia. The Eurasian-Melanesian belt and the Circum-Pacific belt meet in Indonesia, just north of Australia. These mountain belts may have been formed by movements of the Earth's crust.

Figure 4–10 *Most of the Earth's mountains are located within the two major mountain belts shown on this map: the Circum-Pacific belt and the Eurasian-Melanesian belt. Which major belt runs through the United States?*

Plains

Another type of landscape region is made up of **plains**. Plains are flat land areas that do not rise far above sea level. Plains, then, have very small differences in elevation. They are areas of low relief. The difference between the highest and lowest elevations in a plain may be less than 100 meters. Plains areas are characterized by broad rivers and streams. Most of the plants that grow well here are grasses, related to the grass plants that are grown in a lawn or on a baseball field. Some plains are located at the edges of a continent. Others are located in the continent's interior.

COASTAL PLAINS A coast is a place where the land meets the ocean. Low, flat areas along the coasts are called **coastal plains.** The Atlantic and Gulf coastal plains of the United States are typical coastal plains. The change in elevation of the land from the Gulf of Mexico to southern Illinois is very small. Over a distance of more than 1000 kilometers, the land rises only about 150 meters above sea level.

The coastal plains of the United States were formed when soil and silt were deposited on the edge of the continent. In the past, shallow oceans

To the Roof of the World

Mount Everest is the highest mountain on Earth. Sir Edmund Hillary was the first person to reach the top of Mount Everest. Hillary described his exploits in a book entitled *High Adventure*. You might enjoy reading *High Adventure* (or any of several other books Hillary wrote describing his various exploits).

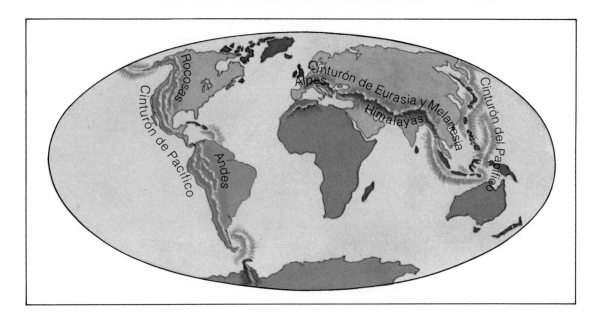

el norte de Africa, el sur de Europa y Asia. El cinturón de Eurasia y Melanesia y el cinturón del Pacífico se juntan en Indonesia, al norte de Australia. Es posible que estos cinturones montañosos hayan sido formados por movimientos de la corteza de la Tierra.

Figura 4–10 *La mayoría de las montañas de la Tierra están situadas en los dos grandes cinturones montañosos que se ven en este mapa: el cinturón del Pacífico y el de Eurasia y Melanesia. ¿Cuál de los cinturones pasa por los Estados Unidos?*

Llanuras

Otro tipo de región de paisaje es la de **llanuras.** Las llanuras son regiones planas que no se elevan mucho sobre el nivel del mar. Tienen en consecuencia pequeñas diferencias de elevación y un relieve bajo. La diferencia entre las elevaciones máxima y mínima de una llanura puede ser menos de 100 metros. Las llanuras tienen ríos y arroyos anchos. La mayoría de las plantas que crecen en las llanuras son pastos, similares a los de un césped o una cancha de béisbol. Algunas llanuras están en los bordes de los continentes y otras en el interior.

LLANURAS COSTERAS Una costa es un lugar donde la tierra se encuentra con el océano. Las zonas bajas y planas a lo largo de las costas se llaman **llanuras costeras.** Las llanuras costeras del Atlántico y del Golfo son típicas de los Estados Unidos. El cambio de elevación desde el golfo de México hasta la parte sur de Illinois es muy pequeño. En una distancia de más de 1000 kilómetros, el terreno sólo sube 150 metros sobre el nivel del mar.

Las llanuras costeras de los Estados Unidos se formaron al depositarse tierra y sedimentos en el borde del continente. En el pasado, estas zonas estaban

ACTIVIDAD

PARA LEER

Al techo del mundo

El monte Everest es la montaña más alta de la Tierra. Sir Edmund Hillary fue la primera persona que llegó a su cumbre. El describió sus hazañas en un libro titulado *High Adventure.* Tal vez te guste leer *High Adventure* (o cualquiera de los otros libros que escribió sobre sus múltiples hazañas).

Figure 4–11 *This area in Jacksonville Beach, Florida, is located within the Atlantic coastal plain. What characteristic of plains regions is visible in this photograph?*

Ctivity Bank

Making Soil, p.171

Figure 4–12 *The land in interior plains regions has fertile soil. In the past, these lands supported huge herds of grazing animals, such as buffaloes. Today crops are grown in these areas.*

covered these areas. As these oceans disappeared, large deposits of sand and silt were left behind. More sediments have been deposited onto coastal plains by rivers and streams. The soil in these areas has been enriched by these deposits.

Because of the abundance of fertile soil, farming is a major activity of great economic importance on coastal plains. In the United States, cotton, tobacco, vegetables, and citrus crops are grown in these areas.

INTERIOR PLAINS Some low flat areas are also found inland on a continent. These areas are called **interior plains**. Interior plains are somewhat higher above sea level than coastal plains. For example, the interior plains of the United States have an elevation of about 450 meters above sea level. This is considerably higher than the elevation of the Atlantic and Gulf coastal plains. But within an interior plain itself, the differences in elevation are small. So interior plains also have low relief.

The Great Plains of the United States are large interior plains. They were formed as mountains and hills that were later worn down by wind, streams, and glaciers. Large interior plains are found in the Soviet Union, central and eastern Europe, and parts of Africa and Australia.

Interior plains have good soil. The sediments deposited by rivers and streams make the soil suitable for farming. In the United States, grasses and grains such as wheat, barley, and oats are grown in the interior plains. Cattle and sheep are raised in these areas, too.

Figura 4–11 *Esta zona de Jacksonville Beach, en Florida, está en la llanura costera del Atlántico. ¿Qué características de las regiones de llanuras son visibles en esta fotografía?*

Pozo de actividades

Preparación de tierra, p. 171

Figura 4–12 *El suelo de las llanuras interiores es fértil. En el pasado, pastaban en ellas enormes rebaños de animales, como los búfalos. En la actualidad se producen varios cultivos.*

cubiertas por océanos poco profundos. Cuando esos océanos desaparecieron, quedaron grandes depósitos de arena y de sedimentos. Los ríos y los arroyos han depositado más *sedimentos*, que han enriquecido el suelo de esas llanuras.

A causa de la abundancia de suelos fértiles, la agricultura es muy importante en las llanuras costeras. En esas zonas. de los Estados Unidos se cultiva algodón, tabaco, vegetales y frutas cítricas.

LLANURAS INTERIORES También hay algunas zonas bajas y planas en el interior de los continentes. Estas zonas, llamadas **llanuras interiores**, están algo más altas sobre el nivel del mar que las llanuras costeras. Por ejemplo, las llanuras interiores de los Estados Unidos tienen una elevación de alrededor de 450 metros sobre el nivel del mar, considerablemente más que las llanuras costeras del Atlántico y del Golfo. Pero dentro de las llanuras interiores, las diferencias de elevación son pequeñas, y su relieve es así bajo.

Las Grandes Llanuras de los Estados Unidos son llanuras interiores muy grandes. Se formaron como montañas y colinas que fueron más tarde desgastadas por el viento, los arroyos y los glaciares. Hay grandes llanuras interiores en la Unión Soviética, Europa central y oriental, y partes de África y de Australia.

Las llanuras interiores tienen muy buen suelo. Los sedimentos depositados por los ríos y arroyos son beneficiosos para la agricultura. En los Estados Unidos, pastos y cereales como el trigo, la cebada y la avena se cultivan en las llanuras interiores. También se crían en estas zonas ganado vacuno y ovejas.

Plateaus

A third type of landscape region consists of **plateaus**. Plateaus are broad, flat areas of land that rise more than 600 meters above sea level. Some plateaus reach elevations of more than 1500 meters. Plateaus are not considered mountains because their surfaces are fairly flat. Like plains, plateaus have low relief. But unlike plains, plateaus rise much higher above sea level.

Most plateaus are located inland. But a few plateaus are near oceans. The plateaus near oceans often end in a cliff at the edge of a coastal plain. If a plateau is directly next to an ocean, it ends in a cliff at the coast.

Plateaus often have the same landscape for thousands of kilometers. Some plateaus have been deeply cut by streams and rivers that form canyons. The Colorado River cuts through the Colorado Plateau to form the Grand Canyon in Arizona. The river flows 1.5 kilometers lower than the surface of the surrounding plateau. Have you ever visited the Grand Canyon or seen pictures of it?

Many plateaus of the world are dry, nearly desert areas. They are often used for grazing cattle, sheep, and goats. Plateaus in the western United States are rich in coal and mineral deposits such as copper and lead.

Figure 4–13 *Plateaus are broad, flat areas of land with low relief. Some plateaus have been cut by streams and rivers that form canyons. Cut by the relentless action of the Colorado River, the Grand Canyon is among the most impressive on Earth.*

Mesetas

Un tercer tipo de región de paisajes son las **mesetas.** Las mesetas son superficies amplias y llanas situadas a más de 600 metros sobre el nivel del mar. Algunas tienen más de 1500 metros de altura, pero no se consideran montañas porque son planas. Al igual que las llanuras, tienen poco relieve, pero a diferencia de las llanuras, están mucho más alto sobre el nivel del mar.

La mayoría de las mesetas están en el interior de los continentes, pero hay algunas cerca de los océanos. Las mesetas cerca de los océanos suelen terminar en un acantilado al borde de una llanura costera. Si una meseta está directamente sobre el mar, termina en un acantilado sobre la costa.

Las mesetas suelen tener el mismo paisaje por miles de kilómetros. Algunas tienen cortes profundos causados por arroyos y ríos que forman cañones. El río Colorado atraviesa la meseta del Colorado y forma el Gran Cañón en Arizona. El río corre 1.5 kilómetros por debajo de la superficie de la meseta. ¿Has visitado, o visto fotografías, del Gran Cañón?

La mayoría de las mesetas del mundo son zonas secas, casi desérticas. Suelen usarse para la cría de ganado vacuno, ovejas y cabras. Las mesetas de los Estados Unidos son ricas en carbón y minerales como el cobre y el plomo.

ACTIVIDAD
PARA ESCRIBIR

Vacaciones de ensueño

Imagina que haces un viaje por los Estados Unidos. Verás muchos paisajes diferentes. Escribe un ensayo de 200 palabras sobre lo que ves en tu viaje. Incluye en el texto las siguientes palabras del vocabulario: llanura costera, llanura interior, montaña, cordillera, meseta, elevación. No olvides mencionar lugares concretos, como la llanura costera del Golfo o la meseta de Colorado.

Figura 4–13 *Las mesetas son superficies amplias y planas con poco relieve. Algunas están cortadas por arroyos y ríos que forman cañones. El Gran Cañón, cortado por la acción inexorable del río Colorado, es el más impresionante de la Tierra.*

CONNECTIONS

Frozen Foods—An Idea From Frigid Lands

Near the North Pole—in climates almost as severe as those found in Antarctica—native peoples have lived for many thousands of years. They survive primarily by fishing and hunting. And a long time ago, they discovered that the extreme cold in which they live can have significant value—it can preserve food.

Clarence Birdseye was a businessman and inventor, who at his death owned more than 300 patents on his inventions. Early in his career, Birdseye traded in furs. In 1912 and 1916 he visited Labrador, a part of Canada. While there, he observed the people freezing food for use in the winter because it was difficult for them to get a fresh supply during the very cold months. Birdseye spent

years experimenting on ways to freeze food commercially. In 1929 he achieved success and began selling his quick-frozen foods. As a result of this technology, Birdseye became quite wealthy and famous. Today, his name is practically synonymous with frozen foods.

The idea seems a simple one. Extremely cold temperatures can protect foods from spoiling almost indefinitely. (Some Russian scientists claim that they have eaten the meat of a mammoth frozen 20,000 years ago and have found it edible!) But keep in mind that the original idea came from native peoples whose primary motive was to survive in a cold, hostile environment.

4–2 Section Review

1. What is a landscape? What are the three main landscape types found in the United States?
2. What do scientists mean by the Earth's topography?
3. Describe the following: mountain, mountain range, mountain system, mountain belt.
4. What is a coastal plain? An interior plain?

Connection—*Ecology*

5. Why are plains and plateaus good areas to grow crops, whereas the sides of mountains usually are not?

CONEXIONES

Alimentos congelados—Una idea de las tierras frígidas

Cerca del polo norte, en climas casi tan extremos como los de la Antártida, han vivido poblaciones nativas durante miles de años. Sobreviven principalmente mediante la pesca y la caza. Hace mucho tiempo descubrieron que el frío intenso en que viven puede tener una gran utilidad: puede conservar alimentos.

Clarence Birdseye era un empresario e inventor que, al morir, tenía más de 300 patentes de inventos. Al comenzar su carrera, Birdseye era comerciante en pieles. En 1912 y 1916 visitó el Labrador, una parte del Canadá, y observó que la gente congelaba alimentos para usarlos en el invierno, cuando era muy difícil obtenerlos.

Birdseye pasó años ensayando la forma de congelar comercialmente los alimentos. En 1929 tuvo éxito y empezó a vender sus alimentos congelados. Se hizo muy rico y famoso. En la actualidad. su nombre es prácticamente sinónimo de alimentos congelados.

La idea parece sencilla. Las temperaturas muy frías pueden impedir casi indefinidamente que los alimentos se estropeen. (Algunos científicos rusos dicen que han comido la carne de un mamut congelado hace 20,000 años ¡y estaba comestible!) Pero recuerda que la idea original provino de pueblos nativos, cuyo principal motivo era el sobrevivir en un medio frío y hostil.

4–2 Repaso de la sección

1. ¿Qué es un paisaje? ¿Cuáles son los tres principales tipos de paisaje de los Estados Unidos?
2. ¿Qué quieren decir los científicos cuando se refieren a la topografía de la Tierra?
3. Describe lo siguiente: montaña, cordillera, sistema montañoso, cinturón montañoso.
4. ¿Qué es una llanura costera? ¿Una llanura interior?

Conexión—*Ecología*

5. ¿Por qué las llanuras y las mesetas son zonas apropiadas para los cultivos, en tanto que las laderas de las montañas generalmente no lo son?

4–3 Mapping the Earth's Surface

Guide for Reading

Focus on this question as you read.

▶ *What are some features of the Earth shown on maps and globes?*

A **map** is a drawing of the Earth, or a part of the Earth, on a flat surface. There are many ways to show the Earth's surface features on maps. Some maps show only a small area of the Earth. Others show the Earth's entire surface. Maps are often grouped together in a book called an atlas. Have you ever thumbed through an atlas and visited, if only in your imagination, distant and foreign places?

The most accurate representation of the entire surface of the Earth is a **globe**. A globe is a spherical, or round, model of the Earth. It shows the shapes, sizes, and locations of all the Earth's landmasses and bodies of water.

Both maps and globes are drawn to **scale**. A scale compares distances on a map or globe to actual distances on the Earth's surface. For example, 1 centimeter on a map might equal 10 kilometers on the Earth's surface. Different maps may have different scales. However, all maps and globes should have the scale used to represent the distances shown on that particular map or globe. Why is including a scale important?

Meridians

When you look at a globe or a map, you see many straight lines on it. Some of the lines run between the points that represent the geographic North and South poles of the Earth. These lines are called **meridians** (muh-RIHD-ee-uhnz).

Each meridian is half of an imaginary circle around the Earth. Geographers have named the meridian that runs through Greenwich, England, the **prime meridian**. Because meridians run north and south, they measure distance east and west. The

Figure 4–14 *Satellites that orbit the Earth provide information used to make maps. In the center of the photograph of Washington, DC, you can make out the mall that runs from the United States Capitol to the Washington Monument. Satellite images can also show evidence of living organisms. The yellow areas in the photograph represent great numbers of microscopic life in the oceans along the coasts of continents.*

4–3 Mapas de la superficie terrestre

Guía para la lectura

Piensa en esta pregunta mientras lees.

▶ *¿Cuáles son algunas características de la Tierra que se muestran en los mapas y los globos terráqueos?*

Un **mapa** es un dibujo de la Tierra, o de parte de la Tierra, en una superficie plana. Hay muchas formas de mostrar las características de la superficie terrestre en los mapas. Algunos mapas sólo muestran una pequeña zona de la Tierra. Otros muestran toda su superficie. Los mapas suelen agruparse en libros llamados atlas. ¿Has visto alguna vez un atlas y visitado en tu imaginación lugares distantes y extraños?

La representación más exacta de toda la superficie de la Tierra es un **globo terráqueo**. Un globo terráqueo es un modelo esférico, o redondo, de la Tierra en que se muestran las formas, los tamaños y las ubicaciones de todas las masas de tierra y de agua.

Tanto los mapas como los globos terráqueos se trazan a **escala**. Una escala compara las distancias en un mapa o un globo terráqueo con las distancias reales en la superficie. Por ejemplo, 1 centímetro de un mapa puede equivaler a 10 kilómetros. Los mapas pueden tener diferentes escalas. Sin embargo, todos tienen que indicar la escala utilizada para representar las distancias en ese mapa o globo terráqueo particular. ¿Por qué es importante incluir una escala?

Meridianos

Si miras un globo terráqueo o un mapa, verás muchas líneas rectas. Algunas unen los puntos que representan los polos geográficos norte y sur de la Tierra. Esas líneas se llaman **meridianos.**

Cada meridiano es la mitad de un círculo imaginario alrededor de la Tierra. Los geógrafos han llamado al meridiano que atraviesa Greenwich, en Inglaterra, el **primer meridiano**. En razón de que van de norte a sur, los meridianos miden la distancia de este a oeste.

Figura 4–14 *Los satélites proporcionan información que se usa para trazar mapas. En el centro de la fotografía de Washington, D.C., puedes ver el paseo (mall) que va desde el Capitolio hasta el Monumento a Washington. Las imágenes de satélite pueden también indicar la presencia de organismos vivos. Las zonas amarillas de la fotografía indican grandes cantidades de vida microscópica en los océanos a lo largo de la costa de los continentes.*

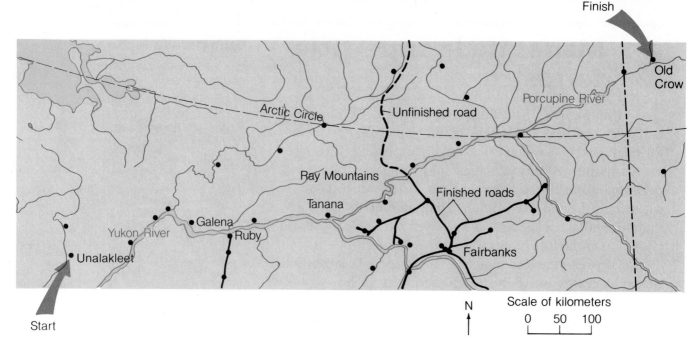

Figure 4–15 *The scale on this map is useful in finding the distance between two cities. If you took a plane ride from Unalakleet to Old Crow, how many kilometers would you fly?*

measure of distance east and west of the prime meridian is called **longitude**. Meridians are used to measure longitude.

The distance around any circle, including the Earth, is measured in degrees. The symbol for degree is a small circle written at the upper right of a number. All circles contain 360°. Each meridian marks 1° of longitude around the Earth. But not all meridians are drawn on most globes or maps. (Just think how crowded a map would look if all 360 meridians were drawn.)

The prime meridian is labeled 0° longitude. Meridians to the east of the prime meridian are called east longitudes. Meridians to the west of the prime meridian are called west longitudes. Meridians of east longitude measure distances halfway around the Earth from the prime meridian. Meridians of west longitude measure distances around the other half of the Earth from the prime meridian. Because half the distance around a circle is 180°, meridians of east and west longitude go from 0° to 180°.

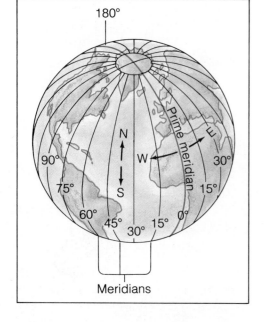

Figure 4–16 *Meridians are lines running north to south on a map or globe. What are meridians used to measure?*

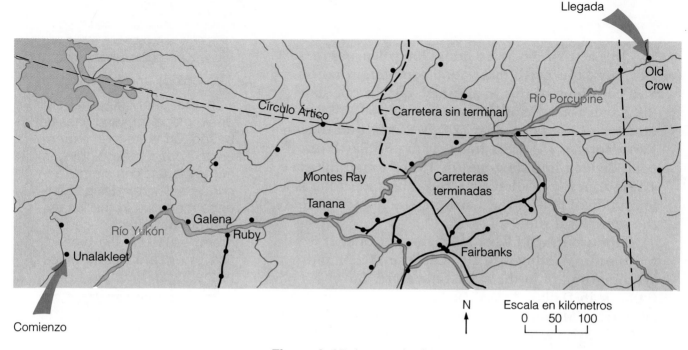

Figura 4–15 *La escala de este mapa es útil para hallar la distancia entre dos ciudades. Si vuelas en avión desde Unalakleet hasta Old Crow, ¿cuántos kilómetros volarías?*

La medida de la distancia hacia el este o el oeste desde el primer meridiano se llama **longitud.** Los meridianos se usan para medir la longitud.

La distancia alrededor de cualquier círculo, incluida la Tierra, se mide en grados. El símbolo de grado es un circulito arriba y a la derecha de un número. Todos los círculos tienen 360°. Cada meridiano marca 1° de longitud alrededor de la Tierra. Pero en la mayoría de los globos terráqueos o los mapas no se indican todos los meridianos. (Piensa lo lleno que estaría un mapa si se indicaran los 360 meridianos.)

El primer meridiano se denomina longitud 0°. Los meridianos hacia el este del primer meridiano se llaman longitudes este; los meridianos al oeste se llaman longitudes oeste. Los meridianos de longitud este miden las distancias hasta el punto de la Tierra opuesto al primer meridiano; los de longitud oeste, las distancias hasta el punto opuesto en dirección contraria. Dado que la mitad de la distancia alrededor de un círculo es 180°, los meridianos de longitud este y oeste van de 0° a 180°.

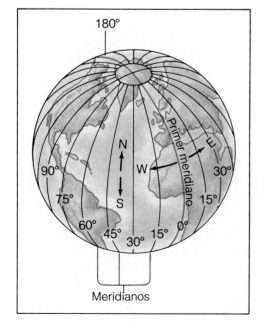

Figura 4–16 *Los meridianos son líneas trazadas de norte a sur en un mapa o globo terráqueo. ¿Qué miden los meridianos?*

Time Zones

On Earth, a day is 24 hours long. During these 24 hours, the Earth makes one complete rotation. You can think of this in another way. In one day, the Earth rotates 360°. If you divide 360° by the number of hours in a day (24), you will find that the Earth rotates 15° every hour. Thus the Earth has been divided into 24 zones of 15° of longitude each. These zones are called **time zones**. A time zone is a longitudinal belt of the Earth in which all areas have the same local time.

Suppose it is 6:00 AM in Miami, Florida. It is also 6:00 AM in Washington, DC, because Miami and Washington are in the same time zone. But it is not 6:00 AM in Dallas, Texas. Dallas is one time zone away from Miami and Washington. How can you tell whether it is earlier or later in Texas?

Technology and Mapmaking

In the past, mapmakers drew maps of landmasses based on personal experience. Today, technology has made mapmaking a more accurate science. Using reference materials in the library, find out how the space program resulted in the production of more accurate maps of the Earth.

Figure 4–17 *The Earth has been divided into 24 time zones. All areas within a single time zone have the same local time.*

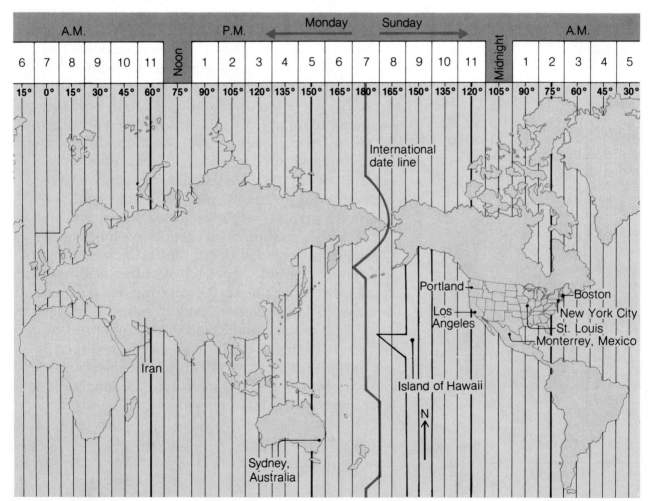

Husos horarios

En la Tierra, el día tiene 24 horas. En esas 24 horas, la Tierra hace una rotación completa, o rota 360°. Si divides 360° por el número de horas en un día (24), encontrarás que la Tierra rota 15° por hora. Por esa razón, se la ha dividido en 24 zonas de 15° de longitud llamada **husos horarios**. Un huso horario es un cinturón longitudinal en que todos los puntos tienen la misma hora local.

Cuando son las seis de la mañana en Miami, Florida, también son las seis en Washington, D.C., porque Miami y Washington están en el mismo huso horario. Pero no son las seis en Dallas, Texas. Dallas tiene una hora de diferencia con Miami y Washington. ¿Cómo puedes saber si es más temprano o más tarde en Texas?

ACTIVIDAD
PARA ESCRIBIR

Tecnología y trazado de mapas

En el pasado, los que trazaban mapas de las masas terrestres se basaban en su experiencia personal. Hoy, la tecnología del trazado de mapas es una ciencia exacta. Utilizando materiales de referencia de la biblioteca, averigua cómo el programa espacial dio como resultado mapas más precisos de la Tierra.

Figura 4–17 *La Tierra se ha dividido en 24 zonas horarias. Todos los sitios dentro del mismo huso horario tienen la misma hora local.*

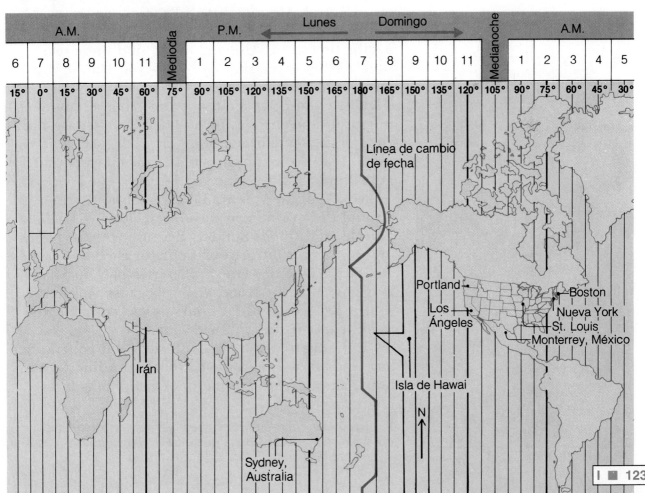

ACTIVITY

DOING

Mapping Your Neighborhood

1. Draw a detailed map of your neighborhood. Be sure to draw the map to scale.

2. Use different colors for buildings, industrial areas, crop fields, and bodies of water.

3. Make a legend that includes the symbols in the map and their meanings.

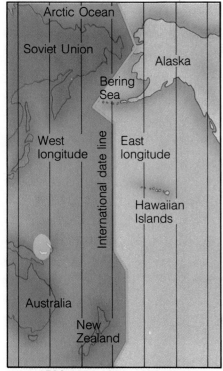

The Earth rotates on its axis from west to east. This direction of rotation makes the sun appear to rise in the east and travel toward the west. So the sun comes into view first in the east. Suppose the sun rises in New York City at 6:00 AM. After the Earth rotates 15°, the sun rises in Dallas. It is 6:00 AM in Dallas. But it is now 7:00 AM in New York City. Dallas is one time zone west of New York City.

After the Earth rotates another 15°, the sun rises in Denver. It is 6:00 AM in Denver. But by now it is 7:00 AM in Dallas and 8:00 AM in New York City. Denver is one time zone west of Dallas and two time zones west of New York City.

If it were not for time zones, the sun would rise in New York City at 6:00 AM, in Dallas at 7:00 AM, in Denver at 8:00 AM, and in Los Angeles at 9:00 AM. And the sun would not rise in Hawaii until 11:00 AM! Because of time zones, the sun rises at 6:00 AM in each city. Is this an advantage? Why?

There are four time zones in the contiguous United States. From east to west they are: the Eastern, Central, Mountain, and Pacific time zones. The states of Alaska and Hawaii are further west than the Pacific time zone. Use a globe to find these two states. What is the time in Alaska and Hawaii if it is 9:00 AM in Los Angeles?

When you cross from one time zone to another, the local time changes by one hour. If you are traveling east, you add one hour for each time zone you cross. If you are traveling west, you subtract one hour for each time zone you cross.

Now suppose you are taking a 24-hour trip around the world. You travel west, leaving Miami, Florida, at 1:00 PM Sunday. Because you are traveling west, you subtract one hour for each time zone you cross. One day later, you arrive back in Miami. It is now 1:00 PM Monday. But because you have subtracted a total of 24 hours as you traveled, you think that it is still 1:00 PM Sunday!

This situation is quite confusing. But geographers have established the **international date line** to simplify matters. The international date line is located

Figure 4–18 *Travelers going west across the international date line gain a day. Those going east across it lose a day. Why does the international date line zigzag?*

Lunes ←——|——→ Domingo

150° 165° 180° 165° 150°

Océano Ártico

Unión Soviética

Alaska

Mar de Bering

Longitud oeste

Línea de cambio de la fecha

Longitud este

Islas de Hawai

Australia

Nueva Zelandia

150° 165° 180° 165° 150°

La Tierra rota en su eje de oeste a este. Parece así que el sol sale en el este y avanza hacia el oeste. Imagina que el sol sale en Nueva York a las seis de la mañana. Después de que la Tierra rota 15°, sale el sol en Dallas. Son las seis en Dallas, pero son las siete en Nueva York. Dallas está una zona horaria al oeste de Nueva York.

Después de que la Tierra rota otros 15°, el sol sale en Denver. Son las seis en Denver, pero son las siete en Dallas y las ocho en Nueva York. Denver está un huso horario al oeste de Dallas y dos zonas horarias al oeste de Nueva York.

Si no fuera por los husos horarios, el sol saldría en Nueva York a las seis, en Dallas a las siete, en Denver a las ocho y en Los Ángeles a las nueve. ¡Recién saldría en Hawai a las once de la mañana! Gracias a las zonas horarias, el sol sale a las seis de la mañana en cada ciudad. ¿Es ésta una ventaja? ¿Por qué?

Hay cuatro zonas horarias en los Estados Unidos: la del este, la del centro, la de las montañas y la del Pacífico. Alaska y Hawai están al oeste de la zona horaria del Pacífico. Busca en un globo terráqueo esos dos Estados. ¿Qué hora es en Alaska y en Hawai si son las nueve de la mañana en Los Ángeles?

Cuando pasas de una zona horaria a otra, hay una hora de diferencia. Si viajas hacia el este, añadirás una hora por cada zona que cruces. Si viajas hacia el oeste, restarás una hora.

Supón que haces un viaje de 24 horas alrededor del mundo. Viajas hacia el oeste, saliendo de Miami, Florida, a la una de la tarde del domingo. Restarás una hora por cada zona horaria que cruces. Un día después, a la una de la tarde del lunes, vuelves a Miami. Pero como has restado en total 24 horas en tu viaje, creerás que es todavía la una del domingo.

Para simplificar esta confusa situación, los geógrafos han establecido **la línea de cambio de fecha** a lo largo del meridiano 180. Cuando cruzas esta línea hacia el este, restas un día. Cuando la cruzas hacia

Figura 4–18 *Los que atraviesan la línea de cambio de fecha hacia el oeste ganan un día. Los que la cruzan hacia el este pierden un día. ¿Porqué tiene forma de zigzag la línea de fecha?*

along the 180th meridian. When you cross this line going east, you subtract one day. When you cross this line going west, you add one day. So in your trip around the world, you should have added one day, or gone from Sunday to Monday, as you crossed the international date line traveling west. You would then have arrived back in Miami, as expected, at 1:00 PM Monday afternoon.

Parallels

There are also lines from east to west across a map or globe. These lines are called **parallels**. Parallels cross meridians at right angles. The parallel located halfway between the North and South poles is the **equator**. Because parallels run east and west, they measure distance north and south. So in relation to the equator, locations of other parallels are either north or south. The measure of distance north and south of the equator is called **latitude**. Parallels are used to measure latitude.

The equator is labeled 0° latitude. Parallels to the north of the equator are north latitudes. Parallels to the south of the equator are south latitudes. The distance from the equator to either the North or South pole is one quarter of the distance around the Earth.

ACTIVITY DOING

Latitude and Longitude

1. Select ten specific places on the Earth. Use a map or globe and determine the approximate latitude and longitude of each place. For example, if you select New Orleans, Louisiana, your answer will be 30°N, 90°W. If you select Tokyo, Japan, your answer will be 35°N, 140°E.

2. Write down ten random combinations of latitude and longitude. Refer to a map or globe to find the corresponding locations. For example, if you write down 50°S, 70°W, the corresponding location will be southern Argentina.

Why are latitude and longitude important?

Figure 4–19 *Parallels are lines running from east to west on a map or globe. Parallels and meridians form a grid used to determine exact locations. On what continent is 40° north latitude and 90° west longitude located?*

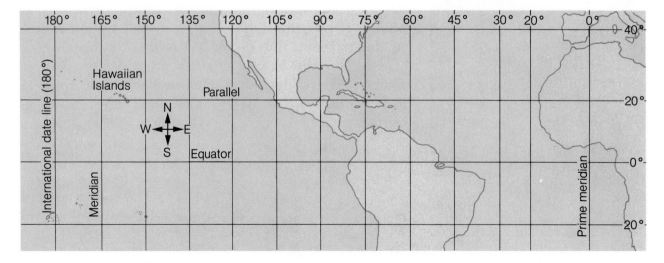

el oeste, añades un día. En tu viaje alrededor del mundo, debías haber añadido un día, o pasado de domingo a lunes, al cruzar la línea de cambio de fecha viajando hacia el oeste. Habrías llegado entonces a Miami a la una de la tarde del lunes.

Paralelos

Hay también líneas trazadas de este a oeste en los mapas y los globos. Estas líneas se llaman **paralelos** y cruzan los meridianos en ángulo recto El paralelo situado en el punto medio entre los polos norte y sur es el **ecuador.** Dado que van de este a oeste, los paralelos miden la distancia de norte a sur. Por lo tanto, en relación al ecuador, las ubicaciones de otros paralelos se consideran norte o sur. La medida de la distancia al norte o al sur del ecuador se llama **latitud.** Los paralelos se usan para medir la latitud.

El ecuador se considera la latitud 0°. Los paralelos al norte del ecuador son latitudes norte y los paralelos al sur, latitudes sur. La distancia del ecuador al polo norte o al polo sur es un cuarto de la distancia alrededor de la Tierra.

ACTIVIDAD
PARA HACER

Latitud y longitud

1. Elige diez lugares de la Tierra. Usa un mapa o un globo terráqueo para determinar la latitud y la longitud aproximadas de cada lugar. Por ejemplo, si eliges Nueva Orleans, Louisiana, tu respuesta será 30° norte, 90° oeste. Si eliges Tokio (Japón), tu respuesta será 35° norte, 140° este.

2. Escribe al azar diez combinaciones de latitud y longitud. Mira un mapa o un globo terráqueo para encontrar sus ubicaciones. Por ejemplo, si escribes 50° sur, 70° oeste, el lugar correspondiente estará en el sur de la Argentina.

¿Por qué son importantes la latitud y la longitud?

Figura 4–19 *Los paralelos son líneas trazadas de este a oeste en un mapa o un globo terráqueo. Los paralelos y los meridianos forman una cuadrícula que se usa para determinar las ubicaciones exactas. ¿En qué continente está el punto situado a 40° norte de latitud y 90° oeste de longitud?*

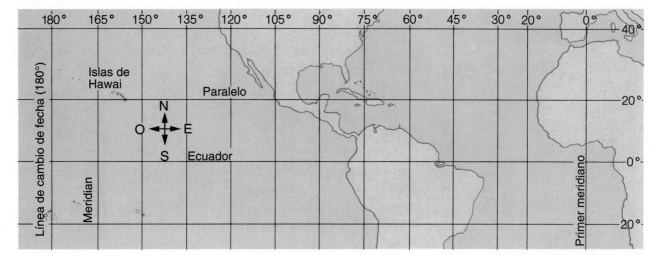

Because one quarter of the distance around a circle is 90°, north and south parallels are labeled from 0° to 90°. The North Pole is at 90° north latitude, or 90°N. The South Pole is at 90° south latitude, or 90°S. Just as there is a meridian for every degree of longitude, there is a parallel for every degree of latitude. But not all parallels are drawn on most globes or maps.

Meridians and parallels form a grid, or network of crossing lines, on a globe or map. They can be used to determine the exact locations east and west of the prime meridian and north and south of the equator. For example, if a ship reported its position as 30° south latitude and 165° east longitude, it would be off the coast of Australia. Why is this system of locating points helpful in shipping?

Types of Maps

Maps of the Earth are very useful. **Maps show locations and distances on the Earth's surface. They also show many different local features. Some maps show the soil types in an area. Some show currents in the ocean. Some maps show small, detailed areas of the Earth. Maps of cities may show every street in those cities.**

However, maps have one serious drawback. Because they are flat, maps cannot represent a round surface accurately. Like a photograph of a person, a map is only a **projection**, or a representation of a three-dimensional object on a flat surface. When the round surface of the Earth is represented on the flat surface of a map, changes occur in the shapes and sizes of landmasses and oceans. These changes are called distortion. Despite distortion, maps are still useful.

MERCATOR PROJECTIONS   There are many different ways to project the Earth's image onto a map. One type of map projection is a **Mercator projection**. Mercator projections are used for navigation. They show the correct shape of the coastlines. But the sizes of land and water areas become distorted in latitudes far from the equator. For example, on the Mercator projection in Figure 4–20, Greenland appears much larger than it really is.

Dado que un cuarto de la distancia alrededor de un círculo es 90°, los paralelos norte y sur van de 0° a 90°. El polo norte está a 90° de latitud norte, o 90° N. El polo sur está a 90° de latitud sur, o 90° S. Igual que hay un meridiano por cada grado de longitud, hay un paralelo por cada grado de latitud. Pero en la mayoría de los globos y los mapas no se indican todos los paralelos.

Los meridianos y los paralelos forman una retícula, o conjunto de líneas entrecruzadas, sobre un globo terráqueo o un mapa. Pueden usarse para determinar las ubicaciones exactas al este y al oeste del primer meridiano y al norte y al sur del ecuador. Por ejemplo, si un buque comunica su posición como 30° de latitud sur y 165° de longitud este, está cerca de la costa de Australia. ¿Por qué es útil este sistema de ubicar puntos en la navegación?

Tipos de mapas

Los mapas de la Tierra son muy útiles. **Los mapas muestran las ubicaciones y las distancias en la superficie de la Tierra. Muestran también muchas características locales. Algunos mapas muestran los tipos de suelo de una zona. Algunos muestran las corrientes del océano. Algunos muestran zonas pequeñas y detalladas. Los mapas de las ciudades pueden mostrar todas sus calles.**

Sin embargo, los mapas tienen un grave inconveniente. Al ser planos, no pueden representar con exactitud una superficie curva. Igual que una fotografía de una persona, un mapa es sólo una **proyección** o una representación de un objeto tridimensional en una superficie plana. Cuando se representa la superficie curva de la Tierra en la superficie plana de un mapa, se producen cambios, llamados distorsiones, en las formas y los tamaños de las masas continentales y océanos. A pesar de eso, los mapas siguen siendo útiles.

PROYECCIONES DE MERCATOR Hay varias formas de proyectar la imagen de la Tierra en un mapa. Un tipo de proyección es la **proyección de Mercator**. Las proyecciones de Mercator se usan para la navegación. Muestran la forma correcta de las costas, pero distorsionan los tamaños de las superficies terrestres y de agua en latitudes distantes del ecuador. Por ejemplo, en la proyección de Mercator que se ve en la figura 4–20, Groenlandia parece mucho mayor de lo que realmente es.

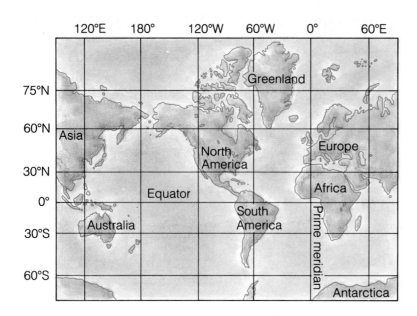

EQUAL-AREA PROJECTIONS   Another type of map projection is called an **equal-area projection**. Equal-area projections show area correctly. The meridians and parallels are placed on the map in such a way that every part of the Earth is the same size on the map as it is on a globe. But the shapes of the areas are distorted on an equal-area projection. What areas in Figure 4–21 look distorted to you?

Figure 4–21 *The correct areas of the Earth's landmasses are shown on this map. But the correct shapes are not. What type of map is this?*

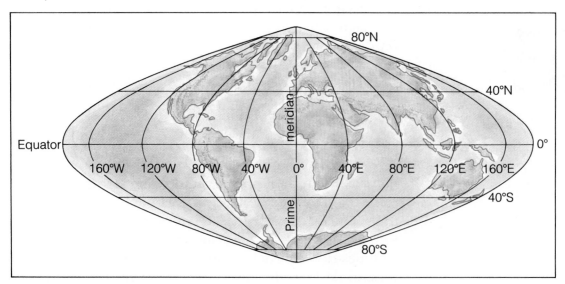

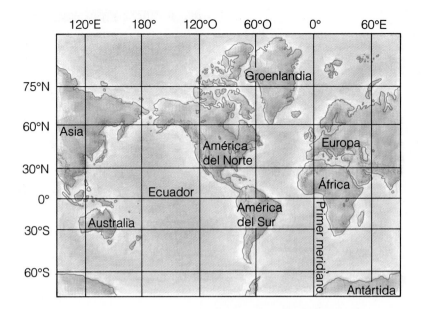

Figura 4–20 *Este tipo de mapa se llama proyección de Mercator. ¿Qué elemento está distorsionado?*

PROYECCIONES EQUIVALENTES Otro tipo de proyección se llama **proyección equivalente**. Las proyecciones equivalentes muestran correctamente la superficie. Los meridianos y los paralelos se colocan en el mapa de tal manera que cada parte de la Tierra tiene el mismo tamaño en el mapa que en un globo terráqueo. Pero las formas resultan distorsionadas. ¿Qué zonas en la figura 4–21 te parecen distorsionadas?

Figura 4–21 *En este mapa se muestran correctamente las superficies de las masas continentales de la Tierra, pero no así las formas. ¿Qué tipo de mapa es éste?*

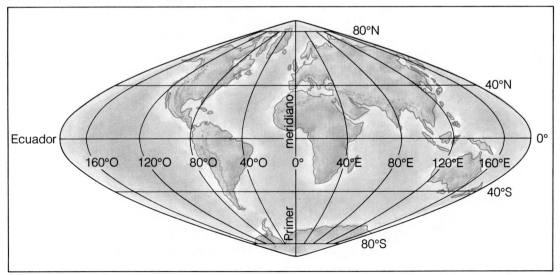

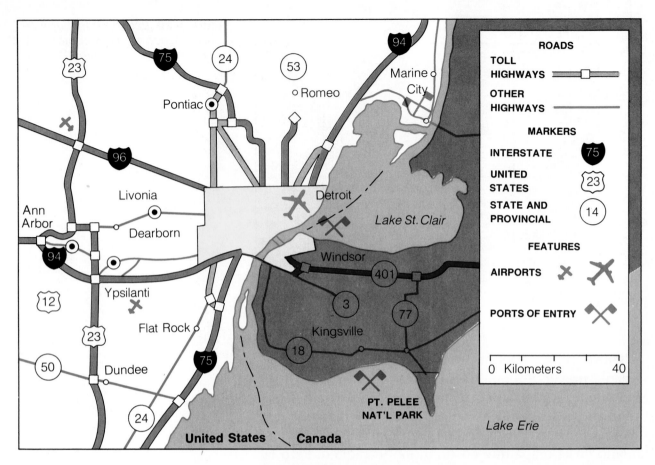

Figure 4–22 *One of the most familiar types of maps is a road map. What kinds of information are provided by the legend of this map?*

4–3 Section Review

1. In what ways are maps useful?
2. Under what circumstances would a globe be more useful than a map?
3. What is a scale? Why is it important?
4. What is longitude? Latitude?
5. What is the international date line? How is this meridian used?
6. What is a time zone? Explain why the Earth has been divided into 24 time zones.
7. What is a projection? What are the two kinds?

Critical Thinking—*Applying Concepts*
8. Why was it important for people to agree on the location of the prime meridian?

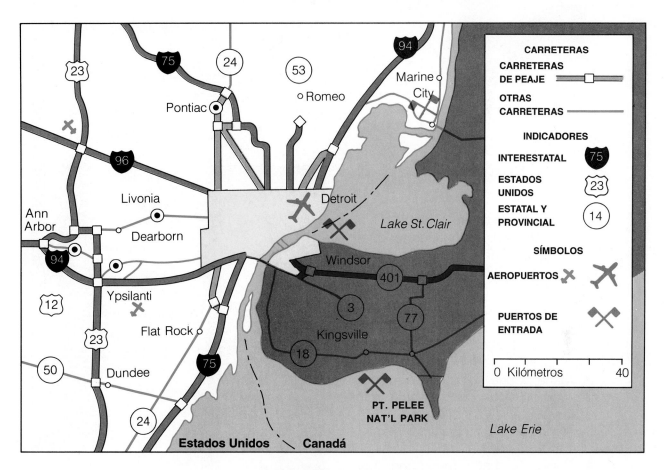

Figura 4–22 *Uno de los tipos más corrientes de mapas son los de carreteras. ¿Qué clase de información contiene la referencia de este mapa?*

4–3 Repaso de la sección

1. ¿Para qué son útiles los mapas?
2. ¿En qué circunstancias sería más útil un globo terráqueo que un mapa?
3. ¿Qué es una escala? ¿Por qué es importante?
4. ¿Qué es la longitud? ¿Qué es la latitud?
5. ¿Qué es la línea de cambio de fecha? ¿Cómo se usa este meridiano?
6. ¿Qué es un huso horario? Explica por qué se ha dividido la Tierra en 24 husos horarios.
7. ¿Qué es una proyección? ¿Cuáles son las dos clases?

Pensamiento crítico—*Aplicar conceptos*

8. ¿Por qué es importante ponerse de acuerdo sobre la ubicación del primer meridiano?

Famous People—Famous Places

Famous people often make places famous. Use the following clues to locate the places on Earth being described. You will need a world atlas to discover the locations.

Interpreting Maps

1. The French artist Gauguin fled Paris to this tropical paradise, whose location is 17°S, 149°W.

2. Marie Curie discovered radium while working in a country whose capital is located at 48.5°N, 2°E.

3. Napoleon spent the last years of his life at 16°S, 5°W.

4. Ponce de Leon found the fountain of youth at 29.5°N, 81°W. The waters, alas, were not all that effective, for he died in 1521.

5. Cecil B. DeMille directed many epic films that were supposed to take place in foreign locations, but which were filmed for the most part at 34°N, 118°W.

6. Betsy Ross was supposed to have sewn the first American flag in this city, located at 40°N, 75°W.

■ Add to this list of famous places by identifying and locating some other important sites. Here are a few examples: where you live; where you were born; where your favorite sports team plays; where you would like to spend a vacation.

PROBLEMA
a resolver

Gente famosa—Lugares famosos

La gente famosa a menudo da fama a ciertos lugares. Utiliza las claves siguientes para ubicar los lugares de la Tierra que se indican. Necesitarás un atlas del mundo para descubrir las ubicaciones.

Interpretar mapas

1. El artista francés Gauguin huyó de París a este paraíso tropical, cuya ubicación es 17°S, 149°O.

2. Marie Curie descubrió el radio cuando trabajaba en un país cuya capital está situada a 48.5°N, 2°E.

3. Napoleón pasó los últimos años de su vida en 16°S, 5°O.

4. Ponce de León encontró la fuente de la juventud en 29.5°N, 81°O. Lamentablemente, las aguas no resultaron muy eficaces, ya que murió en 1521.

5. Cecil B. DeMille dirigió muchas películas épicas que supuestamente transcurrían en lugares distantes, pero que se filmaron en su mayoría en 34°N, 118°O.

6. Se supone que Betsy Ross cosió la primera bandera norteamericana en esta ciudad, situada a 40°N, 75°O.

■ Aumenta esta lista identificando y ubicando otros lugares importantes. Aquí van algunos ejemplos: el lugar en que vives; el lugar donde naciste; el lugar en que juega tu equipo deportivo favorito; el lugar en que te gustaría pasar unas vacaciones.

4–4 Topographic Maps

You have learned that the Earth has a varied topography. Perhaps you have even noticed some of the Earth's varied features if you have ever flown in an airplane across the United States. High above the ground, you can easily see mountains, plains, valleys, rivers, lakes, and other features. At ground level, some of these features are more difficult to observe. However, certain types of maps that show even small details of the topography of an area have been drawn. A map that shows the different shapes and sizes of a land surface is called a **topographic map**. This type of map may also show cities, roads, parks, and railroads.

Topographic maps show the relief of the land. Most topographic maps use contour lines to show relief. A **contour line** is a line that passes through all points on a map that have the same elevation. Some topographic maps show relief by using different colors for different elevations.

The difference in elevation from one contour line to the next is called the contour interval. For example, in a map with a contour interval of 5 meters, contour lines are drawn only at elevations of 0 meters, 5 meters, 10 meters, 15 meters, and so on. Look at the contour lines in Figure 4–23. What contour interval is being used here? What is the highest elevation on the hill?

Like other maps, topographic maps use symbols to represent features. Symbols for buildings and roads are usually black. Symbols for bodies of water such as rivers, lakes, and streams are blue. Green represents woods and swamps. And contour lines are brown or red. All symbols on a map are placed in a legend. The legend explains what each symbol represents. See the legend in Figure 4–24 for some common map symbols and their meanings. (Appendix D on page 169 of this textbook contains a more extensive list of map symbols.)

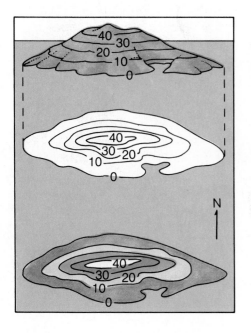

Figure 4–23 *Some topographic maps use colors to indicate different elevations. Others use contour lines to show different elevations.*

4–4 Mapas topográficos

Ya has aprendido que la Tierra tiene una topografía variada. Quizás hayas observado algunas de esas características si has volado en avión a través de los Estados Unidos. Desde muy alto sobre la tierra, se pueden ver fácilmente las montañas, las llanuras, los valles, los ríos, los lagos y otros rasgos. Al nivel de la tierra es más difícil observarlos. Sin embargo, se han trazado mapas que muestran incluso detalles muy pequeños de la topografía. Un mapa que muestra las diferentes formas y tamaños de una superficie terrestre se llama un **mapa topográfico**. Este tipo de mapa puede indicar también ciudades, carreteras, parques y ferrocarriles.

Los mapas topográficos muestran el relieve del suelo. La mayoría de los mapas topográficos usan curvas de nivel para indicar relieve. Una **curva de nivel** es una línea que pasa a través de todos los puntos de un mapa que tienen la misma elevación. Algunos mapas topográficos muestran el relieve utilizando distintos colores para distintas elevaciones.

La diferencia en elevación entre curvas de nivel se llama intervalo. Por ejemplo, en un mapa con un intervalo de nivel de 5 metros, se trazan curvas de nivel a elevaciones de 0 metros, 5 metros, 10 metros, 15 metros, etc. Mira las curvas de nivel de la figura 4–23. ¿Qué intervalo de nivel se utiliza en ella? ¿Cuál es la elevación máxima de la colina?

Al igual que en otros mapas, en los mapas topográficos se utilizan símbolos para indicar puntos de interés. Los símbolos correspondientes a los edificios y las carreteras son generalmente negros. Los correspondientes a masas de agua, como los ríos, lagos y arroyos, son azules. El verde representa los bosques y las marismas. Las curvas de nivel suelen ser castañas o rojas. Todos los símbolos de un mapa se colocan en una referencia. La referencia explica qué representa cada símbolo. En la referencia de la figura 4–24 puedes ver algunos símbolos corrientes en los mapas y sus significados. (El apéndice D en la página 169 de este libro contiene una lista más completa de símbolos de mapas.)

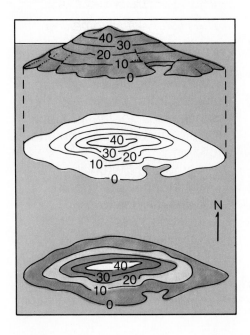

Figura 4–23 *Algunos mapas topográficos usan colores para indicar diferentes elevaciones. Otros usan curvas de nivel para mostrar las elevaciones.*

TOPOGRAPHIC MAP SYMBOLS

Symbol	Meaning	Symbol	Meaning	Symbol	Meaning
■	House	⊏⊐	Bridge	(pond or lake symbol)	Pond or lake
▪▸	School	▬▬▬	Railroad	(contour line symbol)	Contour line
(road symbol)	Road	(stream symbol)	Stream	(depression symbol)	Depression
(unpaved road symbol)	Unpaved road	(seasonal stream symbol)	Seasonal stream	(swamp symbol)	Swamp

Figure 4–24 *The symbols in this legend are commonly found on topographic maps. What is the symbol for a school? A railroad?*

The first time you look at a topographic map, you may be somewhat confused. All those lines and symbols can seem awesome. But once you become familiar with contour maps and gain experience in interpreting them, a great deal of confusion will be cleared up. The information in a topographic map is quite useful, especially for people who like to hike or who enjoy camping. The following simple rules will make it easier for you to read this type of map:

- A contour line of one elevation never crosses, or intersects, a contour line of another elevation. Each contour line represents only one elevation. Contour lines can never cross because one point cannot have two different elevations.

- Closely spaced contour lines represent a steep slope. The lines are close together because the elevation of a steep slope changes greatly over a short distance. Contour lines spaced far apart represent a gentle slope. The lines are far apart because the elevation of a gentle slope changes only slightly over a short distance.

- Contour lines that cross a valley are V shaped. If a stream flows through the valley, the V will point upstream, or in the direction opposite to the flow of the stream.

ACTIVITY

WRITING

The History of Mapmaking

Using reference materials in the library, write a short essay on the history of map-making from the time of the Babylonians to the present. Include information on the following:
  Gerhardus Mercator
  Christopher Columbus
  Claudius Ptolemy
  Amerigo Vespucci
  Satellite mapping
  Include drawings and illustrations with your essay.

SÍMBOLOS DE MAPAS TOPOGRÁFICOS

Símbolo	Significado	Símbolo	Significado	Símbolo	Significado
■	Casa	⊐⊏	Puente		Estanque o lago
▗	Escuela	╫╫╫╫╫	Ferrocarril		Curva de nivel
	Carretera		Arroyo		Depresión
- - - -	Carretera sin pavimentar		Arroyo estacional		Pantano

Figura 4–24 *Los símbolos de esta referencia son comunes en los mapas topográficos. ¿Cuál es el símbolo de una escuela? ¿De un ferrocarril?*

La primera vez que mires un mapa topográfico, es posible que te sientas algo confundido. Todas esas líneas y símbolos pueden ser abrumadores. Pero una vez que te familiarices con estos mapas y adquieras experiencia en su interpretación, se te aclarará gran parte de la confusión. La información contenida en un mapa topográfico es muy útil, especialmente para las personas a quienes les gusta acampar. Las siguientes reglas sencillas te ayudarán a leer este tipo de mapa:

■ Una curva de nivel nunca cruza, o intersecta, otra curva de nivel. Cada curva de nivel representa sólo una elevación. Las curvas de nivel nunca pueden cruzarse porque un punto no puede tener dos elevaciones diferentes.

■ Las curvas de nivel muy juntas representan un declive escarpado. Las líneas están juntas porque la elevación de un declive escarpado cambia mucho en una distancia muy corta. Las curvas de nivel que están muy separadas representan un declive suave. Las líneas están muy separadas porque la elevación de un declive suave cambia sólo ligeramente en una distancia corta.

■ Las curvas de nivel que cruzan un valle tienen forma de V. Si un arroyo fluye a través del valle, la V indicará la dirección corriente arriba, o la dirección opuesta a la de la corriente del arroyo.

ACTIVIDAD

PARA ESCRIBIR

Historia de los mapas

Utilizando materiales de referencia de la biblioteca, escribe un breve ensayo sobre la historia de los mapas desde el tiempo de los babilonios hasta el presente. Incluye información sobre lo siguiente:
Gerardo Mercator
Cristóbal Colón
Claudio Ptolomeo
Américo Vespucio
Mapas desde satélites
Incluye dibujos e ilustraciones con tu ensayo.

- Contour lines form closed loops around hilltops or depressions. Elevation numbers on the contour lines indicate whether a feature is a hilltop or a depression. If the numbers increase toward the center of the closed loop, the feature is a hilltop. If the numbers decrease, the feature is a depression. Sometimes elevation numbers are not given. Instead short dashes called hachures (HASH-oorz) are used to indicate a depression. Hachures are drawn perpendicular to the contour line that loops around a depression. The hachures point to the inside of the loop.

Now look at Figure 4–25. You should be able to understand all of the information on the map. What is the location of the depression? Which mountain has the steepest slope? In what direction does the Campbell River flow? Now look at Figure 4–26, Figure 4–27 on page 134 and Figure 4–28 on page 135. Use the legend in Figure 4–24 and the rules you have just learned to identify other topographic features.

Figure 4–25 *Once you learn the meanings of map symbols, topographic maps such as this one are easy to read. What does the symbol in green at the bottom of this map represent?*

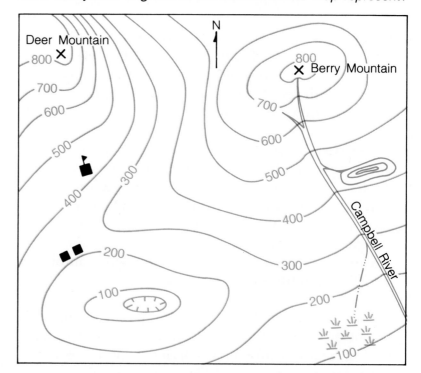

■ Las curvas de nivel forman anillos alrededor de las colinas o las depresiones. Los números de elevación de las curvas de nivel indican si se trata de una colina o una depresión. Si los números aumentan hacia el centro, se trata de una colina. si disminuyen, de una depresión. A veces no se indican los números de elevación, se dibujan en cambio trazos cortos llamados líneas de declive para indicar una depresión. Estas líneas se trazan perpendiculares a la curva de nivel que rodea una depresión apuntando hacia adentro.

Observa ahora la figura 4–25. Es probable que puedas entender toda la información del mapa. ¿Cuál es la ubicación de la depresión? ¿Qué montaña tiene el declive más pronunciado? ¿En qué dirección fluye el río Campbell? Mira ahora la figura 4–26, la figura 4–27 en la página 134 y la figura 4–28 en la página 135. Usa las referencias de la figura 4–24 y las reglas que acabas de aprender para identificar otras características topográficas.

Figura 4–25 *Una vez que has aprendido el significado de los símbolos, los mapas topográficos como éste resultan fáciles de leer. ¿Qué representa el símbolo verde en la parte inferior del mapa?*

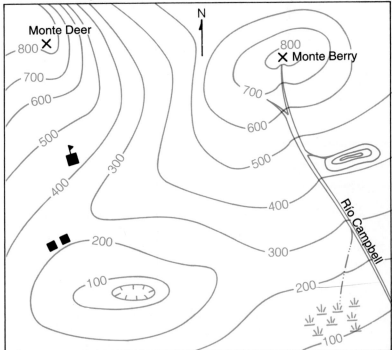

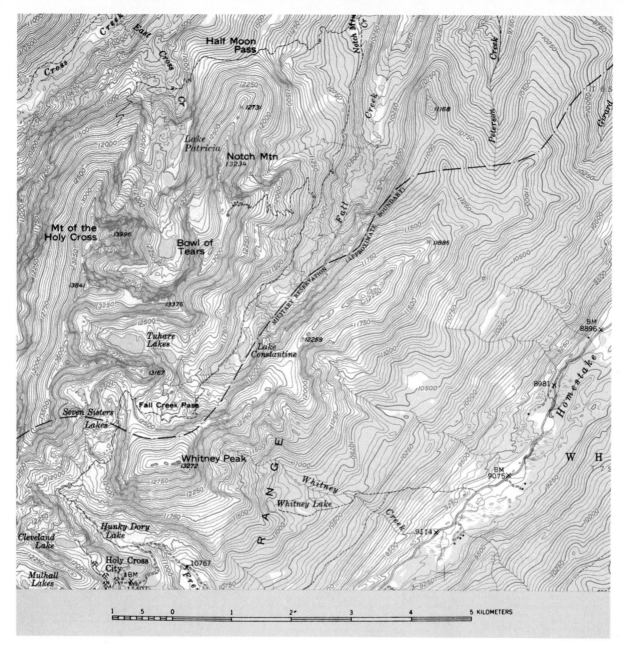

Figure 4-26 *This is a topographic map of Holy Cross Quadrangle, Colorado. What type of landscape region do you think this area is part of? How are changes in elevation shown? What is the highest point shown on this map?*

4-4 Section Review

1. How do topographic maps represent features of the Earth's surface?
2. What is a contour line? A contour interval?
3. Why is a map's legend important?

Critical Thinking—*Relating Concepts*
4. Why would it be difficult to show a vertical cliff on a topographic map?

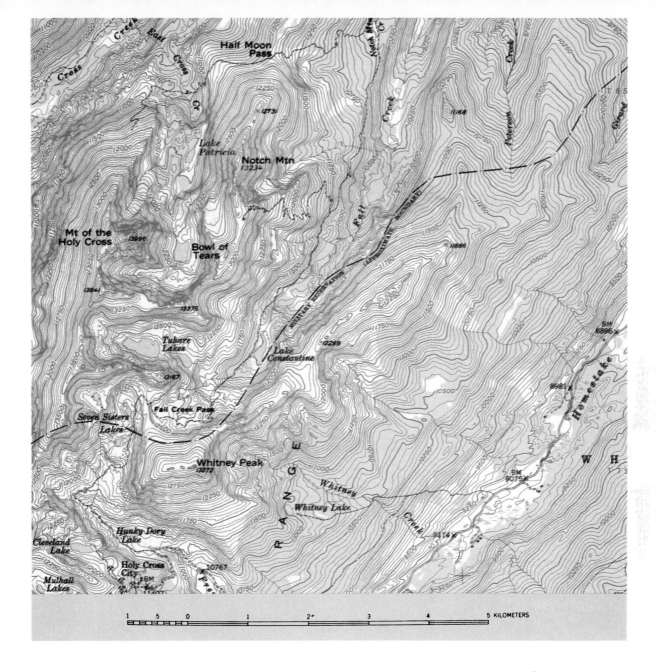

Figura 4–26 *Éste es un mapa topográfico del Holy Cross Quadrangle, en Colorado. ¿De qué tipo de región de paisaje te parece que forma parte esta zona? ¿Cómo se indican los cambios de elevación? ¿Cuál es el punto más alto?*

4–4 Repaso de la sección

1. ¿Cómo se representan en los mapas topográficos las características de la superficie terrestre?
2. ¿Qué es una curva de nivel?, ¿un intervalo de nivel?
3. ¿Por qué es importante la referencia en un mapa?

Pensamiento crítico—*Relacionar conceptos*

4. ¿Por qué sería difícil mostrar un acantilado vertical en un mapa topográfico?

Figure 4-27 *This topographic map shows part of a county in New York State. What landscape features can you identify?*

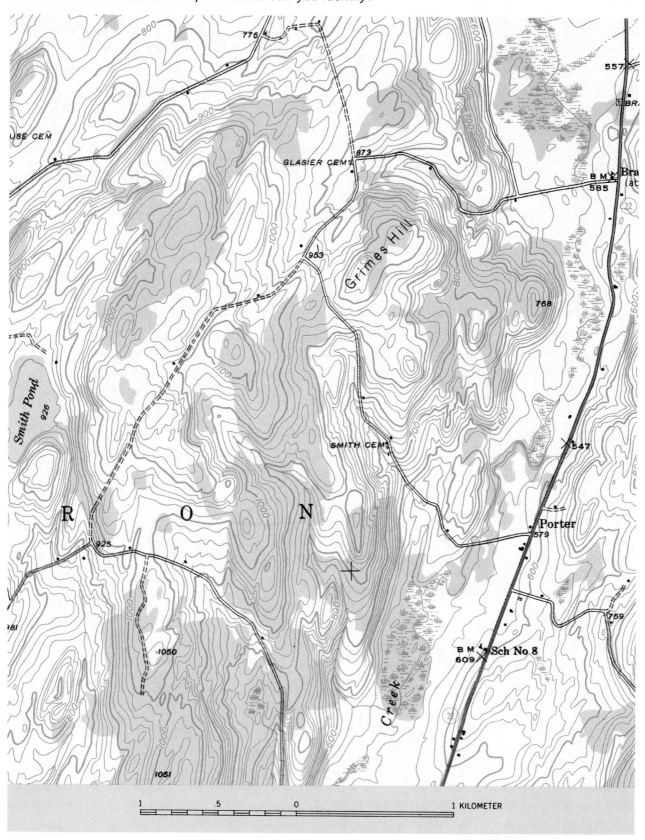

Figura 4–27 *Este mapa topográfico muestra parte de un condado de Nueva York. ¿Qué rasgos del paisaje puedes identificar?*

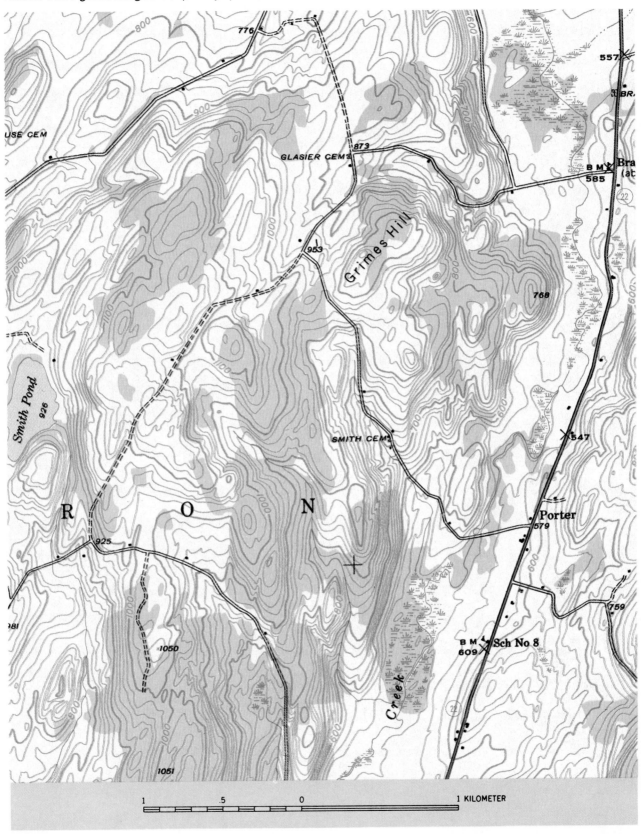

1   .5   0   1 KILOMETER

Figure 4-28 *This topographic map shows part of the shoreline of California. What type of landscape region is this area part of?*

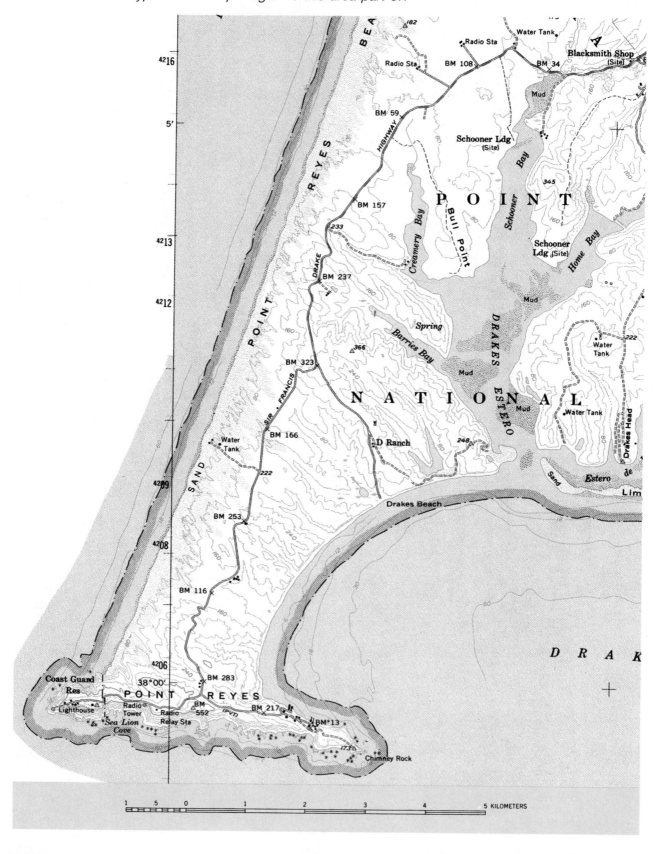

Figura 4–28 *Este mapa topográfico muestra parte de la costa de California. ¿De qué tipo de región de paisajes forma parte esta zona?*

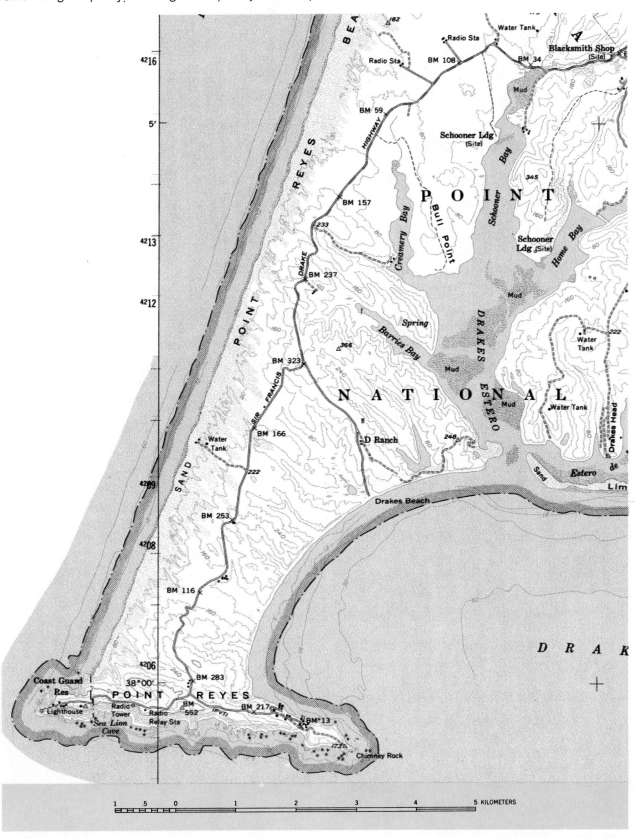

Laboratory Investigation

Making a Topographic Map

Problem

What information can a topographic map provide about the surface features of the Earth?

Materials *(per group)*

modeling clay	glass-marking pencil
metric ruler	1 L water
rigid cardboard	pencil
pane of clear glass	sheet of unlined,
aquarium tank or	white paper
deep-sided pan	

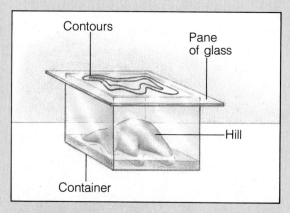

Procedure 🧪

1. Cut the cardboard to fit the bottom of the tank or pan.
2. On top of the cardboard, shape the clay into a model of a hill. Include on the model some gullies, a steep slope, and a gentle slope.
3. When the model is dry and hard, place the model and cardboard into the tank or pan. Pour water into the container to a depth of 1 cm. This will represent sea level.
4. Place the pane of glass over the container. Looking straight down into the container, use the glass-marking pencil to trace the outline of the container on the glass. Also trace on the glass the contour, or outline, of the water around the edges of the model. Carefully remove the pane of glass from the container.
5. Add another centimeter of water to the container. The depth of the water should now be 2 cm. Place the glass in exactly the same position as before. Trace the new contour of the water on the pane of glass.

6. Repeat step 5, adding 1 cm to the depth of the water each time. Stop when the next addition of water would completely cover the model.
7. Remove the pane of glass. With a pencil, trace the contours on the glass onto a sheet of paper. This will be your topographic map.
8. Assume that every centimeter of water you added to the first centimeter (sea level) equals 100 m of elevation on the map. Label the elevation of each contour line on your topographic map.

Observations

1. What is the approximate elevation of the top of the hill?
2. How can you determine if the hill has a steep slope by looking at the contour lines?
3. How can you determine if the hill has a gentle slope by looking at the contour lines?
4. How do contour lines look when they show gullies on the model?

Analysis and Conclusions

What information can a topographic map provide about the Earth's surface?

Investigación de laboratorio

Trazado de un mapa topográfico

Problema

¿Qué información puede proporcionar un mapa topográfico sobre las características de la superficie terrestre?

Materiales *(por grupo)*

arcilla para modelar	marcador para
regla métrica	vidrio
regla centimetrada	1 litro de agua
cartón rígido	lápiz
lámina de vidrio transparente	hoja de papel blanco
tanque de acuario o fuente cuadrada profunda	

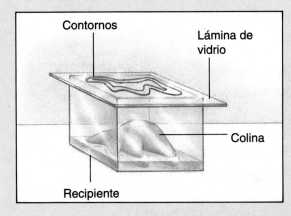

Procedimiento

1. Corta el cartón para que quepa exactamente en el fondo del tanque o la fuente.

2. Sobre el cartón, modela la arcilla en forma de colina. Incluye en el modelo algunos barrancos, un declive pronunciado y un declive suave.

3. Cuando esté seco y se haya endurecido, coloca el modelo sobre el cartón en el recipiente. Vierte agua hasta una altura de 1 cm. Esto representará el nivel del mar.

4. Coloca la lámina de vidrio sobre el recipiente. Mirando directamente desde arriba, utiliza el marcador de vidrio para trazar el contorno del recipiente sobre el vidrio. Traza también sobre el vidrio el contorno del agua alrededor de los bordes del modelo. Levanta cuidadosamente la lámina de vidrio del recipiente.

5. Añade otro centímetro de agua al recipiente. La profundidad del agua debería ser ahora de 2 cm. Coloca el vidrio exactamente en la misma posición que antes. Traza el nuevo contorno del agua sobre la lámina de vidrio.

6. Repite el paso 5, añadiendo 1 cm de agua por vez hasta que veas que si añades más agua el modelo quedaría completamente cubierto.

7. Levanta la lámina de vidrio. Con un lápiz, traza las curvas (los contornos) del vidrio en una hoja de papel. Éste será tu mapa topográfico.

8. Imagina que cada centímetro de agua que añadiste al primer centímetro (nivel del mar) equivale a 100 metros de elevación en el mapa. Indica la elevación de cada curva de nivel en tu mapa topográfico.

Observaciones

1. ¿Cuál es la elevación aproximada de la cima de la colina?

2. ¿Cómo puedes determinar si la colina tiene un declive pronunciado mirando las curvas de nivel?

3. ¿Cómo puedes determinar si la colina tiene un declive suave mirando las curvas de nivel?

4. ¿Qué aspecto tienen las curvas de nivel cuando muestran los barrancos del modelo?

Análisis y conclusiones

¿Qué información puede proporcionar un mapa topográfico sobre la superficie de la Tierra?

Study Guide

Summarizing Key Concepts

4–1 The Continents

▲ There are seven continents on Earth: Africa, Antarctica, Asia, Australia, Europe, North America, and South America.

4–2 Topography

▲ The shape of the Earth's surface is called its topography.

▲ The different physical features of an area are called its landscape.

▲ The three main types of landscape regions are mountains, plains, and plateaus.

▲ One characteristic of a landscape region is elevation. The difference in a region's elevations is called its relief.

▲ Mountains have high elevations, and are areas of high relief.

▲ Mountains are usually part of larger groups called mountain ranges, mountain systems, and mountain belts.

▲ Plains are flat land areas that are not far above sea level. They are areas of low relief.

▲ Low, flat areas along the coast are called coastal plains. Low, flat areas found inland are called interior plains.

▲ Plateaus are broad, flat areas that rise more than 600 meters above sea level.

4–3 Mapping the Earth's Surface

▲ A map is a drawing of the Earth, or part of the Earth, on a flat surface. The most accurate representation of the Earth is a globe.

▲ The Earth is divided by lines that run from north to south, called meridians, and by lines that run from east to west, called parallels.

▲ Meridians are used to measure longitude. Parallels are used to measure latitude.

▲ The Earth is divided into 24 time zones.

4–4 Topographic Maps

▲ Topographic maps show the different shapes and sizes of land surfaces.

▲ Topographic maps use contour lines to show relief.

Reviewing Key Terms

Define each term in a complete sentence.

4–1 The Continents
island
continent

4–2 Topography
topography
landscape
elevation
relief
mountain
mountain range
mountain system
mountain belt

plain
coastal plain
interior plain
plateau

4–3 Mapping the Earth's Surface
map
globe
scale
meridian
prime meridian
longitude

time zone
international date line
parallel
equator
latitude
projection
Mercator projection
equal-area projection

4–4 Topographic Maps
topographic map
contour line

Resumen de conceptos claves

4–1 Los continentes

▲ Hay siete continentes en la Tierra: África, América del Norte, América del Sur, Antártida, Asia, Australia y Europa.

4–2 Topografía

▲ La forma de la superficie de la Tierra se llama su topografía.

▲ Las diferentes características físicas de una zona constituyen su paisaje.

▲ Los tres principales tipos de regiones de paisaje son las montañas, las llanuras y las mesetas.

▲ Una de las características de una región de paisaje es la elevación. La diferencia en las elevaciones de una región se llama su relieve.

▲ Las montañas tienen elevaciones altas y son zonas de alto relieve.

▲ Las montañas forman generalmente parte de grupos más grandes llamados cordilleras, sistemas montañosos y cinturones montañosos.

▲ Las llanuras son zonas de suelos planos que no están muy por encima del nivel del mar. Son zonas de bajo relieve.

▲ Las zonas bajas y planas a lo largo de las costas se llaman llanuras costeras. Las zonas bajas y planas en el interior de los continentes se llaman llanuras interiores.

▲ Las mesetas son superficies grandes y planas situadas a más de 600 metros sobre el nivel del mar.

4–3 Mapas de la superficie terrestre

▲ Un mapa es un dibujo de la Tierra, o de parte de la Tierra, en una superficie plana. La representación más precisa de la Tierra es un globo terráqueo.

▲ La Tierra está dividida por líneas que van de norte a sur, llamadas meridianos, y por líneas que van de este a oeste, llamadas paralelos.

▲ Los meridianos se usan para medir la longitud. Los paralelos para medir la latitud.

▲ La Tierra está dividida en 24 zonas horarias.

4–4 Mapas topográficos

▲ Los mapas topográficos muestran las diferentes formas y tamaños de las superficies terrestres.

▲ Los mapas topográficos usan curvas de nivel para mostrar el relieve.

Repaso de palabras claves

Define cada palabra o palabras con una oración completa.

4–1 Los continentes
isla
continente

4–2 Topografía
topografía
paisaje
elevación
relieve
montaña
cordillera
sistema montañoso
cinturón montañoso

llanura
llanura costera
llanura interior
meseta

4–3 Mapas de la superficie de la Tierra
mapa
globo terráqueo
escala
meridiano
primer meridiano
longitud

huso horario
línea de cambio de fecha
paralelo
ecuador
latitud
proyección
proyección de Mercator
proyección equivalente

4–4 Mapas topográficos
mapa topográfico
curva de nivel

Chapter Review

Content Review

Multiple Choice

Choose the letter of the answer that best completes each statement.

1. The smallest landmass that is still considered a continent is
   a. North America.
   c. Africa.
   b. Australia.
   d. Greenland.

2. Large areas of very old, exposed rock that form the core of a continent are called
   a. icecaps.
   c. shields.
   b. mountains.
   d. meridians.

3. Tops of mountains are called
   a. gorges.
   c. summits.
   b. elevations.
   d. projections.

4. Individual mountains are usually
   a. volcanic mountains.
   b. mountain systems.
   c. plateaus.
   d. none of these.

5. The landscape region with the lowest overall elevation is a(an)
   a. mountain belt.
   c. plateau.
   b. coastal plain.
   d. interior plain.

6. Broad, flat areas of land more than 600 meters above sea level are called
   a. plains.
   c. farmland.
   b. plateaus.
   d. mountains.

7. The measure of distance east or west of the prime meridian is called
   a. latitude.
   c. projection.
   b. parallel.
   d. longitude.

8. A map projection that shows the correct shape of coastlines but distorts the sizes of regions far from the equator is called a(an)
   a. Mercator projection.
   b. topographic map.
   c. equal-area projection.
   d. contour projection.

9. Lines on a map that pass through points with the same elevation are called
   a. meridians.
   c. parallels.
   b. contour lines.
   d. lines of relief.

True or False

If the statement is true, write "true." If it is false, change the underlined word or words to make the statement true.

1. Central America is part of the continent of <u>South America</u>.

2. The three main types of landscape regions are mountains, plains, and <u>continents</u>.

3. <u>Plains</u> are flat areas of land that rise more than 600 meters above sea level.

4. The distance around the world is measured in <u>degrees</u>.

5. The <u>prime meridian</u> divides the parallels of north latitude from those of south latitude.

6. The time in a city one time zone <u>west</u> of another city will be one hour earlier.

Concept Mapping

Complete the following concept map for Section 4–1. Refer to pages 16–17 to construct a concept map for the entire chapter.

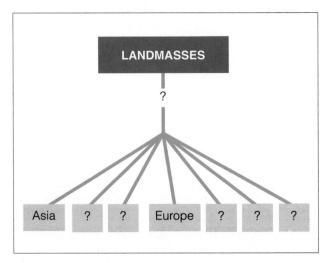

Repaso del capítulo

Repaso del contenido

Selección múltiple

Selecciona la letra de la respuesta que complete mejor cada frase.

1. La masa terrestre más pequeña que se considera un continente es
   a. América del Norte.
   b. Australia.
   c. África.
   d. Groenlandia.

2. Las grandes zonas expuestas de roca muy antigua que forman el núcleo de un continente se llaman
   a. casquetes de hielo.
   b. montañas.
   c. escudos.
   d. meridianos.

3. Las cimas de las montañas se llaman
   a. desfiladeros.
   b. elevaciones.
   c. cumbres.
   d. proyecciones.

4. Las montañas aisladas son generalmente
   a. montañas volcánicas.
   b. sistemas montañosos.
   c. mesetas.
   d. ninguna de estas cosas.

5. La región de paisajes con la elevación general más baja es
   a. un cinturón montañoso.
   b. una llanura costera.
   c. una meseta.
   d. una llanura interior.

6. Las superficies amplias y planas a más de 600 metros sobre el nivel del mar se llaman
   a. llanuras.
   b. mesetas.
   c. cultivos.
   d. montañas.

7. La medida de la distancia hacia el este o el oeste desde el primer meridiano se llama
   a. latitud.
   b. paralelo.
   c. proyección.
   d. longitud.

8. Una proyección que muestra la forma correcta de las costas pero distorsiona los tamaños de las regiones alejadas del ecuador se llama
   a. proyección de Mercator.
   b. mapa topográfico.
   c. proyección equivalente.
   d. proyección de nivel.

9. Las líneas de un mapa que pasan a través de puntos con la misma elevación se llaman
   a. meridianos.
   b. curvas de nivel.
   c. paralelos.
   d. curvas de relieve.

Verdadero o falso

Si la afirmación es verdadera, escribe "verdad." Si es falsa, cambia las palabras subrayadas para que sea verdadera.

1. América Central es parte del continente de <u>América del Sur</u>.

2. Los tres principales tipos de regiones de paisajes son montañas, llanuras y <u>continentes</u>.

3. Las <u>llanuras</u> son zonas planas que no se levantan a más de 600 metros sobre el nivel del mar.

4. La distancia alrededor del mundo se mide en <u>grados</u>.

5. El <u>primer meridiano</u> divide los paralelos de latitud norte de los de latitud sur.

6. En una ciudad situada en un huso horario inmediatamente al <u>oeste</u> de otra ciudad será una hora más temprano.

Mapa de conceptos

Completa el siguiente mapa de conceptos para la sección 4–1. Consulta las páginas I6–I7 para construir un mapa de conceptos para todo el capítulo.

I ■ 138

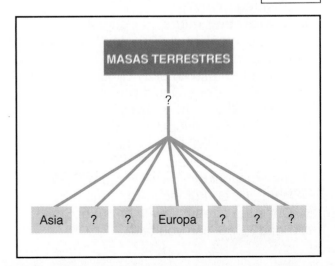

Concept Mastery

Discuss each of the following in a brief paragraph.

1. List the continents. Which continent is also a country? Which continent is almost completely covered by a thick icecap? Which continents are joined to form larger landmasses?
2. How is the topography of an area changed by moving water?
3. Define relief as it relates to Earth's topography. What landscape feature would have high relief? Low relief?
4. What are the similarities and differences between interior plains and coastal plains?
5. Why is the international date line important to travelers?
6. In what ways are maps and globes useful?
7. Why is a map's legend important? What kinds of information can you find in a map's legend?

Critical Thinking and Problem Solving

Use the skills you have developed in this chapter to answer each of the following.

1. **Applying concepts** Explain why the distance measured by degrees of latitude always stays the same, while the distance measured by degrees of longitude varies.
2. **Making predictions** Most of the Earth's ice is found on or around Antarctica. Suppose the temperature of the area around the South Pole climbs above freezing and all of Antarctica's ice melts. Which landscape regions in the rest of the world would be most affected? Why?
3. **Interpreting maps** In Figure 4–27, what contour interval is used? At what elevation is School Number 8? If you wanted to take an easy climb up Grimes Hill, which slope would you choose to climb? Why? Why would you not want to hike in the area located just west of the major highway? Locate the unpaved road west of Grimes Hill. How many kilometers would you walk if you walked from one end of the road to the other? Does the stream flow in or out of Smith Pond? How can you tell?
4. **Relating concepts** Suppose you are the captain of a large ocean liner sailing across the Pacific Ocean from Asia to North America. You notice that the maps in your cabin have the same projection as the map shown in Figure 4–21 on page 127. Are you in trouble? Why?
5. **Applying concepts** You want to go camping with some friends in a national park. You plan to hike into the park on a highway, then leave the road to make your own trails in the forest. How would a road map help you? How would a topographic map of the area help you?
6. **Making maps** Draw topographic maps of three imaginary areas. The first area has a mountain landscape; the second has a plains landscape; the third has several plateaus separated by rivers.
7. **Using the writing process** You are lost in the deep woods with only a scrap of paper, a pencil, a small amount of supplies, and your faithful homing pigeon, Homer. You plan to send Homer for help. Write a note to tie to Homer's leg. Include a map of your location.

Dominio de conceptos

Comenta cada uno de los siguientes puntos en un párrafo breve.

1. Enumera los continentes. ¿Qué continente es también un país? ¿Qué continente está casi completamente cubierto por un espeso manto de hielo? ¿Qué continentes están unidos para formar las masas continentales más grandes?

2. ¿Cómo cambia el agua en movimiento la topografía de una zona?

3. Define el relieve en cuanto se relaciona con la topografía de la Tierra. ¿Qué característica del paisaje tendría un relieve alto y cuál tendria un relieve bajo?

4. ¿Cuáles son las semejanzas y las diferencias entre las llanuras interiores y las llanuras costeras?

5. ¿Por qué es importante la línea de cambio de fecha para los viajeros?

6. ¿Por qué son útiles los mapas y los globos terráqueos?

7. ¿Por qué es importante la referencia de un mapa? ¿Qué tipos de información puedes encontrar en la referencia de un mapa?

Pensamiento crítico y solución de problemas

Usa las destrezas que has desarrollado en este capítulo para resolver lo siguiente.

1. **Aplicar conceptos** Explica por qué la distancia medida en grados de latitud es siempre la misma, en tanto que la distancia medida en grados de longitud varía.

2. **Hacer predicciones** La mayor parte del hielo de la Tierra está en la Antártida o cerca de la Antártida. Imagina que la temperatura de la zona en torno al polo sur sube por encima del punto de congelación y que se derrite todo el hielo de la Antártida. ¿Qué regiones de paisaje del resto del mundo resultarán más afectadas? ¿Por qué?

3. **Interpretar mapas** ¿Qué intervalo de nivel se utilizó en la figura 4–27? ¿A qué elevación está la Escuela No. 8? Si quisieras escalar la colina de Grimes, ¿qué ladera elegirías para escalarla? ¿Por qué? ¿Por qué no querrías hacer una excursión en la zona situada directamente al oeste de la carretera principal? Busca la carretera sin pavimentar al oeste de la colina de Grimes. ¿Cuántos kilómetros caminarías si caminaras de un extremo a otro de la carretera? ¿Corre el arroyo hacia Smith Pond o desde Smith Pond? ¿Cómo puedes saberlo?

4. **Relacionar conceptos** Imagina que eres el capitán de un gran transatlántico que navega a través del océano Pacífico desde Asia hacia América del Norte, y encuentras que los mapas de tu cabina tienen la misma proyección que el mapa de la figura 4–21, en la página 127. ¿Tendrás problemas? ¿Por qué?

5. **Aplicar conceptos** Quieres ir a acampar con algunos amigos en un parque nacional. Tienes previsto entrar al parque siguiendo una carretera y dejar luego la carretera para caminar por el bosque. ¿De qué te serviría un mapa? ¿Cómo te ayudaría un mapa topográfico de la zona?

6. **Trazar mapas** Traza mapas topográficos de tres zonas imaginarias. La primera tiene un paisaje montañoso, la segunda tiene un paisaje de llanuras y la tercera tiene varias llanuras separadas por ríos.

7. **Usar el proceso de la escritura** Estás perdido en un bosque y tienes solamente un papel, un lápiz, algunas provisiones y Homer, tu fiel paloma mensajera. Planeas enviar a Homer a pedir auxilio. Escribe una nota para atar en la pata de Homer, incluyendo un mapa de tu ubicación.

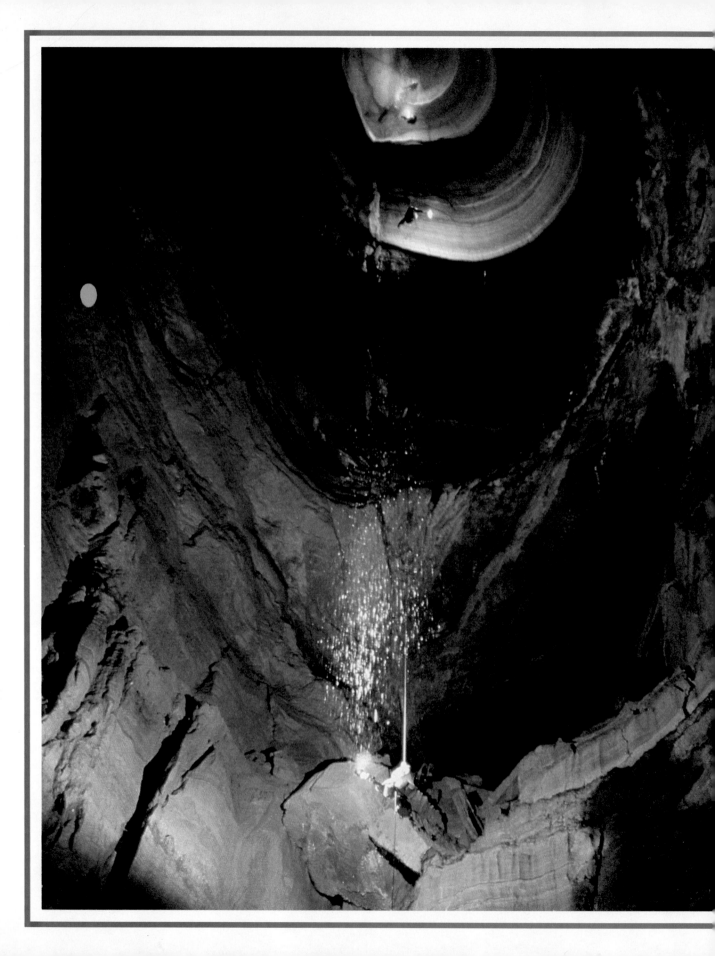

Earth's Interior

In 1864, Jules Verne wrote *Journey to the Center of the Earth.* In this exciting and imaginative tale, Verne describes his idea of what lies hidden beneath the surface of planet Earth.

Verne was not the only person to be fascinated by this unknown world. For many years, scientists have explored the interior of the Earth. But they have not been able to use mechanical probes such as those that explore outer space. The tremendous heat and pressure in the Earth's interior make this region far more difficult to explore than it is to explore planets millions of kilometers away.

In this chapter you will learn about the structure and composition of each layer of the Earth. Afterward, you may want to read *Journey to the Center of the Earth*—and compare Jules Verne's description with the scientific model of the Earth's interior.

Journal *Activity*

You and Your World Have you ever visited a cave or a cavern? If so, in your journal write about your feelings upon first entering the cave's depths. If you have never visited a cave, use your imagination to describe what you think it might be like to walk beneath the surface of the Earth.

Dangling by what appears to be a slender thread, a group of scientists descend into the Earth.

El interior
terrestre

Guía para la lectura

Después de leer las siguientes secciones, podrás

5–1 El núcleo de la Tierra

■ Relacionar el movimiento de las ondas sísmicas con la composición del núcleo de la Tierra.

■ Describir las características del núcleo interior y el núcleo exterior.

5–2 El manto de la Tierra

■ Describir las propiedades y la composición del manto.

■ Explicar qué es el Moho.

5–3 La corteza de la Tierra

■ Describir las características de la corteza de la Tierra.

■ Comparar la corteza continental y la corteza oceánica.

En 1864, Julio Verne escribió *Viaje al centro de la Tierra*. En esta historia interesante e imaginativa, Verne describe su idea de lo que hay escondido debajo de la superficie del planeta.

Verne no era la única persona fascinada por ese mundo desconocido. Durante muchos años, los científicos han explorado el interior de la Tierra, pero no han podido utilizar sondas mecánicas como las que se emplean para explorar el espacio exterior. El tremendo calor y la presión del interior de la Tierra hacen que esta región sea mucho más difícil de explorar que los planetas situados a millones de kilómetros.

En este capítulo aprenderás acerca de la estructura y la composición de cada capa de la Tierra. Tal vez quieras leer después *Viaje al centro de la Tierra* y comparar la descripción de Julio Verne con el modelo científico del interior de la Tierra.

Diario *Actividad*

Tú y tu mundo ¿Has visitado alguna vez una caverna? Si lo has hecho, escribe en tu diario lo que sentiste al entrar por primera vez en sus profundidades. Si nunca has visitado una caverna, usa tu imaginación para describir cómo te parece que sería caminar bajo la superficie de la Tierra.

 Un grupo de científicos desciende dentro de la Tierra colgados de lo que parece ser una hebra delgada.

Guide for Reading

Focus on this question as you read.

▶ How do seismic waves provide evidence about the structure of the Earth's interior?

ACTIVITY DOING

What Is the Cause of Earthquakes?

1. Obtain four carpet samples of different colors.

2. Stack the samples on top of one another.

3. Place one hand on each side of the carpet pile and gently press toward the center. Describe what happens.

If the layers of carpet were actually layers of rock, what would happen?

Figure 5–1 *An earthquake in San Francisco twisted and cracked this highway (left). An earthquake in Armenia reduced buildings to rubble (right).*

5–1 The Earth's Core

Scientists use telescopes and space probes to gather information about the planets and the stars. They use microscopes to examine unseen worlds of life on Earth. They use computers and other instruments to gather information about atoms, the building blocks of all matter. So you might find it surprising to learn that most of the information scientists have gathered about the Earth's interior has not come from complex instruments but from earthquakes.

Earthquakes and Seismic Waves

Earthquakes are produced when a part of the Earth's uppermost layer moves suddenly. During an earthquake, the ground shakes and trembles. Sometimes the movement is so violent that buildings crash to the ground and roads and highways are destroyed. Earthquakes produce shock waves that travel through the Earth. These shock waves, which are actually waves of energy, are called **seismic** (SIGHZ-mihk) **waves.** You can make a simple model to show how shock waves move. Fill a sink or basin half full with water and then drop a small pebble onto the center of the water's surface. You will observe waves that move outward from the pebble's point of impact in circles of ever-increasing size.

All earthquakes produce at least two types of seismic waves at the same time: P waves and S waves. These waves are detected and recorded by a special

ACTIVIDAD

PARA HACER

¿Cuál es la causa de los terremotos?

1. Consigue cuatro muestras de alfombras de diferentes colores.

2. Pon las muestras una encima de otra.

3. Pon una mano en cada lado de la pila de alfombras y apriétalas suavemente hacia el centro. Describe lo que pasa.

Si las alfombras fueran en realidad capas de roca, ¿qué pasaría?

Figura 5–1 *Un terremoto en San Francisco retorció y resquebrajó esta carretera (izquierda). Un terremoto en Armenia redujo edificios a escombros (derecha).*

5–1 El núcleo de la Tierra

Los científicos usan telescopios y sondas espaciales para obtener información sobre los planetas y las estrellas. Usan microscopios para examinar los mundos invisibles de la vida terrestre y computadoras y otros instrumentos para obtener información sobre los átomos, los bloques básicos de toda la materia. Te sorprenderá saber que la mayoría de la información sobre el interior de la Tierra no proviene de instrumentos complejos, sino de los terremotos.

Terremotos y ondas sísmicas

Los terremotos ocurren cuando una parte de la capa superior de la Tierra se mueve bruscamente. Durante un terremoto, el suelo se sacude y tiembla. A veces el movimiento es tan violento que se derrumban edificios y se destruyen caminos y carreteras. Los terremotos producen ondas de choque que viajan a través de la Tierra. Esas ondas, que son en realidad ondas de energía, se llaman **ondas sísmicas.** Para hacer un modelo sencillo de la forma en que se mueven las ondas de choque, llena de agua hasta la mitad un fregadero o una vasija y arroja un guijarro en el centro de la superficie del agua. Observarás ondas que se mueven hacia fuera desde el punto de impacto formando círculos cada vez mayores.

Todos los terremotos producen por lo menos dos tipos de ondas sísmicas al mismo tiempo: ondas P y ondas S. Estas ondas se detectan y se registran por un

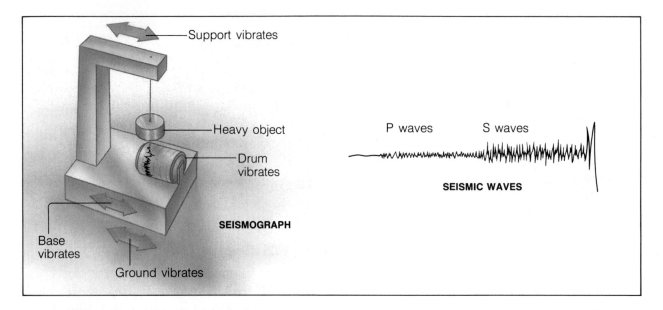

instrument called a **seismograph** (SIGHZ-muh-graf). Figure 5–2 describes what a seismograph looks like and how it works. Seismic waves penetrate the depths of the Earth and return to the surface. During this passage, the speed and direction of the waves change. The changes that occur in the movement of seismic waves are caused by differences in the structure and makeup of the Earth's interior. By recording and studying the waves, scientists have been able to "see" into the interior of the Earth.

Exactly how have P waves and S waves helped scientists develop a model of the Earth's inner structure? At a depth of 2900 kilometers below Earth's surface, P waves passing through the Earth slow down rapidly. S waves disappear. Scientists know that P waves do not move well through liquids and that S waves are stopped completely. So the changes in the movement of the two seismic waves at a depth of 2900 kilometers indicate something significant. Do you know what it is? You are right if you say that 2900 kilometers is the beginning of a liquid layer of the Earth. At a depth of 5150 kilometers, P waves increase their speed. This increase indicates that P waves are no longer traveling through a liquid layer. Instead, P waves are passing through a solid layer of the Earth.

After observing the speeds of P waves and S waves, scientists have concluded that the Earth's center, or core, is actually made up of two layers with different characteristics.

Figure 5–2 *A seismograph (left) detects and records earthquake waves, or seismic waves. A typical pattern of seismic waves is shown (right). What are the two types of seismic waves?*

Figure 5–3 *P waves push together and pull apart rock particles in the direction of the wave movement. The slower S waves move rock particles from side to side at right angles to the wave movement.*

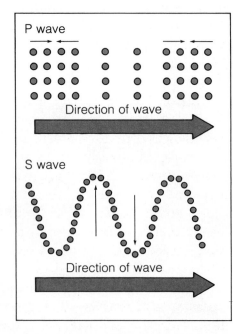

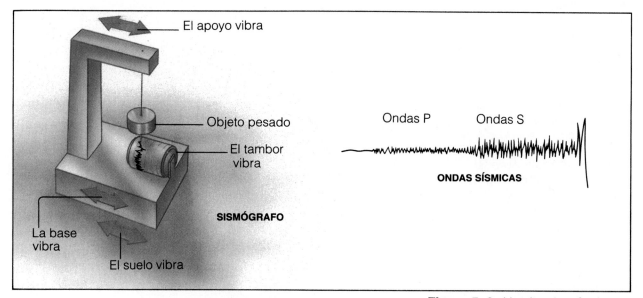

SISMÓGRAFO

El apoyo vibra

Objeto pesado

El tambor vibra

La base vibra

El suelo vibra

Ondas P   Ondas S

ONDAS SÍSMICAS

instrumento especial llamado **sismógrafo.** En la figura 5–2 se muestra el aspecto y el funcionamiento de un sismógrafo. Las ondas sísmicas penetran en las profundidades de la Tierra y vuelven a la superficie. La velocidad y la dirección de las ondas cambian durante la travesía. Los cambios en el movimiento de las ondas sísmicas se deben a diferencias en la estructura y la composición del interior de la Tierra. Mediante el registro y el estudio de las ondas, los científicos han podido "ver" el interior de la Tierra.

    ¿Cómo exactamente han ayudado las ondas P y las ondas S a elaborar un modelo de la estructura interna de la Tierra? A una profundidad de 2900 kilómetros por debajo de la superficie de la Tierra, las ondas P que pasan a través de la Tierra disminuyen rápidamente su velocidad, en tanto que las ondas S desaparecen. Los científicos saben que las ondas P no se mueven bien y que las ondas S se interrumpen por completo en los líquidos. Los cambios en el movimiento de las dos ondas sísmicas a una profundidad de 2900 kilómetros indican entonces algo significativo. ¿Sabes qué es? Acertarás si dices que los 2900 kilómetros marcan el comienzo de una capa líquida de la Tierra. A una profundidad de 5150 kilómetros, las ondas P aumentan su velocidad. Este aumento indica que ya no viajan a través de una capa líquida. Están pasando en cambio por una capa sólida de la Tierra.

    Tras observar las velocidades de las ondas P y las ondas S, los científicos han determinado que el centro de la Tierra, o el núcleo, está formado realmente por dos capas con características diferentes.

Figura 5–2 *Un sismógrafo detecta y registra las ondas de los terremotos, u ondas sísmicas. A la derecha se muestra la forma típica de las ondas sísmicas. ¿Cuáles son los dos tipos de ondas sísmicas?*

Figura 5–3 *Las ondas P juntan y separan las partículas de roca en la dirección del movimiento de la onda. Las ondas S mueven las partículas de roca de lado a lado en ángulo recto con el movimiento de la onda.*

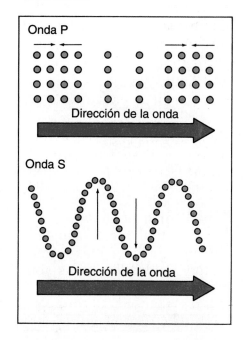

Onda P

Dirección de la onda

Onda S

Dirección de la onda

Figure 5–4 *The paths of seismic waves change as they travel through the Earth. P waves slow down as they pass through the liquid outer core. As they leave the outer core and pass through the inner core, P waves speed up. This change in speed bends the waves. S waves disappear as they enter the outer core. Why? Notice that a wave-free shadow zone extends all the way around the Earth. The shadow zone is produced by the bending of seismic waves.*

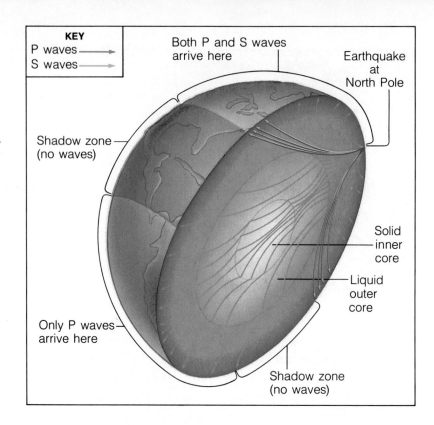

KEY
P waves ⟶
S waves ⟶

Both P and S waves arrive here

Earthquake at North Pole

Shadow zone (no waves)

Solid inner core

Liquid outer core

Only P waves arrive here

Shadow zone (no waves)

Shake and Quake

Write a 250-word horror story describing the disaster that would occur in the aftermath of a fictitious earthquake that levels a major American city. Make your story as descriptive as you can.

The Earth's Core

Both layers of the Earth's core are made of the elements iron and nickel. The solid, innermost layer is called the **inner core.** Here iron and nickel are under a great deal of pressure. The temperature of the inner core reaches 5000°C. Iron and nickel usually melt at this temperature. The enormous pressure at this depth, however, pushes the particles of iron and nickel so tightly together that the elements remain solid.

The radius, or distance from the center to the edge, of the inner core is about 1300 kilometers. The inner core begins at a depth of about 5150 kilometers below the Earth's surface. The presence of solid iron in the inner core may explain the existence of the magnetic fields around the Earth. Scientists think the iron produces an effect similar to the effect around a magnet—that is, a magnetic field. Have you ever experimented with iron filings and a bar magnet? If so, were you able to observe the pattern of the filings around the magnet? This pattern identifies the magnetic field. Perhaps your teacher can help you do this activity so that you can see a magnetic field for yourself.

Figura 5–4 *La trayectoria de las ondas sísmicas cambia cuando viajan a través de la Tierra. La velocidad de las ondas P disminuye cuando pasan a través del núcleo exterior líquido. Cuando salen del núcleo exterior y pasan a través del núcleo interior, su velocidad aumenta. Este cambio en la velocidad tuerce las ondas. Las ondas S desaparecen cuando entran en el núcleo exterior. ¿Por qué? Observa que hay una zona de sombra sin ondas alrededor de toda la Tierra. La zona de sombra es producida por el torcimiento de las ondas sísmicas.*

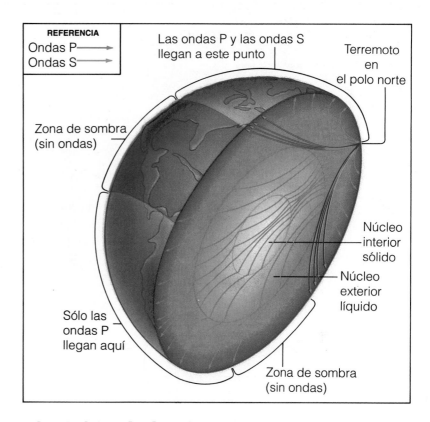

REFERENCIA
Ondas P
Ondas S

Las ondas P y las ondas S llegan a este punto

Terremoto en el polo norte

Zona de sombra (sin ondas)

Núcleo interior sólido

Núcleo exterior líquido

Sólo las ondas P llegan aquí

Zona de sombra (sin ondas)

El núcleo de la Tierra

Las dos capas del núcleo de la Tierra están formadas por los elementos hierro y níquel. La capa sólida interior se llama **núcleo interior**. El hierro y el níquel están aquí bajo una enorme presión. La temperatura del núcleo interior asciende a 5000°C. El hierro y el níquel generalmente se funden a esta temperatura, pero la enorme presión existente a esta profundidad hace que las partículas de hierro y níquel estén tan estrechamente apretadas que los elementos permanecen sólidos.

El radio, o la distancia desde el centro hasta el borde del núcleo interior, es de 1300 kilómetros. El núcleo interior empieza a una profundidad de aproximadamente 5150 kilómetros por debajo de la superficie. La presencia de hierro sólido en el núcleo interior puede explicar la existencia de campos magnéticos alrededor de la Tierra. Los científicos creen que el hierro produce un efecto similar al que se encuentra alrededor de un imán—es decir, un campo magnético. ¿Has experimentado alguna vez con limaduras de hierro y un imán? Si lo has hecho, ¿has podido observar la distribución de las limaduras alrededor del imán? Esta distribución identifica el campo magnético. Quizás tu profesor(a) pueda ayudarte a realizar esta actividad de modo que puedas ver con tus propios ojos un campo magnético.

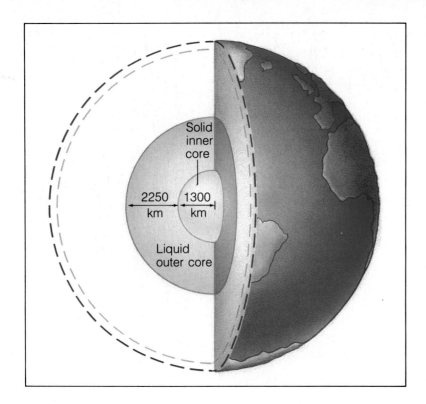

Surrounding the inner core is the second layer of the Earth, called the **outer core.** The outer core begins about 2900 kilometers below the Earth's surface and is about 2250 kilometers thick. The outer core is also made of iron and nickel. In this layer, the temperature ranges from about 2200°C in the upper part to almost 5000°C near the inner core. The heat makes the iron and nickel in the outer core molten, or changed into a hot liquid.

5-1 Section Review

1. What evidence has caused scientists to conclude that the Earth's core is made of two different layers?
2. Name two types of seismic waves. How are these waves the same? How are they different?
3. How are the inner and the outer cores of the Earth alike? How do they differ?

Critical Thinking—*Making Predictions*
4. Predict what would happen to P waves and S waves if the Earth's outer core were solid and its inner core were liquid.

ACTIVITY

CALCULATING

The Speed of Seismic Waves

Some kinds of seismic waves travel at 24 times the speed of sound. The speed of sound is 1250 km/hr. How fast do such seismic waves travel?

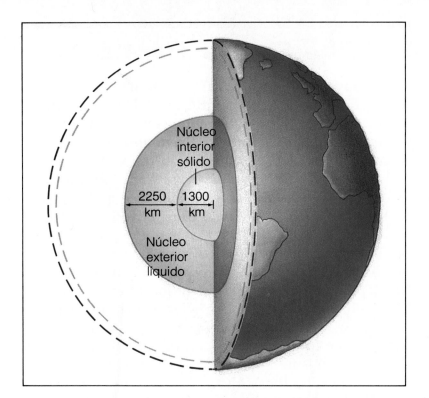

Alrededor del núcleo interior está la segunda capa de la Tierra, llamada el **núcleo exterior**. Éste empieza alrededor de 2900 kilómetros por debajo de la superficie de la Tierra y tiene un espesor de 2250 kilómetros. El núcleo exterior también está formado de hierro y níquel. En esta capa, la temperatura asciende a alrededor de 2200°C en la parte superior y a casi 5000°C cerca del núcleo interior. El calor hace que el hierro y el níquel del núcleo exterior se fundan y se transformen en un líquido caliente.

5–1 Repaso de la sección

1. ¿Qué datos han llevado a los científicos a concluir que el núcleo de la Tierra está formado por dos capas diferentes?
2. Nombra los dos tipos de ondas sísmicas. ¿En qué se parecen y en qué se diferencian estas ondas?
3. ¿En qué se parecen y en qué se diferencian el núcleo interior y el núcleo exterior?

Pensamiento crítico—*Hacer predicciones*
4. Trata de predecir qué pasaría con las ondas P y las ondas S si el núcleo exterior de la Tierra fuera sólido y el núcleo interior líquido.

ACTIVIDAD

PARA CALCULAR

Velocidad de las ondas sísmicas

Algunas clases de ondas sísmicas viajan a 24 veces la velocidad del sonido. La velocidad del sonido es de 1250 km/hr. ¿A qué velocidad viajan esas ondas sísmicas?

5–2 The Earth's Mantle

The layer of the Earth directly above the outer core is the **mantle.** The mantle extends to a depth of about 2900 kilometers below the surface. About 80 percent of the volume of the Earth and about 68 percent of the planet's mass are in the mantle.

In 1909, the Yugoslav scientist Andrija Mohorovičić (moh-hoh-ROH-vuh-chihch) observed a change in the speed of seismic waves as they moved through the Earth. When the waves reached a depth of 32 to 64 kilometers below the Earth's surface, their speed increased. The change in the speed of the waves at this depth indicated a difference in either the density (how tightly together the particles of material are packed) or the composition of the rock. Mohorovičić discovered a boundary between the Earth's outermost layer and the mantle. In his honor, this boundary is now called the **Moho.**

Scientists have made many attempts to determine the composition of the mantle. They have studied rocks from volcanoes because these rocks were formed deep within the Earth. They have also studied rocks from the ocean floor. **After studying rock samples, scientists have determined that the**

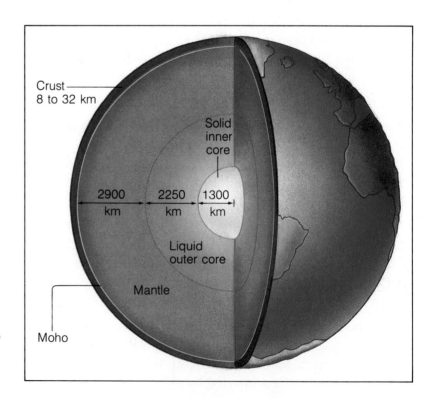

Crust 8 to 32 km

Solid inner core

2900 km   2250 km   1300 km

Liquid outer core

Mantle

Moho

Figure 5–6 *The mantle is the Earth's layer that lies above the outer core. The crust is only a very thin layer of the Earth. Most of the crust is covered with soil, rock, and water. What is the name of the boundary between the mantle and the crust?*

Guía para la lectura

*Piensa en estas preguntas
mientras lees.*

▶ *¿Cuáles son los principales
elementos que se
encuentran en el manto?*

▶ *¿Cuáles son las características del manto de la Tierra?*

5–2 El manto de la Tierra

La capa de la Tierra situada directamente encima del núcleo exterior es el manto. El **manto** se extiende hasta alrededor de 2900 kilómetros por debajo de la superficie. Aproximadamente el 80% del volumen y el 68% de la masa de la Tierra están en el manto.

En 1909, el científico yugoslavo Andrija Mohorovicic observó un cambio en la velocidad de las ondas sísmicas a medida que avanzaban a través de la Tierra. Cuando llegaban a una profundidad de entre 32 y 64 kilómetros, su velocidad aumentaba. Este cambio en la velocidad de las ondas indicaba una diferencia en la densidad (cuán apretadas están las partículas de materia) o la composición de la roca. Mohorovicic descubrió un límite entre la capa exterior de la Tierra y el manto. En su honor, ese límite se llama en la actualidad el **Moho.**

Los científicos han hecho muchos esfuerzos para determinar la composición del manto. Han estudiado rocas de los volcanes, porque esas rocas se forman en las profundidades de la Tierra. Han estudiado también rocas del fondo del océano. **Después de estudiar muestras de rocas, los científicos han determinado que el manto**

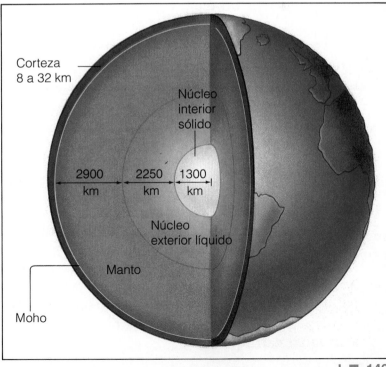

Figura 5–6 *El manto de la Tierra
es la capa situada encima del
núcleo exterior. La corteza es sólo
una capa muy delgada de la
Tierra. La mayor parte de la
corteza está cubierta de tierra,
rocas y agua. ¿Cómo se llama el
límite entre el manto y la corteza?*

Corteza
8 a 32 km

Núcleo
interior
sólido

2900
km

2250
km

1300
km

Núcleo
exterior líquido

Manto

Moho

mantle is made mostly of the elements silicon, oxygen, iron, and magnesium. The lower mantle has a greater percentage of iron than the upper mantle has.

The density of the mantle increases with depth. This increase in density is perhaps due to the greater percentage of iron in the lower mantle. The temperature and the pressure within the mantle also increase with depth. The temperature ranges from 870°C in the upper mantle to about 2200°C in the lower mantle.

Studies of seismic waves suggest that the rock in the mantle can flow like a thick liquid. The high temperature and pressure in the mantle allow the solid rock to flow slowly, thus changing shape. When a solid has the ability to flow, it has the property of plasticity (plas-TIHS-uh-tee).

Figure 5–7 *Kilauea is an active volcano in Hawaii. Here you can see lava being thrown into the air as the volcano erupts (right). Lava, either from a volcano or from a rift valley in the ocean floor, forms these "pillow" shapes when it is rapidly cooled by ocean water (left).*

5–2 Section Review

1. What elements make up most of the mantle?
2. Where is the mantle located? How far does it extend below the Earth's surface?
3. What is the Moho?
4. What is plasticity?

Connection—*You and Your World*

5. In areas where earthquakes are common, the foundations of buildings are constructed so that they can move slightly on special slippery pads. Architects believe that these buildings will not be damaged during an earthquake. How would this type of construction make a building safer during an earthquake?

ACTIVITY

A Model of the Earth's Interior

1. Obtain a Styrofoam ball 15 cm or more in diameter.

2. Carefully cut out a wedge from the ball so that the ball is similar to the one in Figure 5–6.

3. Draw lines on the inside of the ball and on the inside of the wedge to represent the four layers of the Earth.

4. Label and color each layer on the ball and wedge.

Figura 5–7 *El Kilauea es un volcán activo de Hawai. Puedes ver aquí la lava lanzada al aire por el volcán en erupción (derecha). La lava, ya sea de un volcán o de un valle de hendidura en el fondo del océano, forma estas "almohadillas" cuando el agua del océano la enfría rápidamente (izquierda).*

está formado principalmente de los elementos silicio, oxígeno, hierro y magnesio. El manto inferior tiene un mayor porcentaje de hierro que el manto superior.

La densidad del manto aumenta con la profundidad. Es posible que ello se deba al mayor porcentaje de hierro en el manto inferior. La temperatura y la presión dentro del manto aumentan también con la profundidad. La temperatura va de 870°C en el manto superior hasta alrededor de 2200°C en el manto inferior.

Los estudios de ondas sísmicas sugieren que la roca del manto puede fluir como un líquido espeso. La elevada temperatura y la alta presión del manto permiten que la roca sólida fluya lentamente, y cambie así de forma. Cuando un sólido tiene la capacidad de fluir, tiene la propiedad llamada **plasticidad.**

5–2 Repaso de la sección

1. ¿Qué elementos forman la mayor parte del manto?
2. ¿Dónde está situado el manto? ¿Hasta qué profundidad se extiende debajo de la superficie de la Tierra?
3. ¿Qué es el Moho?
4. ¿Qué es plasticidad?

Conexión—*Tú y tu mundo*
5. En las zonas donde son comunes los terremotos, los cimientos de los edificios se construyen de modo que puedan moverse ligeramente sobre cojines resbalosos especiales. Los arquitectos creen que esos edificios no sufrirán daños en los terremotos. ¿Cómo podría este tipo de construcción hacer que un edificio fuera más seguro durante un terremoto?

ACTIVIDAD

PARA HACER

Modelo del interior de la Tierra

1. Consigue una pelota de plástico (Styrofoam) de 15 cm de diámetro o más.

2. Corta cuidadosamente una sección de la pelota de modo que el resultado sea similar a la figura 5–6.

3. Dibuja líneas en el interior de la pelota y en el interior de la sección recortada para representar las cuatro capas de la Tierra.

4. Rotula y colorea cada capa de la pelota y de la sección.

5–3 The Earth's Crust

The Earth's crust is its thin outermost layer. The **crust** is much thinner than the mantle and the outer and inner cores. You can think of the crust as being similar to the peel on an apple. All life on Earth exists on or within a few hundred meters above the crust. Most of the crust cannot be seen. Do you know why? It is covered with soil, rock, and water. There is one place, however, where the crust can be seen. Where do you think that might be?

The crust is made of three types of solid rocks: igneous rocks, sedimentary rocks, and metamorphic rocks. Igneous rocks form when hot liquid rock from deep within the Earth cools and hardens as it reaches the surface. The word igneous means ''born of fire,'' a term that explains with accuracy how these rocks are formed. Sedimentary rocks form when sediments—small pieces of rocks, sand, and other materials—are pressed and cemented together by the weight of layers that build up over long periods of time. Metamorphic rock forms when igneous and sedimentary rocks are changed by heat, pressure, or the action of chemicals.

The thickness of the Earth's crust varies. Crust beneath the oceans, called oceanic crust, is less than 10 kilometers thick. Its average thickness is only about 8 kilometers. Oceanic crust is made mostly of silicon, oxygen, iron, and magnesium.

Figure 5–8 *Natural rock formations, such as these in Big Bend National Park, Texas, often take beautiful, and sometimes surprising, forms. The elements that make up the Earth's crust are listed in this chart. What two elements are the most abundant?*

ELEMENTS IN THE EARTH'S CRUST

Element	Percentage in Crust
Oxygen	46.60
Silicon	27.72
Aluminum	8.13
Iron	5.00
Calcium	3.63
Sodium	2.83
Potassium	2.59
Magnesium	2.09
Titanium	0.40
Hydrogen	0.14
Total	99.13

5–3 La corteza de la Tierra

La corteza de la Tierra es su delgada capa exterior. La **corteza** es mucho más delgada que el manto y que los núcleos exterior e interior. Es como la cáscara de una manzana. Toda la vida en la Tierra existe sobre la corteza o unos pocos cientos de metros por encima de ella. La mayor parte de la corteza no puede verse. Está cubierta de tierra, rocas y agua. Sin embargo, hay un lugar donde es posible ver la corteza. ¿Cuál te parece que es ese lugar?

La corteza está hecha de tres tipos de rocas sólidas: rocas ígneas, sedimentarias y metamórficas. Las rocas ígneas se forman cuando la roca líquida caliente del fondo de la Tierra se enfría y se endurece al llegar a la superficie. La palabra ígneo, que significa "nacido del fuego," explica exactamente cómo se forman esas rocas. Las rocas sedimentarias se forman cuando el peso de las capas formadas en el curso de mucho tiempo hace que los sedimentos—pequeños trozos de roca, arena y otros materiales—se aglutinen. Las rocas metamórficas se forman cuando las rocas ígneas y sedimentarias se transforman por el calor, la presión o la acción de productos químicos.

El espesor de la corteza varía. La corteza debajo de los océanos, llamada corteza oceánica, tiene menos de 10 kilómetros. Su espesor medio es de sólo 8 kilómetros. La corteza oceánica está formada principalmente de silicio, oxígeno, hierro y magnesio.

Figura 5–8 *Las formaciones rocosas naturales, como éstas en el Parque Nacional Big Bend, en Texas, tienen con frecuencia formas hermosas, y a veces también sorprendentes. En este cuadro se enumeran los elementos que forman la corteza de la Tierra. ¿Cuáles son los dos elementos más abundantes?*

ELEMENTOS DE LA CORTEZA DE LA TIERRA

Elemento	Porcentaje en la corteza
Oxígeno	46.60
Silicio	27.72
Aluminio	8.13
Hierro	5.00
Calcio	3.63
Sodio	2.83
Potasio	2.59
Magnesio	2.09
Titanio	0.40
Hidrógeno	0.14
Total	99.13

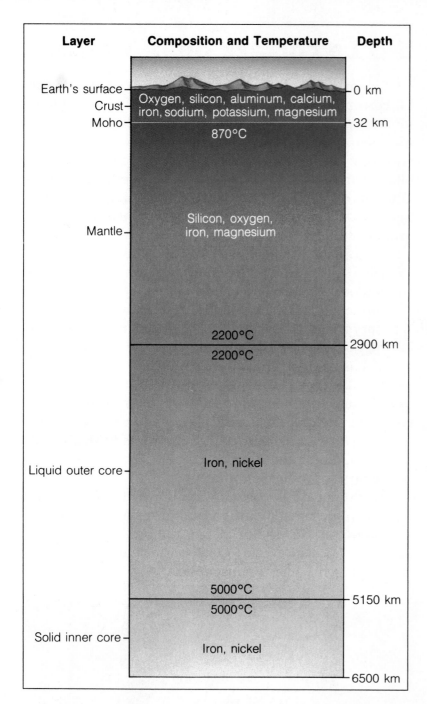

Layer	Composition and Temperature	Depth

Earth's surface — 0 km

Crust — Oxygen, silicon, aluminum, calcium, iron, sodium, potassium, magnesium

Moho — 32 km

870°C

Mantle — Silicon, oxygen, iron, magnesium

2200°C — 2900 km

2200°C

Liquid outer core — Iron, nickel

5000°C — 5150 km

5000°C

Solid inner core — Iron, nickel

— 6500 km

Figure 5–9 *This diagram summarizes the major characteristics of the Earth's layers. Which layers are solid? Which layer is liquid?*

Activity Bank

How Hard Is That Rock?, p.172

ACTIVITY
CALCULATING

How Many Earths?

The distance from the center of the Earth to the surface is about 6450 kilometers. The distance from the Earth to the sun is 150 million kilometers. How many Earths lined up in a row are needed to reach the sun?

Crust beneath the continents, called continental crust, has an average thickness of about 32 kilometers. Beneath mountains, continental crust is much thicker. Under some mountains, the crust's thickness is greater than 70 kilometers. Continental crust is made mostly of silicon, oxygen, aluminum, calcium, sodium, and potassium.

The Earth's crust forms the upper part of the **lithosphere** (LIHTH-uh-sfeer). The lithosphere is the

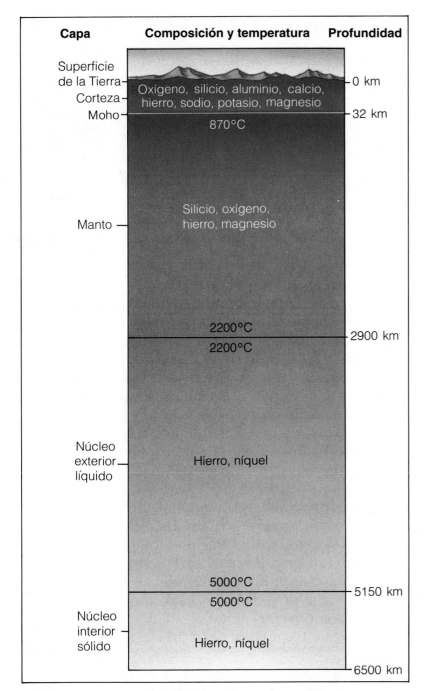

Capa	Composición y temperatura	Profundidad
Superficie de la Tierra		0 km
Corteza	Oxígeno, silicio, aluminio, calcio, hierro, sodio, potasio, magnesio	
Moho	870°C	32 km
Manto	Silicio, oxígeno, hierro, magnesio	
	2200°C	2900 km
Núcleo exterior líquido	2200°C Hierro, níquel	
	5000°C	5150 km
Núcleo interior sólido	5000°C Hierro, níquel	
		6500 km

Figura 5–9 *En este diagrama se resumen las principales características de las capas de la Tierra. ¿Qué capas son sólidas? ¿Qué capa es líquida?*

Pozo de actividades

¿Cuál es la roca más dura?, p. 172

La corteza debajo de los continentes, llamada corteza continental, tiene un espesor medio de alrededor de 32 kilómetros, pero es mucho más gruesa debajo de las montañas. Bajo algunas montañas, llega a más de 70 kilómetros. La corteza continental está formada principalmente de silicio, oxígeno, aluminio, calcio, sodio y potasio.

La corteza de la Tierra forma la parte superior de la **litosfera.** La litosfera es la parte sólida superior

ACTIVIDAD

PARA CALCULAR

¿Cuántas Tierras?

La distancia desde el centro de la Tierra hasta su superficie es de aproximadamente 6450 kilómetros. La distancia desde la Tierra hasta el sol es 150 millones de kilómetros. ¿Cuántas Tierras puestas en fila, una detrás de otra, se necesitan para llegar al sol?

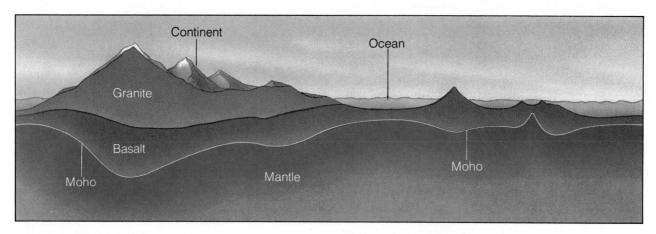

Figure 5–10 *The Earth's crust consists of two layers. The top layer is made of granite and is found only under the continents. The bottom layer is made of basalt and is found under both the continents and the oceans.*

solid topmost part of the Earth. It is between 50 and 100 kilometers thick and is broken up into large sections called lithospheric plates. There are at least seven major plates.

The layer directly beneath the lithosphere is called the **asthenosphere** (az-THEEN-oh-sfeer). The asthenosphere, which is 130 to 160 kilometers thick, is actually considered to be the upper edge of the mantle. The asthenosphere is made of hot, molten material. This material has the property of plasticity and thus can flow easily. The lithospheric plates move on the hot molten material that forms the asthenosphere. You can get a better idea of this concept by making your own model of the lithosphere and the asthenosphere. Try the following: Use a slice of bread to represent a lithospheric plate and a layer of jelly spread on a piece of cardboard to represent the asthenosphere. Place the bread on top of the jelly. Move the slice of bread back and forth slightly. What do you observe?

5–3 Section Review

1. What is the Earth's crust?
2. Compare oceanic crust with continental crust.
3. What are the characteristics of the asthenosphere? What floats on this layer?

Critical Thinking—*Relating Concepts*
4. Explain why metamorphic rock could not form before igneous or sedimentary rock.

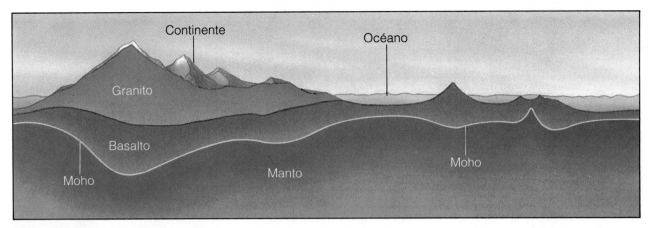

Figura 5–10 *La corteza de la Tierra está formada por dos capas. La capa superior está formada de granito y sólo se encuentra debajo de los continentes. La capa inferior está formada de basalto y se encuentra debajo de los continentes y de los océanos.*

de la Tierra. Tiene entre 50 y 100 kilómetros de espesor y está dividida en grandes secciones llamadas placas litosféricas. Hay por lo menos siete placas principales.

La capa situada directamente debajo de la litosfera se llama la **astenosfera.** La astenosfera, que tiene entre 130 y 160 kilómetros de espesor, se considera en realidad el margen superior del manto. Está formada de sustancias calientes fundidas que tienen plasticidad y puede así fluir fácilmente. Las placas litosféricas se mueven sobre la astenosfera. Entenderás mejor este concepto si haces tu propio modelo de la litosfera y la astenosfera. Usa una rebanada de pan para representar una placa litosférica y una capa de jalea esparcida sobre un trozo de cartón para representar la astenosfera. Pon el pan sobre la confitura. Mueve ligeramente la rebanada de pan hacia adelante y hacia atrás. ¿Qué puedes observar?

5–3 Repaso de la sección

1. ¿Qué es la corteza de la Tierra?
2. Compara la corteza oceánica con la corteza continental.
3. ¿Cuáles son las características de la astenosfera? ¿Qué flota sobre esta capa?

Pensamiento crítico—*Relacionar conceptos*

4. Explica por qué no es posible que la roca metamórfica se formara antes que la roca ígnea o sedimentaria.

CONNECTIONS

Beauty From Beneath the Earth's Surface

The Smithsonian Institution in Washington, D.C., has often been called the nation's attic. But you should not think of a dusty attic filled with unwanted and unused objects. For the Smithsonian Institution is a treasure-filled attic: a storehouse of items of great artistic merit made by talented women and men, as well as of treasures from the Earth itself. Here you will find diamonds, rubies, sapphires, and other gems valuable beyond price—all handcrafted by the forces of nature in a "laboratory" you know as the Earth.

For example, scientists believe that diamonds form within the upper part of the Earth's mantle. Here the pressure is tremendous—about 65,000 times the pressure at the Earth's surface—and the temperature is close to 1500°C! Under these extreme conditions of pressure and temperature, carbon can be transformed into diamonds. Diamond-laden molten rock is forced to the surface of the Earth by volcanic explosions. Mines cut into the crust expose the diamonds formed long ago in the Earth's mantle. These rough diamonds vary in quality. Those that are gem quality are cut and shaped into precious stones used in jewelry. Those that are not fine enough to be made into jewelry are used to make drills and saws. Such *industrial-grade diamonds* are so strong that they cut through many materials, including steel. Small bits of diamond are often used in the dental drills that remove decayed parts of teeth and in the needles that follow the grooves in a record to produce the sounds of music.

If you are able to visit the Smithsonian Institution at some future time, keep this in mind: Not all the great treasures preserved and protected within the walls of this great museum were made by the hands of people; many were shaped by forces at work deep within the Earth.

Gemstones, like this green beryl, are quite beautiful. Diamonds, highly valued for their beauty, also have important uses in industry. Small diamond particles are often imbedded in drills (left) and in saws (right).

Belleza de las profundidades de la Tierra

El Smithsonian Institution de Washington, D.C. ha sido llamado muchas veces el desván de la nación. Pero no se trata de un desván polvoriento lleno de objetos que nadie usa ni quiere. Es en cambio un desván lleno de tesoros: un almacén de objetos de gran valor artístico hechos por mujeres y hombres de talento, así como de tesoros de la propia Tierra. Encontrarás allí diamantes, rubíes, zafiros y otras piedras preciosas de valor inestimable, todas formadas por fuerzas de la naturaleza en un "laboratorio" que conoces como la Tierra.

Por ejemplo, los científicos creen que los diamantes se forman en la parte superior del manto de la Tierra. La presión en esa zona es tremenda—alrededor de 65,000 veces más que en la superficie de la Tierra—y la temperatura está cerca de 1500°C. En estas condiciones extremas, el carbono puede transformarse en diamantes. La roca fundida cargada de diamantes es empujada a la superficie por explosiones volcánicas. Mediante minas cortadas en la corteza se sacan a la luz los diamantes formados hace muchísimo tiempo en el manto de la Tierra. Estos diamantes en bruto son de calidad muy diversa. Algunos se tallan y se transforman en piedras preciosas para joyas. Los que no son suficientemente perfectos para convertirse en joyas se usan para hacer taladros y sierras. Esos *diamantes industriales* son tan fuertes que pueden cortar muchos materiales, incluido el acero. Muchas veces se usan pequeño strozos de diamante en los taladros dentales que limpian las partes cariadas de los dientes y en las agujas que siguen los surcos de los discos que producen sonidos musicales.

Si puedes visitar el Smithsonian Institution en el futuro, recuerda esto: no todos los grandes tesoros preservados y protegidos entre las paredes de ese gran museo fueron hechos por la mano del hombre; muchos fueron formados por fuerzas que actuaban en las profundidades de la Tierra.

Las piedras preciosas, como este berilo verde, son muy hermosas. Los diamantes, muy apreciados por su belleza, tienen también usos importantes en la industria. Muchas veces se incrustan pequeñas partículas de diamante en los taladros (izquierda) y las sierras (derecha).

Laboratory Investigation

Simulating Plasticity

Problem

How can the plasticity of the Earth's mantle be simulated?

Materials (per group)

15 g cornstarch
2 small beakers
10 mL cold water
medicine dropper
metal stirring rod or spoon

Procedure 🔬

1. Put 15 g of cornstarch in one of the beakers. Into the other beaker, pour 10 mL of cold water.
2. Use the medicine dropper to gradually add one dropperful of water to the cornstarch. Stir the mixture.
3. Continue to add the water, one dropperful at a time. Stir the mixture after each addition. Stop adding the water when the mixture becomes difficult to stir.
4. Try to pour the mixture into your hand. Try to roll the mixture into a ball and press it.

Observations

1. Before the addition of water, is the cornstarch a solid, liquid, or gas? Is the water a solid, liquid, or gas?
2. When you try to pour the mixture into your hand, does the mixture behave like a solid, liquid, or gas?
3. When you try to roll the mixture into a ball and apply pressure, does the mixture act like a solid, liquid, or gas?

Analysis and Conclusions

1. How is the mixture of cornstarch and water similar to the Earth's mantle? Different from the Earth's mantle?
2. How might the plasticity of the mantle influence the movement of the Earth's lithospheric plates?
3. **On Your Own** Make a model of a lithospheric plate. Devise a way to show how the plasticity of the mantle allows the Earth's lithospheric plates to move.

Investigación de laboratorio

Simulación de la plasticidad

Problema
¿Cómo puede simularse la plasticidad del manto de la Tierra?

Materiales *(por grupo)*

15 gramos de almidón de maíz
2 cubetas pequeñas con pico
10 ml de agua fría
gotero
cucharilla o barrita de metal para revolver

Procedimiento

1. Pon 15 gr de almidón de maíz en una de las cubetas. En el otro vaso, vierte 10 ml de agua fría.

2. Usa el gotero para añadir gradualmente el contenido de un gotero de agua al almidón. Revuelve la mezcla.

3. Sigue añadiendo agua, un gotero por vez, y revolviendo la mezcla después de cada adición. Deja de añadir agua cuando la mezcla resulte difícil de revolver.

4. Trata de verter la mezcla en tu mano. Trata de formar una bola y de oprimirla.

Observaciones

1. Antes de añadir el agua, ¿es el almidón un sólido, un líquido o un gas? ¿Es el agua un sólido, un líquido o un gas?

2. Cuando tratas de verter la mezcla en tu mano, ¿se comporta la mezcla como un sólido, un líquido o un gas?

3. Cuando tratas de formar con la mezcla una bola y ejerces presión, ¿se comporta la mezcla como un sólido, un líquido o un gas?

Análisis y conclusiones

1. ¿En qué sentido es la mezcla de almidón y agua similar al manto de la Tierra? ¿En qué sentido es distinta?

2. ¿Cómo puede influir la plasticidad del manto en el movimiento de las placas litosféricas de la Tierra?

3. **Por tu cuenta** Haz un modelo de una placa litosférica. Piensa en una manera de demostrar de qué forma la plasticidad del manto permite que se muevan las placas litosféricas de la Tierra.

ALMIDÓN DE MAÍZ

AGUA

Summarizing Key Concepts

5–1 The Earth's Core

▲ An earthquake is a sudden movement of the Earth's outermost layer.

▲ Shock waves produced by an earthquake are called seismic waves.

▲ Seismic waves are detected and recorded by an instrument called a seismograph.

▲ Seismic waves called P waves and S waves are used to study the structure and composition of the Earth's interior.

▲ The core of the Earth is made of a liquid outer core and a solid inner core. Both core layers are composed of iron and nickel.

▲ Although the temperature is high enough to melt iron and nickel, the inner core is solid because of the enormous pressure.

▲ The dense iron and nickel in the inner core may be the cause of the Earth's magnetic field.

▲ The temperature range of the Earth's outer core is from about 2200°C to almost 5000°C.

▲ P waves do not move very well through liquids. S waves do not move through liquids at all. This information has helped scientists determine that the outer core is liquid and the inner core is solid.

5–2 The Earth's Mantle

▲ The mantle is the layer of the Earth that lies above the outer core.

▲ The mantle makes up about 80 percent of the Earth's volume and 68 percent of the Earth's mass.

▲ The boundary between the Earth's outermost layer and the mantle is called the Moho.

▲ The mantle is made mostly of silicon, oxygen, iron, and magnesium.

▲ Pressure and temperature increase with depth in the mantle.

▲ Because of the tremendous heat and pressure in the mantle, rocks in the mantle exhibit the property of plasticity.

5–3 The Earth's Crust

▲ The crust is the thin outermost layer of the Earth.

▲ The crust is made of igneous, sedimentary, and metamorphic rocks.

▲ The most abundant elements in the crust are oxygen, silicon, aluminum, iron, calcium, sodium, potassium, and magnesium.

▲ Oceanic crust is about 8 kilometers thick. Continental crust is about 32 kilometers thick.

▲ The crust forms the upper part of the lithosphere. The lithosphere contains large sections called lithospheric plates.

▲ Lithospheric plates move about on the asthenosphere, the outermost edge of the mantle. The asthenosphere exhibits the property of plasticity.

Reviewing Key Terms

Define each term in a complete sentence.

5–1 The Earth's Core	5–2 The Earth's Mantle	5–3 The Earth's Crust
seismic waves	mantle	crust
seismograph	Moho	lithosphere
inner core	plasticity	asthenosphere
outer core		

Resumen de conceptos claves

5–1 El núcleo de la Tierra

▲ Un terremoto es un movimiento brusco de la corteza exterior de la Tierra.

▲ Las ondas de choque producidas por un terremoto se llaman ondas sísmicas.

▲ Las ondas sísmicas se detectan y se registran mediante un instrumento llamado sismógrafo.

▲ Las ondas sísmicas llamadas ondas P y ondas S se utilizan para estudiar la estructura y la composición del interior de la Tierra.

▲ El núcleo de la Tierra está formado por un núcleo exterior líquido y un núcleo interior sólido. Ambas capas del núcleo están compuestas de hierro y níquel.

▲ Aunque la temperatura es suficientemente alta para derretir el hierro y el níquel, el núcleo interior es sólido a causa de la enorme presión.

▲ El hierro y el níquel densos del núcleo interior pueden ser la causa del campo magnético de la Tierra.

▲ La temperatura del núcleo exterior de la Tierra va de alrededor de 2200°C hasta casi 5000°C.

▲ Las ondas P no se mueven muy bien a través de los líquidos. Las ondas S no se mueven en absoluto a través de los líquidos. Esta información ha ayudado a los científicos a determinar que el núcleo exterior es líquido y el núcleo interior es sólido.

5–2 El manto de la Tierra

▲ El manto es la capa de la Tierra que está encima del núcleo exterior.

▲ El manto constituye alrededor del 80% del volumen y el 68% de la masa de la Tierra.

▲ El límite entre la capa exterior y el manto de la Tierra se llama Moho.

▲ El manto está formado principalmente de silicio, oxígeno, hierro y magnesio.

▲ La presión y la temperatura aumentan con la profundidad del manto.

▲ A causa del calor y la presión enormes del manto, las rocas del manto tienen la propiedad llamada plasticidad.

5–3 La corteza de la Tierra

▲ La corteza es la capa exterior delgada de la Tierra.

▲ La corteza está formada de rocas ígneas, sedimentarias y metamórficas.

▲ Los elementos más abundantes de la corteza son el oxígeno, el silicio, el aluminio, el hierro, el calcio, el sodio, el potasio y el magnesio.

▲ La corteza oceánica tiene alrededor de 8 kilómetros de espesor. La corteza continental tiene alrededor de 32 kilómetros de espesor.

▲ La corteza forma la parte superior de la litosfera. La litosfera contiene grandes secciones llamadas placas litosféricas.

▲ Las placas litosféricas se mueven sobre la astenosfera, el margen exterior del manto. La astenosfera exhibe la propiedad de la plasticidad.

Repaso de palabras claves

Define cada palabra o palabras con una oración completa.

5–1 El núcleo de la Tierra

ondas sísmicas
sismógrafo
núcleo interior
núcleo exterior

5–2 El manto de la Tierra

manto
Moho
plasticidad

5–3 La corteza de la Tierra

corteza
litosfera
astenosfera

Chapter Review

Content Review

Multiple Choice

Choose the letter of the answer that best completes each statement.

1. The shock waves produced by an earthquake are measured with a
   a. radiograph.   c. sonograph.
   b. seismograph.   d. laser.
2. The Earth's inner core is made of
   a. oxygen and silicon.
   b. iron and nickel.
   c. iron and silicon.
   d. copper and nickel.
3. The boundary between the mantle and the outermost layer of the Earth is called the
   a. Moho.   c. lithosphere.
   b. outer core.   d. bedrock.
4. The crust of the Earth is made mostly of
   a. oxygen and silicon.
   b. iron and silicon.
   c. iron and nickel.
   d. copper and nickel.

5. When P waves and S waves reach the Earth's outer core,
   a. both keep moving at the same speed.
   b. both stop completely.
   c. P waves stop and S waves slow down.
   d. S waves stop and P waves slow down.
6. The layer that makes up most of the Earth's mass and volume is the
   a. mantle.   c. crust.
   b. magma.   d. core.
7. The ability of a solid to flow is called
   a. ductility.   c. seismology.
   b. plasticity.   d. porosity.
8. The thin outermost layer of the Earth is called the
   a. mantle.   c. crust.
   b. Moho.   d. core.

True or False

If the statement is true, write "true." If it is false, change the underlined word or words to make the statement true.

1. The <u>atmosphere</u> is the outermost layer of the mantle on which the plates move.
2. The innermost layer of the Earth is called the <u>inner</u> core.
3. The <u>outer</u> core is <u>molten</u>.
4. <u>S waves</u> slow down as they pass through liquids.
5. The outermost layer of the Earth is called the <u>crust</u>.
6. The topmost solid part of the Earth is broken up into <u>lithospheric plates</u>.
7. The presence of <u>copper</u> in the inner core may explain the <u>magnetic</u> field that exists around the Earth.

Concept Mapping

Complete the following concept map for Section 5–1. Refer to pages 16–17 to construct a concept map for the entire chapter.

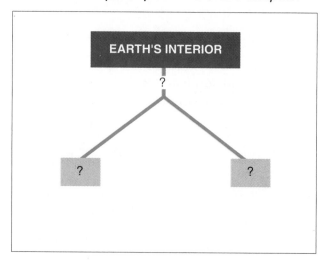

Repaso del capítulo

Repaso del contenido

Selección múltiple

Selecciona la letra de la respuesta que complete mejor cada frase.

1. Las ondas de choque producidas por un terremoto se miden con
   a. un radiógrafo.
   b. un sismógrafo.
   c. un sonógrafo.
   d. rayos láser.

2. El núcleo interior de la Tierra está formado de
   a. oxígeno y silicio.
   b. hierro y níquel.
   c. hierro y silicio.
   d. cobre y níquel.

3. El límite entre el manto y la corteza exterior de la Tierra se llama
   a. el Moho.
   b. el núcleo exterior.
   c. la litosfera.
   d. el lecho rocoso.

4. La corteza de la Tierra está formada principalmente de
   a. oxígeno y silicio.
   b. hierro y silicio.
   c. hierro y níquel.
   d. cobre y níquel

5. Cuando las ondas P y las ondas S llegan al núcleo exterior de la Tierra
   a. ambas siguen moviéndose a la misma velocidad.
   b. ambas se detienen por completo.
   c. las ondas P se detienen y las ondas S se hacen más lentas.
   d. Las ondas S se detienen y las ondas P se hacen más lentas.

6. La capa que tiene la mayor parte de la masa y del volumen de la Tierra es
   a. el manto.
   b. el magma.
   c. la corteza.
   d. el núcleo.

7. La capacidad de fluir de un sólido se llama
   a. ductilidad.
   b. plasticidad.
   c. sismología.
   d. porosidad.

8. La capa exterior delgada de la Tierra se llama
   a. manto.
   b. Moho.
   c. corteza.
   d. núcleo.

Verdadero o falso

Si la afirmación es verdadera, escribe "verdad." Si es falsa, cambia las palabras subrayadas para que sea verdadera.

1. La <u>atmósfera</u> es la capa exterior del manto sobre la cual se mueven las placas.
2. La capa interna de la Tierra se llama el núcleo <u>interior</u>.
3. La capa externa del núcleo está <u>fundida.</u>
4. Las <u>ondas S</u> se hacen más lentas cuando pasan a través de líquidos.
5. La capa exterior de la Tierra se llama la <u>corteza</u>.
6. La parte superior sólida de la Tierra está dividida en <u>placas litosféricas</u>.
7. La presencia de <u>cobre</u> en el núcleo interior puede explicar el campo magnético que existe alrededor de la Tierra.

Mapa de conceptos

Completa el siguiente mapa de conceptos para la sección 5–1. Consulta las páginas I6–I7 para preparar un mapa de conceptos para todo el capítulo.

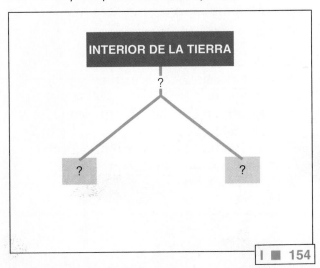

Concept Mastery

Discuss each of the following in a brief paragraph.

1. How have scientists learned about the composition of the Earth's interior?
2. How does oceanic crust differ from continental crust?
3. How do temperature and pressure change as you move from the Earth's crust to the inner core? How do temperature and pressure affect the properties of materials found in the Earth?
4. Briefly describe the work of Andrija Mohorovičić. What did this scientist discover?
5. What is igneous rock? Sedimentary rock? Metamorphic rock?
6. How does the property of plasticity shown by the asthenosphere account for the movement of lithospheric plates?

Critical Thinking and Problem Solving

Use the skills you have developed in this chapter to answer each of the following.

1. **Analyzing data** The temperature of the inner core reaches about 5000°C. The temperature of the outer core begins at 2200°C. Explain why the outer core is liquid and the inner core is solid.
2. **Relating concepts** It has been said that "Every cloud has a silver lining." What could be the "silver lining" in an earthquake?
3. **Analyzing illustrations** This illustration shows the layers of the Earth. Something is wrong with this artist's ideas, however. Identify the errors and describe what you would do to correct them.

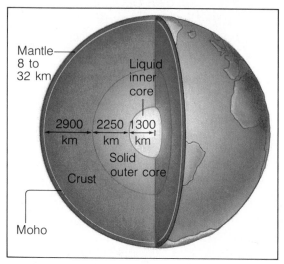

4. **Making models** Use the information in this chapter to make a model of the four layers of the Earth's interior. You may use clay of different colors, papier-mâché, or other materials to make your model. Keep the depth and thickness of each layer of your model in scale with the actual depth and thickness of the Earth's layers. Include a key to the scale you use to construct your model. For example, 1 centimeter in your model might equal 1000 kilometers in the Earth.
5. **Interpreting diagrams** Look at Figure 5–4 on page 144. You will notice an area of the Earth labeled the shadow zone. Use this diagram and your knowledge of seismic waves and the structure of the Earth's interior to explain what the shadow zone is.
6. **Using the writing process** Write a short story about an imaginary trip taken in a machine that is able to drill through the Earth. Make your destination an exotic country on the side of the Earth opposite the city or town in which you live. Use a globe to help. You might like to illustrate this story with appropriate pictures.

Dominio de conceptos

Comenta cada uno de los puntos siguientes en un párrafo breve.

1. ¿Cómo han aprendido los científicos la composición del interior de la Tierra?
2. ¿En qué difiere la corteza oceánica de la corteza continental?
3. ¿Cómo cambian la temperatura y la presión cuando avanzas desde la corteza hasta el núcleo interior de la Tierra? ¿Cómo afectan esa presión y esa temperatura las propiedades de los materiales que se encuentran en la Tierra?
4. Describe brevemente la obra de Andrija Mohorovicic ¿Qué descubrió este científico?
5. ¿Qué es roca ígnea, roca sedimentaria y roca metamórfica?
6. ¿De qué manera la propiedad llamada plasticidad que exhibe la astenosfera explica el movimiento de las placas litosféricas?

Pensamiento crítico y solución de problemas

Usa las destrezas que has desarrollado en este capítulo para resolver lo siguiente.

1. **Analizar datos** La temperatura del núcleo interior llega a alrededor de 5000°C. La temperatura del núcleo exterior empieza a 2200°C. Explica por qué el núcleo exterior es líquido y el núcleo interior es sólido.
2. **Relacionar conceptos** Suele decirse que "No hay mal que por bien no venga." ¿Cuál sería el "bien" de un terremoto?
3. **Analizar ilustraciones** Esta ilustración muestra las capas de la Tierra. Sin embargo, hay algo incorrecto en las ideas de este artista. Identifica los errores y describe lo que harías para corregirlos.

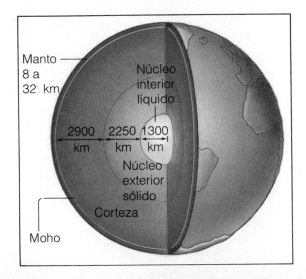

4. **Construir modelos** Usa la información contenida en este capítulo para hacer un modelo de las cuatro capas del interior de la Tierra. Puedes usar arcilla de diferentes colores, papier-mâché u otros materiales para hacer tu modelo. Mantén la profundidad y el espesor de cada capa de tu modelo en escala con la profundidad y el espesor reales de las capas de la Tierra. Incluye una referencia de la escala que usas para construir tu modelo. Por ejemplo, 1 centímetro de tu modelo podría ser igual a 1000 kilómetros de la Tierra.
5. **Interpretar diagramas** Mira la figura 5–4 de la página 144. Verás una zona de la Tierra llamada la zona de sombra. Utiliza este diagrama y tu conocimiento de las ondas sísmicas y de la estructura del interior de la Tierra para explicar qué es la zona de sombra.
6. **Usar el proceso de la escritura** Escribe un cuento breve sobre un viaje imaginario en una máquina capaz de perforar la Tierra. Haz que tu destino sea un país exótico en el lado de la Tierra opuesto a la ciudad o el pueblo en que vives. Usa un globo terráqueo para ayudarte. Tal vez quieras ilustrar este cuento con dibujos apropiados.

GAZETTE

Alan Kolata & Oswaldo Rivera

THE MYSTERIOUS CANALS OF BOLIVIA

The Pampa Koani, a treeless plain in northern Bolivia, was rich in strange ridges and depressions but poor in crops. The Aymara Indians, the inhabitants of this flood plain, were forced to watch as their crops succumbed to frost and their potatoes rotted in the boggy soil. The Aymara knew that nearly one thousand years ago their ancestors had farmed the land successfully. That powerful pre-Incan civilization, called the Tiwanaku state, had flourished from 200 to 1000 AD. What farming methods did the Tiwanakus know so many years ago that the Aymara lacked today?

In 1981, two archaeologists suggested a possible answer. Alan Kolata (bottom left),

a professor of archaeology and anthropology at the University of Chicago, and Oswaldo Rivera (bottom right), an archaeologist at Bolivia's National Institute of Archaeology, had been studying the Tiwanaku culture since the late 1970s. The two scholars believed that the secret lay in the ridges and ruts that ran across the flood plain. They had observed similar topographical patterns in Mayan and Aztec farming sites in the jungles of Central America. The archaeologists suggested that the patterns were part of a sophisticated system of canals and raised planting surfaces that had allowed the Tiwanakus to grow their crops successfully.

Kolata and Rivera needed to test their hypothesis. A proven, correct theory would be more than simply a credit to the archaeologists' research abilities. It would also be

SCIENCE

a way to rejuvenate the failing Aymara farms and produce hardy crops. In 1981, the archaeologists' first attempt to rehabilitate the Aymara fields was met with a severe drought. It was not until 1987 that Kolata and Rivera were able to convince the Aymara to try again. At first, only one man agreed to cooperate. As a result, he was scorned by his neighbors, who thought the archaeologists were meddling foreigners who would only harm Aymara agriculture. The Aymaras continued to plant their crops away from the rutted fields on nearby hillsides. But the archaeologists and the lone Aymara farmer persevered. Together, the three redug the channels, planted the potato crop, and watched excitely as the plants grew to record heights.

Then, only a few days before the first harvest, frost struck the area. The Aymara farmers looked on helplessly as 90 percent of their hillside crops were lost. They expected the same fate for the crops Kolata and Rivera had helped to cultivate. The coldest, heaviest air, they thought, would flow downhill onto the flood plain, killing every plant.

The archaeologists hoped for a different outcome. And indeed, when they went out before dawn to investigate, they beheld a remarkable sight! Across the entire flood plain, a white mist lay like a blanket over the potato crops. With the first rays of sunlight, the mist disappeared, revealing undamaged potato plants. Almost the entire crop had survived the killing frost! It was then that Kolata and Rivera, along with the Aymara farmers, recognized the ingenuity of the early Tiwanakus. These ancient people knew how to use the system of canals and ridges to protect their harvest. Can you guess how they did it?

During the day, the soil absorbs heat from the sun. But the soil quickly loses its warmth during the cold night, putting the crops at risk. Water, however, retains heat for a much longer time than soil does. A temperature difference between the water in the canals and the air causes the water to evaporate. This causes a protective, blanketlike mist to form over the crops. In addition, warm water is drawn by capillary action into the

▲ **These Bolivian farmers are harvesting potatoes produced in raised fields bordered by canals.**

raised platforms, conducting warmth into the soil and into the plants' root systems.

Kolata and Rivera were pleased with their discovery—and particularly with the fact that the Aymara began to trust them and treat them like friends. But nobody was more pleased than the Aymara people themselves. With the "new" farming system, their crops began to prosper, yielding bountiful harvests of potatoes, barley, oats, lettuce, and onions. As a bonus, algae and nitrogen-fixing bacteria began to thrive in the canals, providing a useful source of fertilizer after the crops were harvested and the canals were drained. And the Aymara had done all this by returning to the ways of their ancestors!

Meanwhile, Kolata and Rivera continue to research the Tiwanaku culture, which reached its peak in 600 AD. They are especially interested in the daily life of the Tiwanaku people—what they ate, what they wore, and how their society was structured. With a team that includes hydrologists and computer scientists, they study the sophisticated Tiwanaku temples and pyramids as well as their canal system. But Kolata and Rivera are just as interested in the present as in the past. The raised-field technology they helped the Aymara to implement can be used in other areas of Bolivia to help feed a hungry population.

Who Gives a Hoot for the Spotted Owl?

▲ Logging in the old growth forests in the Pacific Northwest threatens the survival of this pair of northern spotted owls.

It is the still of the night in the Pacific Coast's Cascade Mountain range. A small owl swoops out of the upper reaches of a Douglas fir tree, taking advantage of the dark to find its dinner. This bird, the northern spotted owl, is a delicate creature, shy of the daylight and of too much human attention. But recently, it has been forced into the middle of an environmental controversy.

The controversy centers on the logging industry in the Pacific Northwest, for the spotted owl's natural habitat is also a prime source of commercial timber. A century of logging has removed roughly 90 percent of the region's ancient trees. Firs, pines, cedars, and oaks—all at least 250 years old—make up "old-growth" forests. In the process of harvesting wood necessary for houses, buildings, and paper products, the logging industry has also cleared away trees that are the home of the spotted owl. As its habitat dwindled, so did the bird's numbers. The result: a clash between conservationists concerned with the survival of the owl and the logging industry concerned with its employees and its profitability.

In the early 1990s, after much discussion, the United States Fish and Wildlife Service declared the bird a threatened species. This government agency also adopted plans to limit logging in the old-growth areas in order to protect the owl's habitat. Up until that time, the United States Forest Service, which is responsible for overseeing America's forests, had been selling the equivalent of 12 billion board feet of lumber a year to logging companies. That is equal to about 400,000 acres of forest and $1.5 billion. Today, restrictions protect some 50,000 of these acres a year. But conservationists argue that this is not enough. They want the United States Government to exert even tighter controls on the timber industry to protect the owl's habitat. Logging officials claim that environmentalists are exaggerating the threat to the bird.

Although much national attention is focused on the plight of one specific (and cute) creature, it is not simply the owl that is at stake in the debate over logging. At stake, say some ecologists and conservationists, is nothing less than an entire forest ecosystem. At stake, say some officials in the timber industry, is nothing less than 30,000 jobs and the economies of Oregon, Washington State, and northern California. The debate over the spotted owl, then, is really a debate about the role of people and their responsibility for the Earth's environments.

Old-growth forests contain tremendous ecological diversity. The ancient trees used as lumber play an essential role in preserving that ecosystem. They provide a home for a large number of different insect, bird, mammal, and plant species. They also play an important role in cleaning the air and in conserving soil and water in the forest. Moisture on the trees' leaves helps trap dust and other particles to cleanse the air. Root systems absorb water and prevent runoff and soil erosion.

Finally, fallen logs and needles provide the soil with rich nutrients to nourish young tree seedlings and other forest plants.

But the old-growth trees play an important role in the economy. Bark and sawdust from the huge trees are used as fuel to generate electricity and produce particle board. Lumber is used for a variety of construction purposes. And pulp, which is wood from a layer just inside the bark, is used to make a variety of paper products. Finally, this industry represents hundreds of thousands of jobs in the Pacific Northwest and billions of dollars in income.

Logging officials say that they have been respectful of the environment they have a right to use. In fact, it is in their best interests, they say, to protect the trees that quite literally feed and house them. They add that they are careful to replace the trees they have harvested. Because of reforestation, they say, they have reduced the number of trees in the area by only 25 percent, not 90 percent. Logging officials also argue that the logging industry in the United States meets important demands of the entire industrialized world. They say that strict limitations on logging will cost some 30,000 jobs and hundreds of millions of dollars in the coming decade.

But conservationists say the timber industry does much more harm than good. They fear that the industry has overstepped "natural" bounds and rights in its cutting down of the forests. Reforestation, they explain, cannot replace the old-growth trees that foresters

▼ **Standing tall and true, these trees are home for many organisms. They are also a source of jobs and lumber for people.**

▲ On the ground, cut trees are the promise of paper and lumber. ▶ From the air, you can see how clear-cutting lumber produces a new environment. What effects does harvesting lumber in this way have on the environment?

cut. Loggers may replant trees, but they cannot replace the old-growth ecosystem and its diversity. They also argue that the logging industry is recklessly abusing the environment, as well as destroying itself—it will use up harvestable forest land in 30 years.

Caught in the midst of this conflict are the people of the Pacific Northwest. They want to respect nature's bounty that surrounds them, but many of them are dependent upon the logging industry for their livelihoods. For them, it is not necessarily a philosophical question of the place of humans in the environment. It is a question of food on their tables and clothes for their children.

One compromise that appeals to a variety of groups is a different kind of logging called "New Forestry." Conventional logging techniques use the "clear-cut" method. Clear-cutting removes all the trees in swatches of about 40 acres. From the air, regions of the Pacific Northwest look like a huge checkerboard made of cleared and uncleared areas of trees. New Forestry offers a different approach. Instead of cutting all the trees in a small area, the new method proposes to harvest larger areas, leaving 20 to 70 percent of the trees standing. The plan also demands that loggers leave some cut trunks on the floor of the forest to add nutrients to the soil and to provide food for plants and animals. According to ecologists, New Forestry techniques resemble ways that forests are affected by natural catastrophes such as forest fires. By leaving a large portion of the trees in a given area still standing, scientists hope to protect and preserve the health and diversity of the forests.

Both the logging industry and environmentalists have expressed concerns about New Forestry, however. Timber officials say that this new method is costly and less effective than clear-cutting. They also say that any change is unnecessary at this time. Conservationists argue that the plan does not offer a complete solution to the problems of logging, but instead detracts attention from these problems. Do you think there can be a "complete resolution" to this debate over logging?

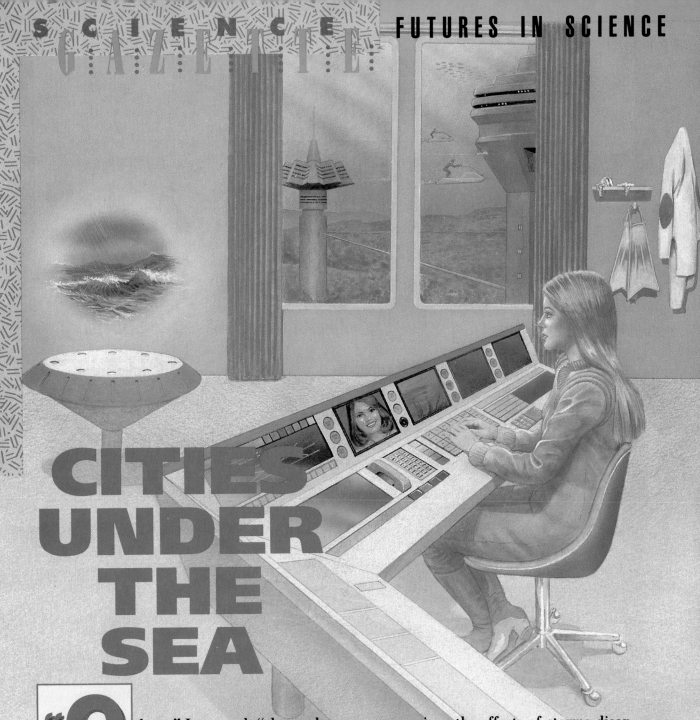

CITIES UNDER THE SEA

"Oh no," I groaned, "that ends our plans for surfacing."

I gazed sadly at the three-dimensional image that floated in the middle of my room. The picture my holovision produced showed towering waves and sheets of falling rain. The voice of the weather forecaster could be heard describing the violent storm that raged 70 meters above my head. The "weather" where I lived was, of course, perfectly calm. It always was since the effects of storms disappear just a few meters below the sea's surface.

"Off," I said sharply to the control computer, taking my anger and disappointment out on the machine.

"Now what?" I thought. As if in answer to my question, the communications system chimed.

"Yes?" I said as I eagerly turned toward the computer console.

My friend Willie's image appeared on the screen. "I guess we're not going to picnic on an island after all," she said. "Disappointed?"

"Of course. I've been to the surface only a few times. I was really looking forward to today's trip, in spite of what's up there: the danger of sunlight to my skin and eyes, air pollution, storms, hot days and cold ones."

"Well cheer up," Willie quickly replied. "Old Professor Melligrant has another plan in mind. She's going to take us to the site of a wreck. It's many kilometers from here, so we're going to use scooters. Grab your gill and get going!"

PREPARING FOR TRAVEL

With my spirits high at the thought of an adventure, I slipped on my water suit. It felt stiff and warm while I remained in my underwater home. But I knew I'd appreciate its warmth and protection in the cool watery world outside. Then I reached into a drawer for my goggles and the all-important gill. I looked at the thin membrane that would fit comfortably over my nose and mouth. And I marveled that such a small, simple device could enable a person to work and travel for countless hours under water.

The material the gill is made of contains proteins. These proteins separate oxygen from water. And we breathe the oxygen. The gill material is used in many ways throughout our underwater city—in our homes, work stations, and transportation vehicles—to provide oxygen for breathing. Without it, human cities beneath the sea would be impossible.

Dressed in my water suit and holding my gill and goggles, I pressed a button that would call a transporter. Seconds later, a blue lamp glowed above the door. My vehicle had arrived. When the door opened, I stepped into the car and pressed the button that indicated where I wanted to go. Whizzing through the transparent tubes that linked various parts of the underwater city, I could see dozens of other cars moving in one direction or another.

At last my car pulled into the transport station located next to the great dome of our school. Professor Melligrant and nine students were already at the school. Melligrant waved me over.

I couldn't help laughing to myself when I saw John. In addition to the usual gear everyone was wearing for this trip, John was loaded down with camera, lights, sonic probe, and a long-range communicator. The sonic probe, which he held in his hand, gave off sounds that could be heard by fish, but not by humans. It was often used to round up or drive away fish. The long-range communicator would come in handy if our little group of explorers got into trouble far from home.

Professor Melligrant unfolded a large map. As we clustered around, she pointed to the general area of the wreck. We walked to the school's exit chamber, a room that would fill with water when we were ready to go. In the dimness of the exit chamber, our suits glowed. So did the water scooters parked nearby. Both the suits and scooters contain materials that react chemically with sea water and give off light. So it would be easy to spot our band of adventurers in the darkness of the ocean.

EXPLORING THE DEPTHS

When everyone was finally ready, the switches were flipped and water flooded into the exit chamber. We turned on the engines of our scooters and followed Professor Melligrant out into the open ocean. After traveling about 1 kilometer, the lights of the city's power station came into view. From the ocean floor, the station rises almost to the surface of the water. Here electricity is generated for the entire city. And at a nearby station, some of that electricity is used to separate hydrogen from water. The hydrogen is used as fuel.

Next came the farms. Although we could not see them, we knew that sonic fences surrounded the area. These invisible fences send out sounds that fish can hear. The fish do not pass through these sound fences. And as a result, huge schools of fish remain penned in fish farms. As we passed by, a lone herder waved to us. Just a short distance away, flashing lights indicated the location of thick wire cables. At the top of these cables, which extended to just below the ocean surface, are the huge kelp beds. Kelp, a kind of seaweed, is an important food substance. And kelp farming is a popular occupation.

A few kilometers beyond the kelp farms, we came across the first signs of seabed mining. According to the older inhabitants of our city, the prospect of seabed mining had first brought people to live under the sea. Robot miners, which looked like big horseshoe crabs, slowly moved along the sea floor scooping up lumps of the metals titanium and manganese.

Beyond the mining area were several large canyons, which we speedily crossed. Then, as we approached an extremely wide canyon, Professor Melligrant's scooter slowed down. She turned to the right and gradually descended. We followed.

The searchlight beam on Professor Melligrant's scooter probed the canyon floor. Then it came to a stop at what looked like a big rock. We had reached the wreck. We parked our scooters around it. Our searchlights brightened the whole area.

Professor Melligrant had never told us exactly what type of ship the wreck was. So I had expected to see the funnels and decks of an old oceanliner. Instead, what I gazed at was part of a sausage-shaped object covered with sea organisms.

Using a portable communicator, Professor Melligrant explained to us that the wreck was a submarine of the twentieth century. In this type of vehicle, people without gills had ventured beneath the surface of the sea.

Unlike other explorers of the deep, the people in this submarine had not come in peace. But that had been long, long ago. Today, the only enemy a person can find under water is a curious shark. And it can quickly be sent swimming away with the silent toot of a sonic probe.

GACETA:

Alan Kolata y Oswaldo Rivera

LOS MISTERIOSOS CANALES DE BOLIVIA

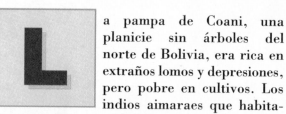

La pampa de Coani, una planicie sin árboles del norte de Bolivia, era rica en extraños lomos y depresiones, pero pobre en cultivos. Los indios aimaraes que habitaban esa llanura aluvial miraban impotentes cómo las heladas mataban sus cultivos y se pudrían sus papas en el suelo cenagoso. Sabían que hace casi mil años sus antecesores habían cultivado con éxito esas tierras. Esa poderosa civilización incaica, llamada el Estado Tihuanaco, había florecido entre el año 200 y el año 1000. ¿Qué métodos de cultivo conocían hace tantos años los tihuanacos que no conocen hoy los aimaraes?

En 1981, dos arqueólogos sugirieron una posible respuesta. Alan Kolata (abajo a la izquierda), profesor de arqueología y antro-pología de la Universidad de Chicago, y Oswaldo Rivera (abajo a la derecha), arqueólogo del Instituto Nacional de Arqueología de Bolivia, habían estado estudiando la cultura de los tihuanacos desde fines de los años 70. Creían que el secreto estaba en los lomos y las depresiones que atravesaban la llanura aluvial. Habían observado formaciones similares en sitios mayas y aztecas en las selvas de América Central y pensaban que eran parte de un sistema complejo de canales y plataformas elevadas que habían permitido a los tihuanacos producir con buenos resultados sus cultivos.

Kolata y Rivera necesitaban poner a prueba su hipótesis. Una teoría correcta y comprobada sería más que una demostración de su capacidad de investigación. Sería también una forma de revitalizar las granjas de

los aimaraes y producir cultivos resistentes. En 1981, el primer intento de los arqueólogos se enfrentó con una grave sequía. Recién en 1987, Kolata y Rivera pudieron convencer a los aimaraes de que volvieran a probar. Al principio, sólo un hombre convino en cooperar. Sus vecinos se burlaron de él, porque pensaban que los arqueólogos eran intrusos que sólo perjudicarían la agricultura de los aimaraes, y siguieron plantando sus cultivos lejos de los campos con las ondulaciones, en las colinas cercanas. Pero los arqueólogos y el aimará perseveraron. Trabajando juntos, volvieron a cavar los canales, plantaron las papas y observaron con entusiasmo que las plantas crecían más altas que nunca.

Unos pocos días antes de la primera cosecha, hubo una helada. Los aimaraes observaron impotentes cómo se perdía el 90% de sus cultivos en las laderas. Suponían que lo mismo ocurriría con los que habían ayudado a plantar Kolata y Rivera. Pensaban que el aire más frío y más pesado descendería de las colinas hacia el valle y mataría todas las plantas.

Los arqueólogos esperaban otro resultado. Y efectivamente, cuando fueron antes del amanecer a investigar, observaron algo increíble. En todo el valle aluvial flotaba una neblina blanca que cubría los cultivos como un manto. Con los primeros rayos del sol, la neblina desapareció y se vieron las plantas de papas intactas. Casi toda la cosecha había sobrevivido la mortífera helada. En ese momento, Kolata y Rivera, junto con los agricultores aimaraes, reconocieron la inteligencia de los tihuanacos. Ese pueblo antiguo sabía cómo usar el sistema de canales y lomos para proteger sus cultivos. ¿Puedes imaginar cómo lo hacían?

Durante el día, el suelo absorbe el calor del sol. Pero pierde ese calor rápidamente durante la noche fría, y pone así en peligro los cultivos. Sin embargo, el agua conserva el calor mucho más tiempo que el suelo. La diferencia de temperatura entre el agua de los canales y el aire hace que el agua se evapore. Esto produce una neblina que protege los cultivos como un manto. Además, el agua tibia es atraída por acción

▲ **Estas agricultoras bolivianas recogen papas producidas en plataformas elevadas bordeadas por canales.**

capilar hacia las plataformas elevadas, y lleva calor hacia el suelo y los sistemas de raíces de las plantas.

Kolata y Rivera estaban encantados con su descubrimiento, sobre todo porque los aimaraes empezaron a confiar en ellos y a tratarles como amigos. Pero nadie estaba tan contento como los propios aimaraes. Con el "nuevo" sistema de cultivo, sus granjas empezaron a prosperar y a producir cosechas abundantes de papas, cebada, avena, lechuga y cebollas. Además, algas y bacterias que fijan el nitrógeno empezaron a crecer en los canales, y proveyeron una fuente útil de fertilizantes después que se cosecharon los cultivos y se drenaron los canales. ¡Y los aimaraes habían hecho todo esto volviendo a las costumbres de sus antecesores!

Entretanto, Kolata y Rivera siguen investigando la cultura de los tihuanacos, que culminó en el año 600 d.C. Les interesa especialmente la vida diaria de los tihuanacos: lo que comían, lo que vestían y la estructura de su sociedad. Con un equipo que incluye hidrólogos y expertos en computadoras, estudian los sofisticados templos y pirámides tihuanacos, al igual que su sistema de canales. Pero Kolata y Rivera están tan interesados en el presente como en el pasado. La tecnología de plataformas elevadas que ayudaron a establecer a los aimaraes puede usarse en otras partes de Bolivia para alimentar a una población hambrienta.

¿A quién le importa la lechuza manchada?

▲ La extracción de madera de los bosques antiguos del Pacífico noroccidental pone en peligro la supervivencia de este par de lechuzas manchadas.

En el silencio de la noche de la cordillera de Cascade Mountain, en la costa del Pacífico, una pequeña lechuza manchada se lanza desde las ramas más altas de un pino Douglas, y aprovecha la oscuridad para buscar alimento. Es una criatura delicada, temerosa de la luz del día y de la atención humana. Pero está en el centro de una controversia sobre el medio ambiente.

La controversia se refiere a la industria forestal de la costa noroeste del Pacífico, ya que el hábitat natural de la lechuza manchada es también una fuente importantísima de madera para uso comercial. Tras un siglo de explotación forestal, se ha destruido el 90% de los pinos, cedros y robles, de por lo menos 250 años, que forman los bosques "antiguos." En el proceso de obtener la

madera necesaria para las casas, los edificios y los productos de papel, la industria de la madera ha destruido también los árboles que son el hogar de la lechuza manchada. A medida que su hábitat desaparecía, el número de aves se reducía. Se produjo entonces un confrontamiento entre los conservacionistas preocupados por la supervivencia de la lechuza y la industria forestal preocupada por sus empleados y sus ganancias.

A principios de los años 90, tras mucho debate, el Servicio de Pesca, Fauna y Flora Silvestre de los Estados Unidos declaró que la lechuza era una especie amenazada y adoptó planes para limitar la explotación forestal en las zonas de bosques antiguos a fin de proteger su hábitat. Hasta ese momento, el Servicio Forestal de los Estados Unidos, que es el encargado de administrar los bosques del país, vendía el equivalente de 12,000 millones de pies de madera por año a las empresas forestales. Esto representa casi 400,000 acres de bosques y 1,500 millones de dólares. Las restricciones actuales protegen unos 50,000 de estos acres por año. Pero los conservacionistas dicen que esto no basta y quieren que el gobierno imponga controles más estrictos sobre la industria maderera para proteger el hábitat de las lechuzas. Los empresarios forestales dicen que la amenaza para la lechuza es exagerada.

La lechuza no es lo único que está en juego en el debate sobre la explotación forestal; algunos ecologistas y conservacionistas dicen que está en juego un ecosistema forestal. Algunos dirigentes industriales dicen que están en juego 30,000 empleos y las economías de Oregón, del estado de Washington y el norte de California. El tema del debate es entonces, en realidad, la responsabilidad de la población con el medio ambiente.

Los árboles antiguos contienen una gran diversidad ecológica. Ellos cumplen un papel básico en la conservación de ese ecosistema. Son el hogar de insectos, pájaros, mamíferos y plantas. También cumplen una función en la limpieza del aire y la conservación del suelo y el agua de los bosques. Las hojas ayudan a limpiar el aire y las raíces previenen la erosión. Por último, los troncos y las hojas caídas aportan nutrientes al suelo.

Pero los árboles antiguos son importantes para la eco-

nomía. La corteza y el aserrín se usan como combustible para generar electricidad y para producir madera terciada. La madera se usa en la construcción. Y la pulpa de madera se usa para hacer papel. Por último, esta industria aporta cientos de miles de empleos en la región del Pacífico noroccidental y miles de millones de dólares de sueldos.

Los dirigentes industriales dicen que respetan el medio ambiente y que tienen derecho a usarlo y que protegen los árboles que literalmente les dan casa y comida. Dicen que gracias a la reforestación, el número de árboles se ha reducido solamente en un 25%, y no en un 90%. Aducen también que la industria forestal de los Estados Unidos satisface demandas del mundo industrializado y que una limitación estricta causaría la pérdida de 30,000 empleos y de cientos de millones de dólares en la próxima década.

Los conservacionistas dicen que esta industria hace más daño que bien. Temen que la industria haya excedido sus límites y sus derechos "naturales" al cortar los bosques. Explican que la reforestación no puede reemplazar los antiguos árboles que se cortan. Se puede volver a plantar árboles, pero no se puede reemplazar el ecosistema antiguo y su diversidad. También dicen que la industria forestal destruye de manera insensata el medio ambiente y a sí misma, ya que acabará con las tierras fo-restales explotables en 30 años.

En medio de este conflicto están los pobladores de los

▲ **Estos hermosos árboles dan albergue a muchos organismos. Son también fuente de empleos y de madera.**

▲ **Estos troncos cortados se convertirán en papel y madera.** ▶ **Desde el aire se puede ver cómo el desmonte produce un nuevo medioambiente. ¿Qué efectos tiene esta explotación forestal sobre el medio ambiente?**

estados del Pacífico norte. Quieren respetar la naturaleza, pero dependen de la industria forestal para sobrevivir. Para ellos, no es sólo una cuestión filosófica sobre el ser humano y el medio ambiente. Se trata del alimento en su mesa y de la ropa para sus hijos.

Una solución intermedia es un nuevo tipo de explotación forestal llamada "nueva silvicultura." Las técnicas tradicionales utilizan el método de desmonte. Se cortan así todos los árboles en parcelas de unos 40 acres. Desde el aire grandes áreas de esta región parecen como un enorme tablero de ajedrez hecho de parcelas taladas y parcelas con árboles. La nueva silvicultura ofrece un enfoque diferente. En lugar de cortar todos los árboles de una zona pequeña, propone que se exploten zonas más grandes y se dejen en pie entre el 20% y el 70% de los árboles. El plan exige también que se dejen algunos troncos cortados en el suelo del bosque para añadir nutrientes y

proporcionar alimento para las plantas y los animales. Según los ecólogos, las técnicas de la nueva silvicultura se parecen a la forma en que los bosques son afectados por catástrofes naturales, como los incendios. Al dejar una gran parte de los árboles en pie en una zona dada, esperan proteger la salud y la diversidad de los bosques.

Sin embargo, tanto la industria forestal como los conservacionistas han expresado preocupaciones acerca de la nueva silvicultura. Los empresarios dicen que este nuevo método es costoso y menos eficaz que el desmonte. Dicen también que no es necesario introducir ningún cambio en este momento. Los conservacionistas aducen que el plan no ofrece una solución completa para los problemas de la explotación forestal y que distrae en cambio la atención de esos problemas. ¿Crees que puede haber una "solución completa" para este debate sobre la explotación forestal?

CIUDADES BAJO EL MAR

Oh no—gemí. —Con esto se acaban nuestros planes de salir a la superficie.—

Miré con tristeza la imagen tridimensional que flotaba en medio de mi cuarto. El cuadro que se veía en mi holovisor mostraba olas gigantescas y una lluvia intensa. Podía oírse la voz del anunciador que describía la violenta tormenta que arreciaba 70 metros por encima de mi cabeza. El "tiempo" donde yo vivía estaba, por supuesto, en perfecta calma. Siempre lo estaba, ya que los efectos de las tormentas desaparecen unos pocos metros por debajo de la superficie del mar.

—Basta—dije al control de la computadora, descargando mi enojo y mi desilusión en la máquina.

—¿Y ahora qué?—pensé. Como respondiendo a mi pregunta, sonó el sistema de comunicaciones. —¿Sí?—dije ansiosa, volviéndome hacia la consola de la computadora.

Apareció en la pantalla la imagen de mi amiga Willie. —Parece que no vamos a ir al picnic en la isla después de todo—dijo. —¿Estás desilusionada?—

—Por supuesto. Sólo he estado en la superficie unas pocas veces. Estaba realmente entusiasmada con el paseo de hoy, pese a todo lo que pasa arriba: el peligro del sol para mi piel y mis ojos, la contaminación del aire, las tormentas, los días cálidos y los días fríos.—

—Anímate—respondió rápidamente Willie. —La profesora Melligrant tiene otro plan. Nos va a llevar al sitio de un naufragio. Está a muchos kilómetros de aquí, de modo que iremos en motonetas. ¡Recoge tus agallas y vamos andando!—

PREPARATIVOS PARA EL VIAJE

Entusiasmada con la idea de una aventura, me puse mi traje marítimo. Se sentía rígido y caliente dentro de mi casa submarina, pero yo sabía que apreciaría su calor y su protección en el frío mundo acuático de afuera.

Busqué luego en mi gaveta mis gafas y las importantísimas agallas. Observé la membrana delgada que se ajustaría cómodamente sobre mi nariz y mi boca. Me maravillé de que un instrumento tan pequeño y tan sencillo pudiera permitir a una persona trabajar y viajar durante incontables horas bajo el agua.

El material de que están hechas las agallas contiene proteínas. Esas proteínas separan el oxígeno del agua. Y nosotros respiramos el oxígeno. El material de las agallas se usa de muchísimas formas en nuestra ciudad submarina—en nuestros hogares, nuestros puestos de trabajo y nuestros vehículos de transporte—para proporcionar oxígeno para la respiración. Sin ellas no serían posibles las ciudades submarinas.

Vestida con mi traje para el agua y sosteniendo mis agallas y mis gafas, oprimí un botón que llamaría un transportador. Unos segundos más tarde, una lámpara azul se encendió sobre mi puerta. Mi vehículo había llegado. Al abrirse la puerta, entré al coche y oprimí el botón que indicaba adónde quería ir. Zumbando a través de los tubos transparentes que enlazan las distintas partes de la ciudad submarina podía ver docenas de otros coches que se movían en una y otra dirección.

Finalmente, mi coche llegó a la estación de transporte situada cerca de la gran bóveda de nuestra escuela. La profesora Melligrant y nueve estudiantes ya estaban en la escuela. Melligrant me hizo señas de que me acercara.

Me eché a reír al ver a John. Además del equipo habitual que todos llevábamos, John estaba cargado de cámaras, luces, una sonda sónica y un comunicador de largo alcance. La sonda sónica emitía sonidos que podían oír los peces pero no los seres humanos. Se usaba a menudo para atraer o alejar peces. El comunicador de largo alcance sería útil si nuestro pequeño grupo de exploradores tenía problemas lejos de casa.

La profesora Melligrant desplegó un gran mapa y nos señaló la zona aproximada del naufragio. Caminamos hacia la cámara de salida de la escuela, que se llenaría de agua cuando estuviéramos listos para salir. En la semioscuridad de la cámara, nuestros trajes brillaban, al igual que las motonetas submarinas estacionadas cerca. Tanto los trajes como las motonetas contienen materiales que emiten luz al reaccionar químicamente con el agua de mar. Sería así fácil ubicar nuestra banda de aventureros en la oscuridad del océano.

EXPLORACIÓN DE LAS PROFUNDIDADES

Cuando todos estuvimos listos, se oprimieron los botones y el agua inundó la cámara. Encendimos los motores de nuestras motonetas y seguimos a la profesora Melligrant al océano abierto. Después de viajar alrededor de un kilómetro, empezamos a ver las luces de la planta generadora de la ciudad. Desde el fondo del océano, la planta se eleva casi hasta la superficie del agua. Se genera en ella la electricidad para toda la ciudad. En una planta cercana se usa parte de la electricidad para separar hidrógeno del agua. El hidrógeno se usa como combustible.

Luego aparecieron los cultivos. Aunque no podíamos verlas, sabíamos que había cercas sónicas que rodeaban la zona. Esas cercas invisibles emiten sonidos que los peces pueden oír. Los peces no pasan a través de las ondas sónicas y hay por eso enormes cardúmenes de peces encerrados en granjas de piscicultura. Un pastor solitario nos saludó al pasar. A poca distancia, había luces intermitentes que indicaban la ubicación de cables muy gruesos. En el extremo de esos cables, que se extienden apenas por debajo de la superficie del océano, están los enormes macizos de kelp. El kelp, un tipo de alga, es un alimento importante y el cultivo de kelp una ocupación popular.

Pocos kilómetros después de las granjas de kelp, encontramos las primeras señales de minas submarinas. Según los habitantes más antiguos de nuestra ciudad, los minerales del fondo del mar habían atraído a los primeros habitantes submarinos. Los robot mineros, que parecían cangrejos enormes, se movían lentamente por el fondo del mar recogiendo trozos de titanio y manganeso.

Detrás de las minas había varios cañones enormes, que cruzamos rápidamente. Cuando nos acercamos a un cañón sumamente ancho, la profesora Melligrant redujo la velocidad de su motoneta, giró hacia la derecha y descendió gradualmente. Todos la seguimos.

El haz de la linterna de la profesora exploró el fondo del cañón y se detuvo en lo que parecía una gran roca. Habíamos llegado al naufragio. Estacionamos nuestras motonetas alrededor de él. Nuestros faros iluminaban toda la zona.

La profesora Melligrant no nos había dicho de qué tipo de naufragio se trataba. Esperábamos ver las chimeneas y los puentes de un antiguo trasatlántico, pero lo que veíamos era parte de un objeto en forma de embutido cubierto de organismos marinos.

Utilizando un comunicador portátil, la profesora nos explicó que se trataba de un submarino del siglo XX. En este tipo de vehículo, algunas personas sin agallas se habían aventurado bajo la superficie del mar.

A diferencia de otros exploradores de las profundidades, los tripulantes de estos submarinos no habían venido en paz. Pero eso había sucedido hacía muchísimo tiempo. Actualmente, el único enemigo que una persona puede encontrar bajo el agua es un tiburón curioso, que se puede espantar rápidamente con el ruido silencioso de una sonda sónica.

For Further Reading

If you have been intrigued by the concepts examined in this textbook, you may also be interested in the ways fellow thinkers—novelists, poets, essayists, as well as scientists—have imaginatively explored the same ideas.

Chapter 1: Earth's Atmosphere

Carson, Rachel. *Silent Spring.* Boston, MA: Houghton Mifflin.

Randolph, Blythe. *Amelia Earhart.* New York: Watts.

Seuss, Dr. *The Lorax.* New York: Random House.

Silverstein, Alvin, and Virginia B. Silverstein. *Allergies.* Philadelphia, PA: Lippincott.

Verne, Jules. *Around the World in Eighty Days.* New York: Bantam Books.

Verne, Jules. *From the Earth to the Moon.* New York: Airmont.

Young, Louise B. *Sowing the Wind: Reflections on the Earth's Atmosphere.* New York: Prentice Hall Press.

Chapter 2: Earth's Oceans

Berill, N.J., and Jacquelyn Berrill. *1001 Questions Answered About the Seashore.* New York: Dover.

Coleridge, Samuel Taylor. *The Rime of the Ancient Mariner.* New York: Dover.

Dejong, Meindert. *The Wheel on the School.* New York: Harper & Row.

Hemingway, Ernest. *The Old Man and the Sea.* New York: Macmillan.

Heyerdahl, Thor. *Kon-Tiki: Across the Pacific by Raft.* New York: Washington Square Press.

McClane, A.J. *McClane's North American Fish Cookery.* New York: Henry Holt.

O'Dell, Scott. *The Black Pearl.* Boston, MA: Houghton Mifflin.

Peck, Richard. *Those Summer Girls I Never Met.* New York: Delacorte Press.

Verne, Jules. *Twenty Thousand Leagues Under the Sea.* New York: New American Library.

Wade, Wyn Craig. *The Titanic.* London, England: Penguin.

Chapter 3: Earth's Fresh Water

Garden, Nancy. *Peace, O River.* New York: Farrar, Straus & Giroux.

Grahame, Kenneth. *The Wind in the Willows.* New York: Macmillan.

Moorehead, Alan. *The White Nile.* New York: Harper & Row.

Moorehead, Alan. *The Blue Nile.* New York: Harper & Row.

Pringle, Laurence. *Water: The Next Great Resource Battle.* New York: Macmillan.

Thomas, Charles B. *Water Gardens for Plants and Fish.* Neptune, NJ: TFH Publications.

Twain, Mark. *Life on the Mississippi.* New York: Harper & Row.

Walton, Izaak. *The Compleat Angler.* London, England: Penguin.

Chapter 4: Earth's Landmasses

Adams, Ansel. *Photographs of the Southwest.* New York: New York Graphic Society.

Lasky, Kathryn. *Beyond the Divide.* New York: Dell.

Parkman, Francis. *Oregon Trail.* New York: Airmont.

Riffel, Paul. *Reading Maps.* Northbrook, IL: Hubbard Science.

Rugoff, Milton. *Marco Polo's Adventures in China.* New York: Harper & Row.

Seredy, Kate. *The White Stag.* New York: Viking.

Twain, Mark. *Roughing It.* New York: Airmont.

Chapter 5: Earth's Interior

Asimov, Isaac. *How Did We Find Out About Oil?* New York: Walker.

Goor, Ron, and Nancy Goor. *Exploring a Roman Ghost Town.* New York: Harper & Row Junior Books.

Jackson, Julia. *Treasures From the Earth's Crust.* Hillside, NJ: Enslow.

Lauber, Patricia. *Volcano: The Eruption and Healing of Mount St. Helens.* New York: Bradbury.

Rossbocker, Lisa A. *Recent Revolutions in Geology.* New York: Watts.

Traven, B. *The Treasure of the Sierra Madre.* New York: Farrar, Straus & Giroux.

Wilder, Laura. *West from Home: Letters of Laura Ingalls Wilder.* New York: Harper & Row Junior Books.

Otras lecturas

Si te han intrigado los conceptos examinados en este libro, puedes estar también interesado en las formas en que otros pensadores—novelistas, poetas, escritores y científicos—han explorado imaginariamente las mismas ideas.

Capítulo 1: La atmósfera terrestre

Carson, Rachel. *Silent Spring*. Boston, MA: Houghton Mifflin.

Randolph, Blythe. *Amelia Earhart*. New York: Watts.

Seuss, Dr. *The Lorax*. New York: Random House.

Silverstein, Alvin, and Virginia B. Silverstein. *Allergies*. Philadelphia, PA: Lippincott.

Verne, Jules. *Around the World in Eighty Days*. New York: Bantam Books.

Verne, Jules. *From the Earth to the Moon*. New York: Airmont.

Young, Louise B. *Sowing the Wind: Reflections on the Earth's Atmosphere*. New York: Prentice Hall Press.

Capítulo 2: Océanos terrestres

Berill, N.J., and Jacquelyn Berrill. *1001 Questions Answered About the Seashore*. New York: Dover.

Coleridge, Samuel Taylor. *The Rime of the Ancient Mariner*. New York: Dover.

Dejong, Meindert. *The Wheel on the School*. New York: Harper & Row.

Hemingway, Ernest. *The Old Man and the Sea*. New York: Macmillan.

Heyerdahl, Thor. *Kon-Tiki: Across the Pacific by Raft*. New York: Washington Square Press.

McClane, A.J. *McClane's North American Fish Cookery*. New York: Henry Holt

O'Dell, Scott. *The Black Pearl*. Boston, MA: Houghton Mifflin.

Peck, Richard. *Those Summer Girls I Never Met*. New York: Delacorte Press.

Verne, Jules. *Twenty Thousand Leagues Under the Sea*. New York: New American Library.

Wade, Wyn Craig. *The Titanic*. London, England: Penguin.

Capítulo 3: Agua dulce terrestre

Garden, Nancy. *Peace, O River*. New York: Farrar, Straus & Giroux.

Grahame, Kenneth. *The Wind in the Willows*. New York: Macmillan.

Moorehead, Alan. *The White Nile*. New York: Harper & Row.

Moorehead, Alan. *The Blue Nile*. New York: Harper & Row.

Pringle, Laurence. *Water: The Next Great Resource Battle*. New York: Macmillan.

Thomas, Charles B. *Water Gardens for Plants and Fish*. Neptune, NJ: TFH Publications.

Twain, Mark. *Life on the Mississippi*. New York: Harper & Row.

Walton, Izaak. *The Compleat Angler*. London, England: Penguin.

Capítulo 4: Masas continentales

Adams, Ansel. *Photographs of the Southwest*. New York: New York Graphic Society.

Lasky, Kathryn. *Beyond the Divide*. New York: Dell.

Parkman, Francis. *Oregon Trail*. New York: Airmont.

Riffel, Paul. *Reading Maps*. Northbrook, IL: Hubbard Science.

Rugoff, Milton. *Marco Polo's Adventures in China*. New York: Harper & Row.

Seredy, Kate. *The White Stag*. New York: Viking.

Twain, Mark. *Roughing It*. New York: Airmont.

Capítulo 5: El interior terrestre

Asimov, Isaac. *How Did We Find Out About Oil?* New York: Walker.

Goor, Ron, and Nancy Goor. *Exploring a Roman Ghost Town*. New York: Harper & Row Junior Books.

Jackson, Julia. *Treasures From the Earth's Crust*. Hillside, NJ: Enslow.

Lauber, Patricia. *Volcano: The Eruption and Healing of Mount St. Helens*. New York: Bradbury.

Rossbocker, Lisa A. *Recent Revolutions in Geology*. New York: Watts.

Traven, B. *The Treasure of the Sierra Madre*. New York: Farrar, Straus & Giroux.

Wilder, Laura. *West from Home: Letters of Laura Ingalls Wilder*. New York: Harper & Row Junior Books.

Activity Bank

Welcome to the Activity Bank! This is an exciting and enjoyable part of your science textbook. By using the Activity Bank you will have the chance to make a variety of interesting and different observations about science. The best thing about the Activity Bank is that you and your classmates will become the detectives, and as with any investigation you will have to sort through information to find the truth. There will be many twists and turns along the way, some surprises and disappointments too. So always remember to keep an open mind, ask lots of questions, and have fun learning about science.

Pozo de actividades

¡Bienvenido al pozo de actividades! Esta es la parte más excitante y agradable de tu libro de ciencias. Usando el pozo actividades tendrás la oportunidad de hacer observaciones interesantes sobre ciencias. Lo mejor del pozo de actividades es que tú y tus compañeros actuarán como detectives, y como en toda investigación deberás buscar a través de la información para encontrar la verdad. Habrá muchos tropiezos, sorpresas y decepciones a lo largo del proceso. Por eso recuerda mantener la mente abierta, haz muchas preguntas y diviértete aprendiendo sobre ciencias.

Activity Bank

A MODEL OF ACID RAIN

In many parts of the country, rain contains chemical pollutants that produce harmful effects. You may have read about acid rain. Acid rain can kill fishes in lakes and damage the leaves of trees. In cities, acid rain can damage statues and buildings. You can make a model of acid rain and observe some of the harmful effects acid rain produces.

Materials

3 saucers
3 pennies
vinegar
teaspoon

Procedure

1. Place one penny in each of the three saucers.

2. Place two teaspoons of water on the penny in the first saucer.

3. Place two teaspoons of vinegar on the penny in the second saucer. Leave the third penny alone.

4. Set the three saucers aside and observe the three pennies the next day. (You may want to cover the saucers with a piece of plastic wrap to keep the liquids from evaporating.)

Observations

Describe the appearance of the three pennies. You may want to draw a picture of each penny.

Analysis and Conclusions

1. Explain the changes that occurred in the appearance of the three pennies.

2. What do you think happens to rocks and other objects that are exposed to acid rain over a period of time?

Going Further

With your classmates, see if you can devise a plan to protect the pennies from acid rain. Assume that you cannot stop acid rain from occurring. Present your ideas to your teacher before you test them out.

Pozo de actividades

En muchas partes del país la lluvia contiene contaminantes químicos nocivos. Tal vez hayas leído acerca de la lluvia ácida. La lluvia ácida puede matar los peces de los lagos y dañar las hojas de los árboles. En las ciudades, puede dañar las estatuas y los edificios. Puedes hacer un modelo de lluvia ácida y observar algunos de los efectos nocivos que produce.

Materiales

3 platillos
3 monedas de 1 centavo
vinagre
cucharilla

Procedimiento

1. Coloca una moneda en cada uno de los tres platillos.

2. Vierte dos cucharadillas de agua sobre la moneda en el primer platillo.

3. Vierte dos cucharadillas de vinagre sobre la moneda en el segundo platillo. No hagas nada con la tercera.

4. Deja quietos los tres platillos y observa las tres monedas al día siguiente. (Tal vez quieras cubrir los platillos con un trozo de lámina de plástico para impedir que los líquidos se evaporen.)

Observaciones

Observa el aspecto de las tres monedas. Tal vez quieras hacer un dibujo de cada una.

Análisis y conclusiones

1. Explica los cambios que se produjeron en el aspecto de las tres monedas.

2. ¿Qué piensas que pasa con las piedras y otros objetos expuestos a la lluvia ácida durante un tiempo?

Investiga más

Junto con tus compañeros, procura idear un plan para proteger las monedas de la lluvia ácida. Imagina que no puedes impedir que la lluvia ácida se produzca. Presenta tus ideas a tu profesor(a) antes de ensayarlas.

SINK OR SWIM—IS IT EASIER TO FLOAT IN COLD WATER OR HOT?

Can you float? You may already know that it is easier to float in salt water than in fresh water. Salt water is denser than fresh water. Is it easier to float in warm water or cold? Try this investigation to find out.

Materials

large, deep pan
cold tap water
hot tap water
food coloring
dropper bottle

Procedure

1. Fill a large pan three-quarters full of cold water.

2. Put a few drops of food coloring in a dropper bottle and fill the bottle with hot tap water. **CAUTION:** *Be careful not to scald yourself. The hot water from some taps is very hot indeed!*

3. Place your finger over the opening of the dropper bottle. Carefully place the bottle on its side in the pan of cold water. The dropper bottle should be submerged completely.

4. Slowly take your finger off the opening of the bottle. Observe what happens.

Observations

1. Describe what happened to the hot water.

2. Why did you add food coloring to the hot water?

Analysis and Conclusions

1. Which water, cold or hot, was more dense? Why?

2. Which water, cold or hot, would be easier to float in? Why?

Going Further

Suppose you had placed cold water and food coloring in the dropper bottle and hot water in the pan. What do you think would have happened when you removed your finger from the dropper bottle? With your teacher's permission, test your hypothesis.

Food coloring

O NADAS O TE HUNDES. ¿ES MÁS FÁCIL FLOTAR EN AGUA CALIENTE O EN AGUA FRÍA?

¿Puedes flotar? Tal vez ya sepas que es más fácil flotar en agua salada que en agua dulce. El agua salada es más densa que el agua dulce. ¿Es más fácil flotar en agua caliente o en agua fría? Esta investigación te ayudará a averiguarlo.

Materiales

fuente grande y profunda
agua fría del grifo
agua caliente del grifo
colorante
gotero

Procedimiento

1. Llena una fuente grande hasta las tres cuartas partes con agua fría.

2. Pon unas gotas de colorante en el gotero y llénalo con agua caliente. **CUIDADO:** *No te quemes. El agua caliente de algunos grifos sale muy caliente.*

3. Pon tu dedo sobre la apertura del gotero. Coloca cuidadosamente el gotero, acostado, en la fuente de agua fría. Debe estar completamente sumergido.

4. Retira lentamente tu dedo de la apertura del gotero y observa lo que ocurre.

Observaciones

1. Describe qué pasa con el agua caliente.

2. ¿Por qué añadiste colorante al agua caliente?

Análisis y conclusiones

1. ¿Cuál era más densa, el agua fría o el agua caliente? ¿Por qué?

2. ¿Sería más fácil flotar en agua fría o en agua caliente? ¿Por qué?

Investiga más

¿Qué habría pasado si hubieras puesto agua fría y colorante en el gotero y agua caliente en la fuente? ¿Qué crees que habría pasado al retirar tu dedo del gotero? Con el permiso de tu profesor(a), pon a prueba tu hipótesis.

Colorante

HOW DOES A FISH MOVE?

Fishes are well adapted for life in water. In this activity you will observe a fish and discover for yourself how fishes are suited to live in water.

Materials

small goldfish
aquarium
fish food
thermometer

watch or clock
several sheets of
   unlined paper

Procedure

1. On a sheet of unlined paper, draw an outline of the fish from the side. On the same sheet of paper, draw an outline of the fish as seen head-on. On the same sheet of paper, draw an outline of the fish as seen from the top.

2. As you observe your fish, draw its fins on your outlines. Use arrows to show how each fin moves. If a fin doesn't appear to move, indicate this on your drawing.

3. Feed the fish. Record its reaction to food.

4. Take the temperature of the water. Enter the temperature reading in a data table similar to the one shown here. Now count the number of times the fish opens and closes its gills in 1 minute. (The gills are located at the front end

of the fish just behind its eyes. In order to live, fish take oxygen from the water. They swallow water through their mouth and pass it out through their gills.)

5. Add a little warm water to the aquarium. You want to raise the temperature of the water only a few degrees, so be careful. Do not make too drastic a change in the water temperature. Count the number of times the gills open and close in the warmer water in 1 minute.

Observations

1. What fin or fins move the fish forward in the water?

2. What fins help the fish turn from side to side?

3. How does the movement of the gills relate to the temperature of the water?

DATA TABLE

	Gills open and close
Temperature 1	
Temperature 2	

Analysis and Conclusions

What special structures and behaviors enable fishes to survive in a water world?

Going Further

You might like to set up an aquarium that reflects a fish's natural environment more accurately. For example, add a gravel layer to the bottom of the aquarium. Place some rocks and plants in the aquarium. You should then examine your fish's behavior after you have completed this task. What changes, if any, do you note?

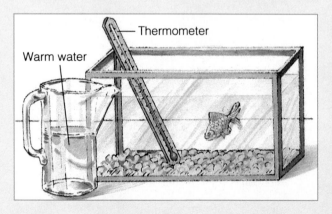
Thermometer
Warm water

Pozo de actividades

Los peces están bien adaptados para la vida en el agua. En esta actividad, observarás un pez y descubrirás por ti mismo(a) cómo están adaptados para vivir en el agua.

Materiales

un pececillo dorado
acuario
alimento para peces
termómetro

reloj
varias hojas de papel en blanco

Procedimiento

1. En una hoja de papel en blanco, haz un dibujo del pez visto de lado. En la misma hoja, haz un dibujo del pez visto de frente y otro del pez visto desde arriba.

2. Mientras observas tu pez, traza sus aletas en tus dibujos. Usa flechas para indicar cómo se mueve cada aleta. Si no parecen moverse, indícalo así en tu dibujo.

3. Alimenta al pez. Registra su reacción al alimento.

4. Toma la temperatura del agua. Anota la temperatura en una hoja de datos similar a la que se indica aquí. Cuenta ahora el número de veces que el pez abre y cierra sus agallas en un minuto. (Las agallas están situadas inmediatamente detrás de los ojos. Para vivir, los peces necesitan extraer oxígeno del agua.

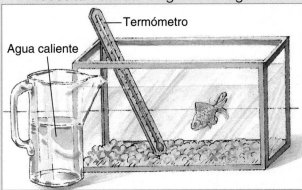

Termómetro

Agua caliente

Toman agua por la boca y la hacen pasar a través de las agallas.)

5. Añade un poco de agua caliente al acuario. Sólo quieres elevar la temperatura del agua unos pocos grados, de modo que ten cuidado. No hagas cambios muy drásticos. Cuenta las veces que las agallas se abren y se cierran en un minuto en el agua más caliente.

Observaciones

1. ¿Qué aleta o aletas hacen que el pez avance en el agua?

2. ¿Qué aleta o aletas ayudan al pez a girar de lado a lado?

3. ¿Qué relación guardan los movimientos de las agallas con la temperatura del agua?

CUADRO DE DATOS

	Las agallas se abren y se cierran
Temperatura 1	
Temperatura 2	

Análisis y conclusiones

¿Qué estructuras y comportamientos especiales permiten al pez sobrevivir en un mundo acuático?

Investiga más

Tal vez quieras preparar un acuario que refleje más precisamente el medio natural de un pez. Por ejemplo, pon una capa de grava en el fondo de acuario. Pon algunas piedras y plantas en el acuario. Examina el comportamiento de tu pez después de completar esta tarea. ¿Qué cambios observas?

WHAT IS THE EFFECT OF PHOSPHATES ON PLANT GROWTH?

Sometimes seemingly harmless chemicals have effects that are not easily predictable. For example, detergents are often added to water to clean clothes and dishes. When the clothes and dishes are rinsed, the detergents in waste water enter home septic systems or town sewage systems. Detergents in water may eventually be carried to streams, lakes, and sources of groundwater. So far this story seems unremarkable.

However, some detergents contain phosphates. Because of their effects on plant growth, detergents that contain phosphates have been banned by some communities. In this investigation you will measure the effects of phosphates on plant growth. You will uncover reasons why communities try to keep phosphates out of water supplies, and thus ban the use of certain detergents used to clean clothes and dishes.

Materials

2 large test tubes with corks or stoppers to fit

test-tube rack, or large plastic jar or beaker

2 sprigs of *Elodea*

detergent that contains phosphates

sunlight or a lamp

small scissors

Before You Begin

Make sure that the detergent you will be using contains phosphates; many do not. *Elodea* is a common water plant used in home aquariums. A local pet store is a good source of supply.

Procedure 🧪

1. Take two sprigs of *Elodea* and use your scissors to cut them to the same length. Measure the length of the sprigs and record the length in a data table similar to the one shown on the next page. Place a sprig of *Elodea* into each test tube.

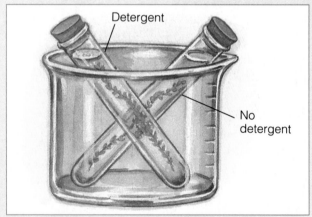

2. Add enough water to each test tube to fill it nearly to the top. Be sure the *Elodea* sprig is covered with water.

3. Place a small pinch of detergent into one test tube. Gently swirl the test tube to mix the water and detergent. Leave plain water in the other test tube.

4. Stopper each test tube.

5. Place the test tubes in a test-tube rack or plastic jar or beaker. Place the rack (or jar or beaker) in a sunny window or under another source of light.

(continued)

¿CUÁL ES EL EFECTO DEL FOSFATO EN LAS PLANTAS?

Algunos productos químicos aparentemente inocuos tienen a veces efectos que no es fácil predecir. Por ejemplo, suelen añadirse detergentes al agua para lavar la ropa y la vajilla. Cuando la ropa y la vajilla se enjuagan, los detergentes entran a los sistemas sépticos de los hogares o a los sistemas de alcantarillado de las ciudades. Con el tiempo, pueden llegar a los arroyos, los lagos y las fuentes de agua subterránea. Hasta este momento, esta historia no parece muy especial.

Sin embargo, algunos detergentes contienen fosfatos. A causa de sus efectos sobre el crecimiento de las plantas, los detergentes con fosfatos se han prohibido en algunas comunidades. En esta investigación medirás los efectos de los fosfatos sobre el crecimiento de las plantas. Descubrirás las razones por las cuales las comunidades tratan de mantener sus fuentes de agua libres de fosfatos y prohiben por eso el uso de algunos detergentes para lavar la ropa y la vajilla.

Materiales

2 tubos de ensayo grandes, con tapones o corchos

soporte para tubos de ensayo, o taza o jarra de plástico

2 ramitas de *Elodea*

detergente con fosfatos

luz solar o lámpara

tijeras pequeñas

Antes de empezar

Asegúrate de que el detergente contenga fosfatos; hay muchos que no lo tienen. La *Elodea* es una planta acuática que suele usarse en los acuarios. Puedes comprarla en un negocio de venta de animalitos.

Procedimiento 🔬

1. Corta con tus tijeras dos ramitas de *Elodea* para que tengan el mismo largo. Mide el largo de las ramitas y anótalo en un cuadro de datos parecido al que se ve en la próxima página. Coloca una ramita de *Elodea* en cada tubo de ensayo.

Con detergente

Sin detergente

2. Echa en cada tubo agua suficiente para llenarlo casi hasta el borde. Asegúrate de que la ramita de *Elodea* esté cubierta.

3. Coloca una pizca de detergente en un tubo de ensayo agítalo suavemente para mezclar los líquidos.

4. Pon los tapones en los tubos.

5. Coloca los tubos en un soporte, jarra o vaso. Coloca el soporte (o jarra, o vaso) en una ventana soleada o bajo la luz.

(Continúa)

6. Every three days for a month, carefully remove each *Elodea* sprig and measure it. Record your measurements in your data table. Place the sprigs back into the test tubes they were removed from each time. Do not mix up the sprigs!

Observations

1. What was the control in this experiment? Why?

2. Describe the *Elodea* that was placed in plain water.

3. Describe the *Elodea* that was placed in water that contained the detergent drops.

4. Why was it important to return each sprig to the correct tube?

Analysis and Conclusions

1. Did the detergent affect the *Elodea's* growth?

2. How do you explain the results of this investigation?

3. How might the effect of phosphates on water plants affect a community's water supply?

Going Further

Design an investigatation that compares the effects of detergents and fertilizers on plant growth. Have your teacher check the design of your investigation before you begin.

DATA TABLE

	Day	Detergent	No Detergent
	1		
	4		
	7		
	10		
	13		
	16		
	19		
	22		
	25		
	28		
	31		

6. Durante un mes, quita cuidadosamente cada tres días las ramitas de Elodea de los tubos y mídelas. Anota las medidas en tu cuadro de datos. Vuelve a colocar las ramitas en el mismo tubo de ensayo en que estaban. ¡No las confundas!

Observaciones

1. ¿Cuál era el control en este experimento? ¿Por qué?

2. Describe la *Elodea* colocada en agua pura.

3. Describe la *Elodea* colocada en agua con detergente.

4. ¿Por qué es importante volver a poner la ramita en el tubo correcto?

Análisis y conclusiones

1. ¿Afectó el detergente al crecimiento de la *Elodea*?

2. ¿Cómo explicas los resultados de esta investigación?

3. ¿Cómo impactaría el efecto de los fosfatos en las plantas acuáticas al abastecimiento de agua de una comunidad?

Investiga más

Diseña una investigación en que se comparen los efectos de los detergentes y los fertilizantes sobre el crecimiento de las plantas. Pide a tu profesor(a) que controle el diseño de tu investigación antes de empezar.

CUADRO DE DATOS

Día	Con detergente	Sin detergente
1		
4		
7		
10		
13		
16		
19		
22		
25		
28		
31		

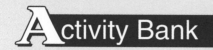
MAKING SOIL

Soil is a substance that is certainly taken for granted by most people. This common substance, often underfoot and easy to see, contributes greatly to human survival. Plants need soil to grow well—it is good, fertile soil that makes our croplands so productive. In this activity you will "make" some soil. Keep in mind, however, that what you can accomplish in an afternoon takes nature's forces many years to produce.

Materials

rocks
sand
magnifying glass
dried leaves

plastic pan or
  bucket
soil sample

Procedure

1. Use the magnifying glass to examine the rocks and the sand. Draw what you observe on a separate sheet of paper.

2. Place a thick layer of sand in the bottom of the plastic pan or bucket.

3. Break up the dried leaves into tiny pieces. You might even grind the dried leaves between two flat rocks.

4. Add a layer of the ground-up plant material to the sand. Use your hands to gently mix the sand and dried leaves together.

5. Use the magnifying glass to compare the soil mixture you made with the soil sample provided by your teacher. Draw what you observe.

Observations

1. How does the sand compare with the rock samples?

2. Did you observe leaves or other pieces of plant material in the soil sample provided by your teacher?

3. In what ways did the soil you made resemble the soil sample? In what ways was it different?

4. How could you make your soil more like the soil in the sample?

Analysis and Conclusions

1. Where does sand come from in natural soil?

2. Where does the plant material come from in natural soil?

3. Why is plant material an important part of soil?

4. Why are sand and other rock material important parts of soil?

Going Further

Design an experiment to compare the growth of plants in the soil you made with the growth of plants in natural soil. Discuss your plan with your teacher, and get his or her permission before you begin.

Pozo de actividades

La tierra es una sustancia en que la mayoría de la gente ciertamente no piensa mucho. Esta sustancia común que está bajo nuestros pies y es fácil de ver contribuye en gran medida a la supervivencia humana. Las plantas necesitan tierra para crecer bien. La tierra fértil es lo que hace que nuestros campos sean tan productivos. En esta actividad, "fabricarás" tierra. Recuerda que lo que puedes conseguir en una tarde lleva en la naturaleza muchos años.

Materiales

piedras
arena
lente de aumento
hojas secas

fuente o cubo de plástico
muestra de tierra

Procedimiento

1. Utiliza el lente de aumento para examinar las piedras y la arena. Dibuja lo que observes en una hoja de papel.
2. Coloca una capa gruesa de arena en el fondo de la fuente o el cubo.

3. Desmenuza las hojas secas en trocitos muy pequeños. Tal vez quieras moler las hojas entre dos piedras planas.
4. Añade una capa de hojas molidas a la tierra. Con las manos, mezcla suavemente la arena y las hojas molidas.
5. Con el lente de aumento, compara la mezcla de tierra que has preparado con la que te ha dado tu profesor(a). Haz un dibujo de lo que observes.

Observaciones

1. Compara la arena con las muestras de piedra.
2. ¿Has observado trocitos de hojas u otras materias vegetales en la muestra de tierra que te dio tu profesor(a)?
3. ¿En qué se parece y en qué se diferencia la tierra que has hecho de la tierra de la muestra?
4. ¿Cómo puedes hacer que tu tierra se parezca más a la de la muestra?

Análisis y conclusiones

1. ¿De dónde viene la arena en la tierra natural?
2. ¿De dónde viene la materia vegetal en la tierra natural?
3. ¿Por qué la materia vegetal es una parte importante de la tierra?
4. ¿Por qué son la arena y otros materiales rocosos partes importantes de la tierra?

Investiga más

Diseña un experimento para comparar el crecimiento de las plantas en la tierra que has preparado con el crecimiento de las plantas en la tierra natural. Analiza tus planes con tu profesor(a) y obtén su permiso antes de empezar.

HOW HARD IS THAT ROCK?

Hardness is a property that is often used to identify rocks. In this activity you will determine the hardness of several rock samples relative to each other and to several common substances. Geologists often use the Mohs hardness scale to determine the hardness of a rock specimen. But if you are collecting rocks in the field, it may not be easy to carry the ten mineral specimens that represent the Mohs hardness scale along with you. It is often easier to use commonly available substances to perform a hardness test.

For example, a fingernail has a hardness of about 2.5, a penny a hardness of 3.0, a steel knife blade a hardness of about 5.5, and a piece of glass a hardness of 5.5 to 6.0.

Materials

selection of rock samples
square glass plate
steel kitchen knife
penny

Procedure

1. elect two rock specimens. Try to ⠌ratch one with the other. Keep the ⠝arder of the two specimens. Put the softer one aside.

2. Select another rock and use the same scratch test. Keep the harder of these two rocks and set the other aside.

3. Keep repeating the procedure until you have identified the hardest rock specimen you have.

4. Compare the rocks to find the second hardest rock. Continue this procedure until all the rock specimens have been put in order from the hardest to the softest.

5. Now compare the rock specimens to the other materials of known hardness to determine the actual hardness of as many of your specimens as possible. **CAUTION:** *Use care when handling sharp materials. Your teacher will show you the proper way to proceed.* Share your results with your classmates. Use their findings to confirm yours.

Observations

1. Did you find any rocks that were softer than your fingernail?

2. Did any rocks scratch the penny?

3. Were any rocks unscratched by the steel blade?

4. Did any rocks scratch the glass plate?

Analysis and Conclusions

1. Calcite has a rating of 3 on the Mohs scale. Would calcite be scratched by a penny?

2. Many people think that diamond (10 on the Mohs scale) is the only mineral that can scratch glass. Is this correct? Why?

¿CUÁL ES LA PIEDRA MÁS DURA?

La dureza es una propiedad que se usa a menudo para identificar las piedras. En esta actividad, determinarás la dureza de varias piedras en relación con otras sustancias comunes. Los geólogos utilizan a menudo la escala de dureza de Mohs para determinar la dureza de una piedra. Pero si recoges piedras del campo, tal vez no te sea fácil transportar las diez muestras de minerales que representa la escala de Mohs. Es más fácil utilizar sustancias de que se dispone corrientemente para hacer una prueba de dureza.

Por ejemplo, una uña tiene una dureza de alrededor de 2.5, una moneda de un centavo una dureza de 3.0, la hoja de acero de un cuchillo una dureza de 5.5, y un pedazo de vidrio una dureza de 5.5 a 6.0.

Materiales

varias piedras diferentes
lámina cuadrada de vidrio
cuchillo de cocina de acero
moneda de 1 centavo

Procedimiento

1. Selecciona dos piedras. Trata de arañar una con la otra. Quédate con la más dura de las dos y deja de lado la otra.

2. Elige otra piedra y haz lo mismo que antes. Quédate con la más dura de las dos y deja de lado la otra.

3. Repite el procedimiento hasta que hayas identificado la piedra más dura de todas.

4. Compara las piedras para encontrar la segunda en dureza y continúa este procedimiento hasta que hayas puesto en orden las piedras desde la más dura hasta la más blanda.

5. Compara las piedras con los demás materiales de dureza conocida para determinar la dureza de tantos ejemplares como puedas. **CUIDADO:** *Ten cuidado al utilizar materiales cortantes. Tu profesor(a) te enseñará la forma de proceder.* Comunica tus resultados a tus compañeros. Usa sus resultados para confirmar los tuyos.

Observaciones

1. ¿Has encontrado rocas más blandas que tu uña?

2. ¿Arañó alguna roca la moneda?

3. ¿Ha habido alguna roca que no se arañó con la hoja del cuchillo?

4. ¿Arañó alguna roca la lámina de vidrio?

Análisis y conclusiones

1. La calcita tiene un índice de 3 en la escala de Mohs. ¿Podrías arañar la calcita con un penique?

2. Muchas personas piensan que el diamante (10 en la escala de Mohs) es el único mineral que puede arañar el vidrio. ¿Es esto correcto? ¿Por qué?

The metric system of measurement is used by scientists throughout the world. It is based on units of ten. Each unit is ten times larger or ten times smaller than the next unit. The most commonly used units of the metric system are given below. After you have finished reading about the metric system, try to put it to use. How tall are you in metrics? What is your mass? What is your normal body temperature in degrees Celsius?

Commonly Used Metric Units

Length   The distance from one point to another

meter (m)   A meter is slightly longer than a yard.
            1 meter = 1000 millimeters (mm)
            1 meter = 100 centimeters (cm)
            1000 meters = 1 kilometer (km)

Volume   The amount of space an object takes up

liter (L)   A liter is slightly more than a quart.
            1 liter = 1000 milliliters (mL)

Mass   The amount of matter in an object

gram (g)   A gram has a mass equal to about one paper clip.

            1000 grams = 1 kilogram (kg)

Temperature   The measure of hotness or coldness

degrees   0°C = freezing point of water
Celsius (°C)   100°C = boiling point of water

Metric–English Equivalents

2.54 centimeters (cm) = 1 inch (in.)
1 meter (m) = 39.37 inches (in.)
1 kilometer (km) = 0.62 miles (mi)
1 liter (L) = 1.06 quarts (qt)
250 milliliters (mL) = 1 cup (c)
1 kilogram (kg) = 2.2 pounds (lb)
28.3 grams (g) = 1 ounce (oz)
°C = 5/9 × (°F − 32)

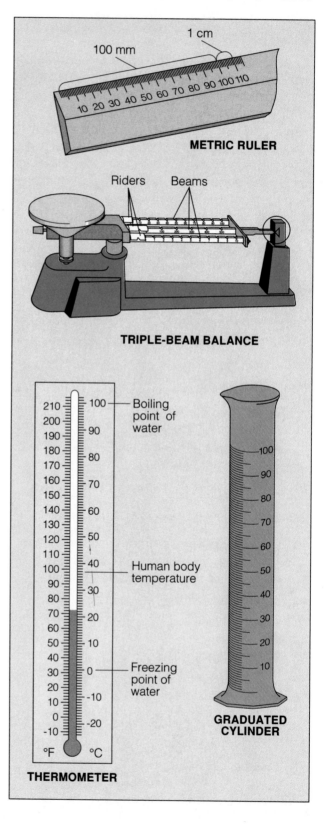

METRIC RULER

TRIPLE-BEAM BALANCE

THERMOMETER

GRADUATED CYLINDER

Apéndice A

Los científicos de todo el mundo usan el sistema métrico. Está basado en unidades de diez. Cada unidad es diez veces más grande o más pequeña que la siguiente. Abajo se pueden ver las unidades del sistema métrico más usadas. Cuando termines de leer sobre el sistema métrico, trata de usarlo. ¿Cuál es tu altura en metros? ¿Cuál es tu masa? ¿Cuál es tu temperatura normal en grados Celsio?

Unidades métricas más comunes

Longitud Distancia de un punto a otro

metro (m) Un metro es un poco más largo que una yarda.

1 metro = 1000 milímetros (mm)
1 metro = 100 centímetros (cm)
1000 metros = 1 kilómetro (km)

Volumen Cantidad de espacio que ocupa un objeto

litro (L) = Un litro es un poco más que un cuarto de galón.

1 litro = 1000 mililitros (mL)

Masa Cantidad de materia que tiene un objeto

gramo (g) El gramo tiene una masa más o menos igual a la de una presilla para papel.

1000 gramos = kilogramo (kg)

Temperatura Medida de calor o frío

grados 0°C = punto de congelación del agua
Celsio (°C) 100°C = punto de ebullición del agua

Equivalencias métricas inglesas

2.54 centímetros (cm) = 1 pulgada (in.)
1 metro (m) = 39.37 pulgadas (in.)
1 kilómetro (km) = 0.62 millas (mi)
1 litro (L) = 1.06 cuartes (qt)
250 mililitros (mL) = 1 taza (c)
1 kilogramo (kg) = 2.2 libras (lb)
28.3 gramos (g) = 1 onza (oz)
$°C = 5/9 \times (°F - 32)$

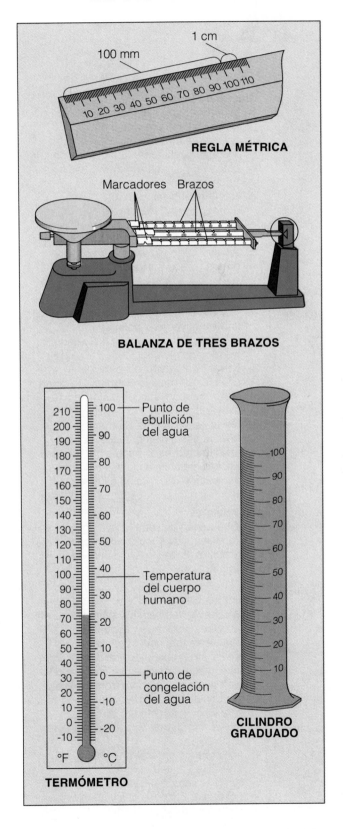

REGLA MÉTRICA

Marcadores Brazos

BALANZA DE TRES BRAZOS

Punto de ebullición del agua

Temperatura del cuerpo humano

Punto de congelación del agua

TERMÓMETRO

CILINDRO GRADUADO

Appendix B

Glassware Safety

1. Whenever you see this symbol, you will know that you are working with glassware that can easily be broken. Take particular care to handle such glassware safely. And never use broken or chipped glassware.
2. Never heat glassware that is not thoroughly dry. Never pick up any glassware unless you are sure it is not hot. If it is hot, use heat-resistant gloves.
3. Always clean glassware thoroughly before putting it away.

Fire Safety

1. Whenever you see this symbol, you will know that you are working with fire. Never use any source of fire without wearing safety goggles.
2. Never heat anything—particularly chemicals—unless instructed to do so.
3. Never heat anything in a closed container.
4. Never reach across a flame.
5. Always use a clamp, tongs, or heat-resistant gloves to handle hot objects.
6. Always maintain a clean work area, particularly when using a flame.

Heat Safety

Whenever you see this symbol, you will know that you should put on heat-resistant gloves to avoid burning your hands.

Chemical Safety

1. Whenever you see this symbol, you will know that you are working with chemicals that could be hazardous.
2. Never smell any chemical directly from its container. Always use your hand to waft some of the odors from the top of the container toward your nose—and only when instructed to do so.
3. Never mix chemicals unless instructed to do so.
4. Never touch or taste any chemical unless instructed to do so.
5. Keep all lids closed when chemicals are not in use. Dispose of all chemicals as instructed by your teacher.

6. Immediately rinse with water any chemicals, particularly acids, that get on your skin and clothes. Then notify your teacher.

Eye and Face Safety

1. Whenever you see this symbol, you will know that you are performing an experiment in which you must take precautions to protect your eyes and face by wearing safety goggles.
2. When you are heating a test tube or bottle, always point it away from you and others. Chemicals can splash or boil out of a heated test tube.

Sharp Instrument Safety

1. Whenever you see this symbol, you will know that you are working with a sharp instrument.
2. Always use single-edged razors; double-edged razors are too dangerous.
3. Handle any sharp instrument with extreme care. Never cut any material toward you; always cut away from you.
4. Immediately notify your teacher if your skin is cut.

Electrical Safety

1. Whenever you see this symbol, you will know that you are using electricity in the laboratory.
2. Never use long extension cords to plug in any electrical device. Do not plug too many appliances into one socket or you may overload the socket and cause a fire.
3. Never touch an electrical appliance or outlet with wet hands.

Animal Safety

1. Whenever you see this symbol, you will know that you are working with live animals.
2. Do not cause pain, discomfort, or injury to an animal.
3. Follow your teacher's directions when handling animals. Wash your hands thoroughly after handling animals or their cages.

Apéndice B

¡Cuidado con los recipientes de vidrio!

1. Este símbolo te indicará que estás trabajando con recipientes de vidrio que pueden romperse. Procede con mucho cuidado al manejar esos recipientes. Y nunca uses vasos rotos ni astillados.
2. Nunca pongas al calor recipientes húmedos. Nunca tomes ningún recipiente si está caliente. Si lo está, usa guantes resistentes al calor.
3. Siempre limpia bien un recipiente de vidrio antes de guardarlo.

¡Cuidado con el fuego!

1. Este símbolo te indicará que estás trabajando con fuego. Nunca uses algo que produzca llama sin ponerte gafas protectoras.
2. Nunca calientes nada a menos que te digan que lo hagas.
3. Nunca calientes nada en un recipiente cerrado.
4. Nunca extiendas el brazo por encima de una llama.
5. Usa siempre una grapa, pinzas o guantes resistentes al calor para manipular algo caliente.
6. Procura tener un área de trabajo vacía y limpia, especialmente si estás usando una llama.

¡Cuidado con el calor!

Este símbolo te indicará que debes ponerte guantes resistentes al calor para no quemarte las manos.

¡Cuidado con los productos químicos!

1. Este símbolo te indicará que vas a trabajar con productos químicos que pueden ser peligrosos.
2. Nunca huelas un producto químico directamente. Usa siempre las manos para llevar las emanaciones a la nariz y hazlo solo si te lo dicen.
3. Nunca mezcles productos químicos a menos que te lo indiquen.
4. Nunca toques ni pruebes ningún producto químico a menos que te lo indiquen.
5. Mantén todas las tapas de los productos químicos cerradas cuando no los uses. Deséchalos según te lo indiquen.

6. Enjuaga con agua cualquier producto químico, en especial un ácido. Si se pone en contacto con tu piel o tus ropas, comunícaselo a tu profesor(a).

¡Cuidado con los ojos y la cara!

1. Este símbolo te indicará que estás haciendo un experimento en el que debes protegerte los ojos y la cara con gafas protectoras.
2. Cuando estés calentando un tubo de ensayo, pon la boca en dirección contraria a los demás. Los productos químicos pueden salpicar o derramarse de un tubo de ensayo caliente.

¡Cuidado con los instrumentos afilados!

1. Este símbolo te indicará que vas a trabajar con un instrumento afilado.
2. Usa siempre hojas de afeitar de un solo filo. Las hojas de doble filo son muy peligrosas.
3. Maneja un instrumento afilado con sumo cuidado. Nunca cortes nada hacia ti sino en dirección contraria.
4. Notifica inmediatamente a tu profesor(a) si te cortas.

¡Cuidado con la electricidad!

1. Este símbolo te indicará que vas a usar electricidad en el laboratorio.
2. Nunca uses cables de prolongación para enchufar un aparato eléctrico. No enchufes muchos aparatos en un enchufe porque puedes recargarlo y provocar un incendio.
3. Nunca toques un aparato eléctrico o un enchufe con las manos húmedas.

¡Cuidado con los animales!

1. Este símbolo, te indicará que vas a trabajar con animales vivos.
2. No causes dolor, molestias o heridas a un animal.
3. Sigue las instrucciones de tu profesor(a) al tratar a los animales. Lávate bien las manos después de tocar los animales o sus jaulas.

One of the first things a scientist learns is that working in the laboratory can be an exciting experience. But the laboratory can also be quite dangerous if proper safety rules are not followed at all times. To prepare yourself for a safe year in the laboratory, read over the following safety rules. Then read them a second time. Make sure you understand each rule. If you do not, ask your teacher to explain any rules you are unsure of.

Dress Code

1. Many materials in the laboratory can cause eye injury. To protect yourself from possible injury, wear safety goggles whenever you are working with chemicals, burners, or any substance that might get into your eyes. Never wear contact lenses in the laboratory.

2. Wear a laboratory apron or coat whenever you are working with chemicals or heated substances.

3. Tie back long hair to keep it away from any chemicals, burners and candles, or other laboratory equipment.

4. Remove or tie back any article of clothing or jewelry that can hang down and touch chemicals and flames.

General Safety Rules

5. Read all directions for an experiment several times. Follow the directions exactly as they are written. If you are in doubt about any part of the experiment, ask your teacher for assistance.

6. Never perform activities that are not authorized by your teacher. Obtain permission before "experimenting" on your own.

7. Never handle any equipment unless you have specific permission.

8. Take extreme care not to spill any material in the laboratory. If a spill occurs, immediately ask your teacher about the proper cleanup procedure. Never simply pour chemicals or other substances into the sink or trash container.

9. Never eat in the laboratory.

10. Wash your hands before and after each experiment.

First Aid

11. Immediately report all accidents, no matter how minor, to your teacher.

12. Learn what to do in case of specific accidents, such as getting acid in your eyes or on your skin. (Rinse acids from your body with lots of water.)

13. Become aware of the location of the first-aid kit. But your teacher should administer any required first aid due to injury. Or your teacher may send you to the school nurse or call a physician.

14. Know where and how to report an accident or fire. Find out the location of the fire extinguisher, phone, and fire alarm. Keep a list of important phone numbers—such as the fire department and the school nurse—near the phone. Immediately report any fires to your teacher.

Heating and Fire Safety

15. Again, never use a heat source, such as a candle or burner, without wearing safety goggles.

16. Never heat a chemical you are not instructed to heat. A chemical that is harmless when cool may be dangerous when heated.

17. Maintain a clean work area and keep all materials away from flames.

18. Never reach across a flame.

19. Make sure you know how to light a Bunsen burner. (Your teacher will demonstrate the proper procedure for lighting a burner.) If the flame leaps out of a burner toward you, immediately turn off the gas. Do not touch the burner. It may be hot. And never leave a lighted burner unattended!

20. When heating a test tube or bottle, always point it away from you and others. Chemicals can splash or boil out of a heated test tube.

21. Never heat a liquid in a closed container. The expanding gases produced may blow the container apart, injuring you or others.

Apéndice C

Una de las primeras cosas que aprende un científico es que trabajar en el laboratorio es muy interesante. Pero el laboratorio puede ser un lugar muy peligroso si no se respetan las reglas de seguridad apropiadas. Para prepararte para trabajar sin riesgos en el laboratorio, lee las siguientes reglas una y otra vez. Debes comprender muy bien cada regla. Pídele a tu profesor(a) que te explique si no entiendes algo.

Vestimenta adecuada

1. Muchos materiales del laboratorio pueden ser dañinos para la vista. Como precaución, usa gafas protectoras siempre que trabajes con productos químicos, mecheros o una sustancia que pueda entrarte en los ojos. Nunca uses lentes de contacto en el laboratorio.

2. Usa un delantal o guardapolvo siempre que trabajes con productos químicos o con algo caliente.

3. Si tienes pelo largo, átatelo para que no roce productos químicos, mecheros, velas u otro equipo del laboratorio.

4. No debes llevar ropa o alhajas que cuelguen y puedan entrar en contacto con productos químicos o con el fuego.

Normas generales de precaución

5. Lee todas las instrucciones de un experimento varias veces. Síguelas al pie de la letra. Si tienes alguna duda, pregúntale a tu profesor(a).

6. Nunca hagas nada sin autorización de tu profesor(a). Pide permiso antes de "experimentar" por tu cuenta.

7. Nunca intentes usar un equipo si no te han dado permiso para hacerlo.

8. Ten mucho cuidado de no derramar nada en el laboratorio. Si algo se derrama, pregunta inmediatamente a tu profesor(a) cómo hacer para limpiarlo.

9. Nunca comas en el laboratorio.

10. Lávate las manos antes y después de cada experimento.

Primeros auxilios

11. Por menos importante que parezca un accidente, informa inmediatamente a tu profesor(a) si ocurre algo.

12. Aprende qué debes hacer en caso de ciertos accidentes, como si te cae ácido en la piel o te entra en los ojos. (Enjuágate con muchísima agua.)

13. Debes saber dónde está el botiquín de primeros auxilios. Pero es tu profesor(a) quien debe encargarse de dar primeros auxilios. Puede que él o ella te envíe a la enfermería o llame a un médico.

14. Debes saber dónde llamar si hay un accidente o un incendio. Averigua dónde está el extinguidor, el teléfono y la alarma de incendios. Debe haber una lista de teléfonos importantes—como los bomberos y la enfermería—cerca del teléfono. Avisa inmediatamente a tu profesor(a) si se produce un incendio.

Precauciones con el calor y con el fuego

15. Nunca te acerques a una fuente de calor, como un mechero o una vela sin ponerte las gafas protectoras.

16. Nunca calientes ningún producto químico si no te lo indican. Un producto inofensivo cuando está frío puede ser peligroso si está caliente.

17. Tu área de trabajo debe estar limpia y todos los materiales alejados del fuego.

18. Nunca extiendas el brazo por encima de una llama.

19. Debes saber bien cómo encender un mechero Bunsen. (Tu profesor(a) te indicará el procedimiento apropiado.) Si la llama salta del mechero, apaga el gas inmediatamente. No toques el mechero. ¡Nunca dejes un mechero encendido sin nadie al lado!

20. Cuando calientes un tubo de ensayo, apúntalo en dirección contraria. Los productos químicos pueden salpicar o derramarse al hervir.

21. Nunca calientes un líquido en un recipiente cerrado. Los gases que se producen pueden hacer que el recipiente explote y te lastime a ti y a tus compañeros.

22. Before picking up a container that has been heated, first hold the back of your hand near it. If you can feel the heat on the back of your hand, the container may be too hot to handle. Use a clamp or tongs when handling hot containers.

Using Chemicals Safely

23. Never mix chemicals for the "fun of it." You might produce a dangerous, possibly explosive substance.

24. Never touch, taste, or smell a chemical unless you are instructed by your teacher to do so. Many chemicals are poisonous. If you are instructed to note the fumes in an experiment, gently wave your hand over the opening of a container and direct the fumes toward your nose. Do not inhale the fumes directly from the container.

25. Use only those chemicals needed in the activity. Keep all lids closed when a chemical is not being used. Notify your teacher whenever chemicals are spilled.

26. Dispose of all chemicals as instructed by your teacher. To avoid contamination, never return chemicals to their original containers.

27. Be extra careful when working with acids or bases. Pour such chemicals over the sink, not over your workbench.

28. When diluting an acid, pour the acid into water. Never pour water into an acid.

29. Immediately rinse with water any acids that get on your skin or clothing. Then notify your teacher of any acid spill.

Using Glassware Safely

30. Never force glass tubing into a rubber stopper. A turning motion and lubricant will be helpful when inserting glass tubing into rubber stoppers or rubber tubing. Your teacher will demonstrate the proper way to insert glass tubing.

31. Never heat glassware that is not thoroughly dry. Use a wire screen to protect glassware from any flame.

32. Keep in mind that hot glassware will not appear hot. Never pick up glassware without first checking to see if it is hot. See #22.

33. If you are instructed to cut glass tubing, fire-polish the ends immediately to remove sharp edges.

34. Never use broken or chipped glassware. If glassware breaks, notify your teacher and dispose of the glassware in the proper trash container.

35. Never eat or drink from laboratory glassware. Thoroughly clean glassware before putting it away.

Using Sharp Instruments

36. Handle scalpels or razor blades with extreme care. Never cut material toward you; cut away from you.

37. Immediately notify your teacher if you cut your skin when working in the laboratory.

Animal Safety

38. No experiments that will cause pain, discomfort, or harm to mammals, birds, reptiles, fishes, and amphibians should be done in the classroom or at home.

39. Animals should be handled only if necessary. If an animal is excited or frightened, pregnant, feeding, or with its young, special handling is required.

40. Your teacher will instruct you as to how to handle each animal species that may be brought into the classroom.

41. Clean your hands thoroughly after handling animals or the cage containing animals.

End-of-Experiment Rules

42. After an experiment has been completed, clean up your work area and return all equipment to its proper place.

43. Wash your hands after every experiment.

44. Turn off all burners before leaving the laboratory. Check that the gas line leading to the burner is off as well.

22. Antes de tomar un recipiente que se ha calentado, acerca primero el dorso de tu mano. Si puedes sentir el calor, el recipiente está todavía caliente. Usa una grapa o pinzas cuando trabajes con recipientes calientes.

Precauciones en el uso de productos químicos

23. Nunca mezcles productos químicos para "divertirte". Puede que produzcas una sustancia peligrosa tal como un explosivo.

24. Nunca toques, pruebes o huelas un producto químico si no te indican que lo hagas. Muchos de estos productos son venenosos. Si te indican que observes las emanaciones, llévalas hacia la nariz con las manos. No las aspires directamente del recipiente.

25. Usa sólo los productos necesarios para esa actividad. Todos los envases deben estar cerrados si no están en uso. Informa a tu profesor(a) si se produce algún derrame.

26. Desecha todos los productos químicos según te lo indique tu profesor(a). Para evitar la contaminación, nunca los vuelvas a poner en su envase original.

27. Ten mucho cuidado cuando trabajes con ácidos o bases. Viértelos en la pila, no sobre tu mesa.

28. Cuando diluyas un ácido, viértelo en el agua. Nunca viertas agua en el ácido.

29. Enjuágate inmediatamente la piel o la ropa con agua si te cae ácido. Notifica a tu profesor(a).

Precauciones con el uso de vidrio

30. Para insertar vidrio en tapones o tubos de goma, deberás usar un movimiento de rotación y un lubricante. No lo fuerces. Tu profesor(a) te indicará cómo hacerlo.

31. No calientes recipientes de vidrio que no estén secos. Usa una pantalla para proteger el vidrio de la llama.

32. Recuerda que el vidrio caliente no parece estarlo. Nunca tomes nada de vidrio sin controlarlo antes. Véase # 22.

33. Cuando cortes un tubo de vidrio, lima las puntas inmediatamente para alisarlas.

34. Nunca uses recipientes rotos ni astillados. Si algo de vidrio se rompe, notifícalo inmediatamente y desecha el recipiente en el lugar adecuado.

35. Nunca comas ni bebas de un recipiente de vidrio del laboratorio. Limpia los recipientes bien antes de guardarlos.

Uso de instrumentos afilados

36. Maneja los bisturíes o las hojas de afeitar con sumo cuidado. Nunca cortes nada hacia ti sino en dirección contraria.

37. Notifica inmediatamente a tu profesor(a) si te cortas.

Precauciones con los animales

38. No debe realizarse ningún experimento que cause dolor, incomodidad o daño a los animales en la escuela o en la casa.

39. Debes tocar a los animales sólo si es necesario. Si un animal está nervioso o asustado, preñado, amamantando o con su cría, se requiere cuidado especial.

40. Tu profesor(a) te indicará cómo proceder con cada especie animal que se traiga a la clase.

41. Lávate bien las manos después de tocar los animales o sus jaulas.

Al concluir un experimento

42. Después de terminar un experimento limpia tu área de trabajo y guarda el equipo en el lugar apropiado.

43. Lávate las manos después de cada experimento.

44. Apaga todos los mecheros antes de irte del laboratorio. Verifica que la línea general esté también apagada.

Boundaries

National . . . .

State or territorial . . . .

County or equivalent . . . .

Civil township or equivalent . . . .

Incorporated city or equivalent . . . . . .

Park, reservation, or monument . . . . . .

Small park . . . .

Roads and related features

Primary highway . . . .

Secondary highway . . . .

Light-duty road . . . .

Unimproved road . . . .

Trail . . . .

Dual highway . . . .

Dual highway with median strip . . . . . .

Bridge . . . .

Tunnel . . . .

Buildings and related features

Dwelling or place of employment: small; large . . . .

School; house of worship . . . .

Barn, warehouse, etc.: small; large . . . .

Airport . . . .

Campground; picnic area . . . .

Cemetery: small; large . . . .

Railroads and related features

Standard-gauge single track; station . . .

Standard-gauge multiple track . . . .

Contours

Intermediate . . . .

Index . . . .

Supplementary . . . .

Depression . . . .

Cut; fill . . . .

Surface features

Levee . . . .

Sand or mud areas, dunes, or shifting sand . . . .

Gravel beach or glacial moraine . . . .

Vegetation

Woods . . . .

Scrub . . . .

Orchard . . . .

Vineyard . . . .

Marine shoreline

Approximate mean high water . . . .

Indefinite or unsurveyed . . . .

Coastal features

Foreshore flat . . . .

Rock or coral reef . . . .

Rock, bare or awash . . . .

Breakwater, pier, jetty, or wharf . . . .

Seawall . . . .

Rivers, lakes, and canals

Perennial stream . . . .

Perennial river . . . .

Small falls; small rapids . . . .

Large falls; large rapids . . . .

Dry lake . . . .

Narrow wash . . . .

Wide wash . . . .

Water well; spring or seep . . . .

Submerged areas and bogs

Marsh or swamp . . . .

Submerged marsh or swamp . . . .

Wooded marsh or swamp . . . .

Land subject to inundation . . . .

Elevations

Spot and elevation . . . . X_{212}

Apéndice D

SIMBOLOS DE LOS MAPAS

Fronteras

Nacional . . . .

Estatal o territorial . . . .

Distrito o equivalente . . . .

Ciudad o equivalente . . . .

Municipio o equivalente . . . .

Parque, reserva o monumento . . . .

Parque pequeño . . . .

Carreteras, etc.

Carretera principal . . . .

Carretera secundaria . . . .

Camino poco transitado . . . .

Camino sin mejorar . . . .

Sendero . . . .

Carretera de doble sentido . . . .

Carretera de doble sentido con medianera . .

Puente . . . .

Túnel . . . .

Edificios, etc.

Vivienda o lugar de empleo: pequeño;

  grande . . . .

Escuela; templo, etc. . . . .

Establo, almacén, etc.: pequeño; grande . . . .

Aeropuerto . . . .

Campamento; zona de picnic . . . .

Cementerio: pequeño; grande . . . .

Ferrocarriles, etc.

Vía estándar de una sola trocha; estación . . .

Vía estándar de trochas múltiples . . . .

Curvas de nivel

Intermedia . . . .

Índice . . . .

Suplementaria . . . .

Depresión . . . .

Corte; relleno . . . .

Características superficiales

Dique . . . .

Zonas de arena o barro,

  dunas . . . .

Playa de grava o morena glacial . . . .

Vegetación

Bosque . . . .

Matorrales . . . .

Huerto de frutales . . . .

Viñedo . . . .

Costa marina

Línea media de la marea alta . . . .

Indefinida o sin medir . . . .

Características costeras

Planicie entre mareas . . . .

Arrecife rocoso o coralino . . . .

Rocas desnudas o semicubiertas . . . .

Rompiente, muelle, espigón o embarcadero .

Rompeolas . . . .

Ríos, lagos y canales

Arroyo permanente . . . .

Río permanente . . . .

Pequeña catarata; pequeños rápidos . . . . . .

Gran catarata; grandes rápidos . . . .

Lago seco . . . .

Margen estrecho . . . .

Margen ancho . . . .

Pozo de agua; fuente o filtración . . . .

Zonas sumergidas y pantanos . . . .

Marisma o pantano . . . .

Marisma o pantano sumergido . . . .

Marisma o pantano boscoso . . . .

Terrenos inundables . . . .

Elevaciones

Lugar y elevación . . . .

X_{212}

Glossary

abyssal (uh-BIHS-uhl) **plain:** large flat area on the ocean floor

abyssal zone: open-ocean zone that extends to an average depth of 6000 meters

air pressure: push on the Earth's surface caused by the force of gravity pulling on the layers of air surrounding the Earth

aquifer (AK-wuh-fuhr): layer of rock or sediment that allows ground water to pass freely

asthenosphere (az-THEEN-oh-sfeer): layer of the Earth directly beneath the lithosphere

atmosphere (AT-muhs-feer): envelope of gases that surrounds the Earth

atoll: ring of coral reefs surrounding an island that has been worn away and has sunk beneath the surface of the ocean

barrier reef: coral reef separated from the shore of an island by an area of shallow water called a lagoon

bathyal (BATH-ee-uhl) **zone:** open-ocean zone that begins at a continental slope and extends down about 2000 meters

benthos (BEHN-thahs): organisms that live on the ocean floor

cavern (KAV-uhrn): underground passage formed when limestone is dissolved by carbonic acid in ground water

coastal plain: low, flat area along a coast (place where the land meets the ocean)

condensation (kahn-duhn-SAY-shuhn): process by which water vapor changes back into a liquid; second step of the water cycle

continent: major landmass that measures millions of square kilometers and rises a considerable distance above sea level

continental glacier: thick sheet of snow and ice that builds up in polar regions of the Earth; also called polar ice sheet

continental margin: area where the underwater edge of a continent meets the ocean floor

continental rise: part of a continental margin that separates a continental slope from the ocean floor

continental shelf: relatively flat part of a continental margin that is covered by shallow ocean water

continental slope: part of the continental margin at the edge of a continental shelf where the ocean floor plunges steeply 4 to 5 kilometers

contour line: line that passes through all points on a map that have the same elevation

convection (kuhn-VEHK-shuhn) **current:** movement of air caused by cool, dense air sinking and warm, less dense air rising

coral reef: large mass of limestone rocks surrounding a volcanic island in tropical waters near a continental shelf

crest: highest point of a wave

crust: thin, outermost layer of the Earth

deep current: ocean current caused mainly by differences in the density of water deep in the ocean

deep zone: area of extremely cold ocean water below the thermocline

elevation: height above sea level

equal-area projection: projection in which area is shown correctly, but shapes are distorted

equator: imaginary line around the Earth that divides the Earth into two hemispheres; parallel located halfway between the North and South Poles

evaporation (ih-vap-uh-RAY-shuhn): process by which energy from the sun causes water on the surface of the Earth to change to water vapor, the gas phase of water; first step of the water cycle

exosphere (EHKS-oh-sfeer): upper part of the thermosphere that extends from about 550 kilometers above the Earth's surface for thousands of kilometers

fringing reef: coral reef that touches the shoreline of a volcanic island

glacier: huge mass of moving ice and snow

globe: spherical, or round, model of the Earth

groundwater: water that soaks into the ground and remains in the ground

Glosario

acuífera: capa de roca o sedimento que permite que pase fácilmente el agua subterránea.

agua blanda: agua que no contiene minerales.

agua dura: agua que contiene gran cantidad de minerales disueltos, especialmente calcio y magnesio.

agua subterránea: agua que se absorbe en el suelo y permanece en el suelo.

arrecife coralino: gran masa de rocas calcáreas que rodea una isla volcánica situada en aguas tropicales cerca de una plataforma continental.

arrecife costero: arrecife coralino que toca la costa de una isla volcánica.

arrecife de barrera: arrecife coralino separado de la costa de una isla por una zona de aguas poco profundas llamada albufera.

astenosfera: capa de la Tierra situada directamente debajo de la litosfera.

atmósfera: cubierta de gases que rodea la Tierra.

atolón: anillo de arrecifes coralinos que rodean una isla que ha sido desgastada y se ha hundido por debajo de la superficie del océano.

bentos: organismos que viven en el lecho del océano.

cañón submarino: valle profundo en forma de V cortado en la roca a través de una plataforma y un talud continental.

capa freática: superficie entre la zona de saturación y la zona de aireación que marca el nivel por debajo del cual el suelo está saturado o empapado de agua.

caverna: pasaje subterráneo formado cuando el ácido carbónico del agua subterránea disuelve la roca calcárea.

ciclo del agua: movimiento continuo del agua desde los océanos y las fuentes de agua dulce hacia el aire y la tierra y finalmente de nuevo a los océanos; llamado también ciclo hidrológico.

cinturón montañoso: gran grupo de montañas que incluye cordilleras y sistemas montañosos.

cinturones de radiación de Van Allen: capas de alta radiación alrededor de la Tierra en que quedan atrapadas partículas cargadas.

condensación: proceso por el cual el vapor de agua vuelve a transformarse en líquido; segundo paso del ciclo del agua.

continente: gran masa terrestre que mide millones de kilómetros cuadrados y se eleva a una distancia considerable por encima del nivel del mar.

cordillera: series aproximadamente paralelas de montañas que tienen la misma forma y estructura generales.

cordillera mesooceánica: cadena de montañas situada bajo el océano.

corriente ascendente: ascenso de corrientes profundas y frías hacia la superficie del océano.

corriente de chorro: vientos fuertes en dirección este que soplan horizontalmente alrededor de la Tierra.

corriente de convección: movimiento del aire causado por el aire frío y denso que baja y el aire cálido y menos denso que sube.

corriente profunda: corriente oceánica causada principalmente por las diferencias en la densidad del agua en las profundidades del océano.

corriente superficial: corriente oceánica causada principalmente por los vientos.

corriente turbia: corriente de agua del océano que arrastra grandes cantidades de sedimentos.

corteza: capa exterior delgada de la Tierra

costa: límite en que se encuentran la tierra y el océano.

cresta: punto más alto de una ola.

cuenca: zona terrestre en que los escurrimientos superficiales se vuelcan en un río o un sistema de ríos y arroyos.

curva de nivel: línea que pasa por todos los puntos de un mapa que tienen la misma elevación.

ecuador: línea imaginaria que rodea la Tierra y la divide en dos hemisferios; paralelo situado a mitad de la distancia entre el polo norte y el polo sur.

guyot (gee-OH): flat-topped seamount

hard water: water that contains large amounts of dissolved minerals, especially calcium and magnesium

hemisphere: northern or southern half of the Earth

hydrosphere: part of the Earth's surface consisting of water

iceberg: large chunk of ice that breaks off from a continental glacier at the edge of the sea and drifts into the sea

impermeable: term used to describe material through which water cannot move quickly; opposite of permeable

inner core: solid, innermost layer of the Earth's core

interior plain: low, flat area found inland on a continent; somewhat higher above sea level than a coastal plain

international date line: line located along the 180th meridian; when the line is crossed going west, one day is added; when it is crossed going east, one day is subtracted

intertidal zone: region that lies between the low- and high-tide lines

ion: electrically charged particle

ionosphere (igh-AHN-uh-sfeer): lower part of the thermosphere that extends from 80 kilometers to 550 kilometers above the Earth's surface

island: small landmass completely surrounded by water

jet stream: strong, eastward wind that blows horizontally around the Earth

landscape: physical features of the Earth's surface found in an area

latitude: measure of distance north and south of the equator

lithosphere: part of the Earth's surface covered by land; solid, topmost part of the Earth

longitude: measure of distance east and west of the prime meridian

magnetosphere (mag-NEET-oh-sfeer): area around the Earth that extends beyond the atmosphere, in which the Earth's magnetic force operates

mantle: layer of the Earth directly above the outer core

map: drawing of the Earth, or a part of the Earth, on a flat surface

Mercator projection: projection used for navigation in which the correct shape of coastlines is shown, but the sizes of land and water areas far from the equator become distorted

meridian (muh-RIHD-ee-uhn): line that runs between the points on a globe or map which represent the geographic North and South Poles of the Earth

mesosphere (MEHS-oh-sfeer): layer of the Earth's atmosphere that extends from about 50 kilometers to about 80 kilometers above the Earth's surface

midocean ridge: mountain range located under the ocean

Moho: boundary between the Earth's outermost layer (crust) and the mantle

mountain: natural landform that reaches high elevations with a narrow summit, or top, and steep slopes, or sides

mountain belt: large group of mountains including mountain ranges and mountain systems

mountain range: roughly parallel series of mountains that have the same general shape and structure

mountain system: group of mountain ranges in one area

nekton (NEHK-ton): forms of ocean life that swim

neritic (nuh-RIHT-ihk) **zone:** area that extends from the low-tide line to the edge of a continental shelf

oceanographer (oh-shuhn-NAHG-ruh-fuhr): scientist who studies the ocean

outer core: second layer of the Earth surrounding the inner core

ozone: gas in the Earth's atmosphere formed when three atoms of oxygen combine

parallel: line going from east to west across a map or globe that crosses a meridian at right angles

permeable (PER-mee-uh-buhl): term used to describe material through which water can move quickly

plain: flat land area that does not rise far above sea level

plankton (PLANGK-tuhn): animals and plants that float at or near the surface of the ocean

plasticity (plas-TIHS-uh-tee): ability of a solid to flow, or change shape

plateau: broad, flat area of land that rises more than 600 meters above sea level

polarity (poh-LAR-uh-tee): property of a molecule with oppositely charged ends

pore space: space between particles of soil

precipitation (prih-sihp-uh-TAY-shuhn): process by which water returns to the Earth in the form of rain, snow, sleet, or hail; third step of the water cycle

elevación: altura sobre el nivel del mar.

embalse: lago artificial utilizado como fuente de agua dulce.

escala: se utiliza para comparar las distancias en un mapa o un globo terráqueo con las distancias reales en la superficie terrestre.

escurrimiento superficial: agua que entra a un río o un arroyo después de una lluvia intensa o durante un deshielo primaveral de nieve o hielo.

espacio de poros: espacio entre las partículas de suelo.

estratósfera: capa de la atmósfera terrestre que se extiende desde la tropopausa hasta una altura de unos 50 kilómetros.

evaporación: proceso mediante el cual la energía solar hace que el agua de la superficie terrestre se convierta en vapor de agua, que es la fase gaseosa del agua; primer paso del ciclo del agua.

exosfera: parte superior de la termosfera que se extiende desde aproximadamente 550 kilómetros sobre la superficie terrestre hasta miles de kilómetros de altura.

fosa: grieta o hendidura submarina larga y angosta a lo largo del borde del fondo del océano.

glaciar: masa enorme de hielo y nieve en movimiento.

glaciar continental: manto espeso de nieve o de hielo que se acumula en las regiones polares de la Tierra; llamado también manto polar.

glaciar de valle: glaciar largo y estrecho que se mueve hacia abajo entre los lados escarpados de un valle de montaña.

glacias continental: parte de un margen continental que separa un declive continental del fondo marino.

globo terráqueo: modelo esférico, o redondo, de la Tierra.

guyote: montaña submarina de cumbre plana.

hemisferio: mitad norte o sur de la Tierra

hidrosfera: parte de la superficie terrestre consistente de agua.

huzo horario: cinturón longitudinal de la Tierra en que todas las regiones tienen la misma hora local.

iceberg: gran trozo de hielo desprendido de un glaciar continental en la costa y que flota en el mar.

impermeable: término utilizado para describir las sustancias a través de las cuales el agua no puede moverse rápidamente; se opone a permeable.

ion: partícula cargada de electricidad.

ionosfera: parte inferior de la termosfera que se extiende desde 80 kilómetros hasta 550 kilómetros por encima de la superficie terrestre.

isla: masa terrestre pequeña completamente rodeada de agua.

latitud: medida de la distancia hacia el norte y hacia el sur del ecuador.

línea de cambio de la fecha: línea situada a lo largo del meridiano 180; cuando se cruza la línea en dirección oeste, se añade un día; cuando se cruza en dirección este, se resta un día.

litosfera: parte de la superficie terrestre cubierta de tierra; parte superior sólida de la Tierra.

longitud: medida de la distancia hacia el este y hacia el oeste del primer meridiano.

longitud de ola: distancia horizontal entre dos crestas consecutivas o dos senos consecutivos.

llanura: superficie terrestre plana que no se eleva mucho sobre el nivel del mar.

llanura abisal: gran zona plana del fondo marino.

llanura costera: zona baja y plana a lo largo de una costa (lugar en que la tierra se encuentra con el océano).

llanura interior: zona baja y plana situada en el interior de un continente; tiene una altura sobre el nivel del mar algo mayor que una llanura costera.

magnetosfera: zona que cubre la Tierra por encima de la atmósfera, y en la que actúa la fuerza magnética de la Tierra.

manto: capa de la Tierra situada directamente encima del núcleo exterior.

mapa: dibujo de la Tierra, o de parte de la Tierra, en una superficie plana.

mapa topográfico: mapa que indica las diferentes formas y tamaños de una superficie terrestre.

margen continental: zona en que el borde sumergido de un continente se encuentra con el fondo del océano.

meridiano: línea trazada entre los puntos en un globo terráqueo, o un mapa, que representan el polo norte y el polo sur geográficos de la Tierra.

meseta: zona terrestre amplia y plana que se eleva más de 600 metros sobre el nivel del mar.

mesosfera: capa de la atmósfera de la Tierra que se extiende desde unos 50 kilómetros hasta unos 80 kilómetros por encima de la superficie terrestre.

Moho: límite entre la capa exterior de la Tierra (corteza) y el manto.

montaña: formación natural del suelo que alcanza grandes elevaciones, con una cima, o cumbre, estrecha y lados, o laderas, escarpados.

prime meridian: meridian that runs through Greenwich, England

projection: representation of a three-dimensional object on a flat surface

relief: difference in a region's elevations

reservoir (REHZ-uhr-vwahr): artificial lake used as a source of fresh water

salinity (suh-LIHN-uh-tee): term used to describe the amount of dissolved salts in ocean water

scale: used to compare distances on a map or globe with actual distances on the Earth's surface

seamount: underwater volcanic mountain on the ocean floor

seismic (SIGHZ-mihk) **wave:** shock wave produced by earthquakes that travels through the Earth

seismograph (SIGHZ-muh-grahf): instrument used to detect and record P waves and S waves produced by earthquakes

shoreline: boundary where the land and the ocean meet

soft water: water that does not contain minerals

solution: substance that contains two or more substances mixed on the molecular level

solvent (SAHL-vuhnt): substance in which another substance dissolves

stratosphere (STRAT-uh-sfeer): layer of the Earth's atmosphere that extends from the tropopause to an altitude of about 50 kilometers

submarine canyon: deep, V-shaped valley cut in the rock through a continental shelf and slope

surface current: ocean current caused mainly by wind patterns

surface runoff: water that enters a river or stream after a heavy rain or during a spring thaw of snow or ice

surface zone: zone where ocean water is mixed by waves and currents

thermocline (THER-muh-klighn): zone in which the temperature of ocean water drops rapidly

thermosphere (THER-moh-sfeer): layer of the Earth's atmosphere that begins at a height of about 80 kilometers and has no well-defined upper limit

time zone: longitudinal belt of the Earth in which all areas have the same local time

topographic map: map that shows the different shapes and sizes of a land surface

topography (tuh-PAHG-ruh-fee): shape of the Earth's surface

trench: long, narrow crevice, or crack, along the edge of the ocean floor

troposphere (TRO-poh-sfeer): layer of the atmosphere closest to the Earth

trough (TRAWF): lowest point of a wave

tsunami (tsoo-NAH-mee): ocean wave caused by an earthquake

turbidity (ter-BIHD-uh-tee) **current:** flow of ocean water that carries large amounts of sediments

upwelling: rising of deep, cold currents to the ocean surface

valley glacier: long, narrow glacier that moves downhill between the steep sides of a mountain valley

Van Allen radiation belts: layers of high radiation around the Earth, in which charged particles are trapped

water cycle: continuous movement of water from the oceans and freshwater sources to the air and land and finally back to the oceans; also called the hydrologic cycle

water table: surface between the zone of saturation and the zone of aeration that marks the level below which the ground is saturated, or soaked with water

watershed: land area in which surface runoff drains into a river or a system of rivers and streams

wavelength: horizontal distance between two consecutive crests or two consecutive troughs

zone of aeration (ehr-AY-shuhn): relatively dry underground region in which the pores are filled mostly with air

zone of saturation (sach-uh-RAY-shuhn): underground region in which all the pores are filled with water

montaña submarina: montaña volcánica subterránea del fondo del océano.

necton: formas de vida marina que nadan

núcleo exterior: segunda capa de la Tierra que rodea el núcleo interior.

núcleo interior: capa interior sólida de la corteza de la Tierra.

oceanógrafo(a): científico(a) que estudia los océanos.

onda sísmica: onda de choque que viaja a través de la Tierra producida por los terremotos.

ozono: gas de la atmósfera terrestre formado cuando se combinan tres átomo de oxígeno.

paisaje: características físicas de la superficie terrestre que se encuentran en una zona.

paralelo: línea trazada de este a oeste en un mapa o globo terráqueo que atraviesa perpendicularmente un meridiano.

permeable: término utilizado para describir sustancias a través de las cuales el agua puede moverse fácilmente.

plancton: animales y plantas que flotan en la superficie o cerca de la superficie del océano.

plasticidad: capacidad de un sólido de fluir o cambiar de forma.

plataforma continental: parte relativamente plana de un margen continental cubierta de aguas poco profundas.

polaridad: propiedad de una molécula con cargas opuestas en los extremos.

precipitación: proceso por el cual el agua vuelve a la Tierra en forma de lluvia, nieve, aguanieve o granizo; tercer paso del ciclo del agua.

presión del aire: fuerza sobre la superficie de la Tierra causada por la fuerza de gravedad que atrae las capas de aire que rodean la Tierra.

primer meridiano: meridiano que pasa por Greenwich (Inglaterra).

proyección: representación de un objeto tridimensional en una superficie plana.

proyección de Mercator: proyección utilizada para la navegación en que se muestra la forma correcta de las costas, pero en que las formas de las masas de tierra y de agua lejos del ecuador resultan distorsionadas.

proyección equivalente: proyección en que se indica correctamente la superficie pero las formas resultan distorsionadas.

relieve: diferencia entre las elevaciones de una región.

salinidad: término utilizado para describir la cantidad de sales disueltas en el agua del océano.

seno: punto más bajo de una ola.

sismógrafo: instrumento utilizado para detectar y registrar las ondas P y las ondas S producidas por los terremotos.

sistema montañoso: grupo de cordilleras en una zona.

solución: sustancia que contiene dos o más sustancias mezcladas al nivel molecular.

solvente: sustancia en que se disuelve otra sustancia.

talud continental: parte del margen continental, al borde de una plataforma continental, en que el fondo del océano se hunde bruscamente 4 o 5 kilómetros.

termoclinal: zona en que la temperatura del océano baja rápidamente.

termosfera: capa de la atmósfera terrestre que comienza a una altura de unos 80 kilómetros y no tiene límite superior definido.

topografía: forma de la superficie de la Tierra.

troposfera: capa de la atmósfera más cercana a la Tierra.

tsunami: ola marina causada por un terremoto.

zona abisal: zona del mar abierto que se extiende hasta una profundidad media de 6000 metros.

zona batial: zona del mar abierto que comienza en un talud continental y se extiende unos 2000 metros hacia abajo.

zona de areación: región subterránea relativamente seca en que los poros están llenos principalmente de aire.

zona de saturación: región subterránea en que todos los poros están llenos de agua.

zona intermareal: región situada entre la línea de la marea baja y la línea de la marea alta.

zona nerítica: región que se extiende desde la línea de la marea baja hasta el borde de la plataforma continental.

zona profunda: región del océano de aguas extremadamente frías situada por debajo del termoclinal.

zona superficial: zona en que el agua del océano es mezclada por las olas y las corrientes.

Index

Índice

Cover Background: Ken Karp
Photo Research: Omni-Photo Communications, Inc.
Contributing Artists: Illustrations: Michael Adams/Phil Veloric, Art Representatives; Warren Budd Assoc., Ltd.; Kim Mulkey; Gerry Schrenk. Charts and graphs: Don Martinetti
Photographs: 4 Julie Houck/Stock Boston, Inc.; 5 left: Tom Van Sant/ Geosphere Project, Santa Monica/Science Photo Library/ Photo Researchers, Inc.; right: Colin Raw/ Tony Stone Worldwide /Chicago Ltd. 6 top: Lefever/Grushow/ Grant Heilman Photography; center: Index Stock Photography, Inc.; bottom: Rex Joseph; 8 top: NASA; bottom left: Kunio Owaki/Stock Market; bottom right: Leroy H. Manteli/ Stock Market; 9 Tony Stone Worldwide/ Chicago Ltd.; 10 and 11 DPI; 12 Ken Karp; 13 NASA/Omni-Photo Communications, Inc.; 14 top: David Muench Photography Inc.; bottom left: John Beatty/Tony Stone Worldwide/Chicago Ltd.; bottom right: Jose Carillo/Tony Stone Worldwide/Chicago Ltd.; 16 top: Roger J. Cheng; bottom left: NASA/Science Source Photo Researchers, Inc.; bottom center: US Department of Commerce; bottom right: Thomas Nebbia/DPI; 18 top center: Raymond G. Barnes/Tony Stone Worldwide/Chicago Ltd.; bottom center: Breck P. Kent/Animals Animals/Earth Scenes; bottom left: Manfred Kage/Peter Arnold, Inc.; bottom right: G.R. Roberts/Omni-Photo Communications, Inc.; 20 top: John Freeman/Tony Stone Worldwide/Chicago Ltd.; bottom: Steven Fuller/Animals Animals/ Earth Scenes; 22 left: David Muench Photography Inc., right: Richard Gorbun/Leo De Wys, Inc.; 23 top left: Photri/Stock Market; top center: Christian Bossu-Pica/Tony Stone Worldwide/Chicago Ltd.; top right: Michael S. Yamashita/Woodfin Camp & Associates; center and bottom right: Roger J. Cheng; 25 Galen Rowell/Peter Arnold, Inc; 26 left: Ron Dahlquist/Tony Stone Worldwide/Chicago Ltd.; right: Craig Tuttle/Stock Market; 27 NASA; 28 Tony Stone Worldwide/Chicago Ltd.; 30 top: Jonathon Blair/Woodfin Camp & Associates; bottom: DPI; 31 NASA/Omni-Photo Communications, Inc.; 32 National Oceanic and Atmospheric Administration; 33 left: David Scharf/Peter Arnold, Inc.; right: Patti Murray/Animals Animals/Earth Scenes; 34 William E. Ferguson; 35 Tony Stone Worldwide/Chicago Ltd.; 39 Oddo & Sinibaldi/Stock Market; 40 and 41 Norbert Wu/Tony Stone Worldwide/Chicago Ltd.; 42 David Muench Photography Inc.; 45 Tony Stone Worldwide/Chicago Ltd.; 46 top: Marc Romanelli/Image Bank; bottom left: Alex S. Maclean/Landslides; bottom right: Zig Leszczynski/Animals Animals/ Earth Scenes; 48 top left: Tom Bean/DRK Photo; top right: Kevin Schafer/Tom Stack & Associates; bottom: F.G. Love; 49 Tony Stone Worldwide/Chicago Ltd.; 51 Cindy Garoutte/PDS/Tom Stack & Associates; 52 Alvin Chandler & Emory Kristof/National Geographic Society; 53 Greg Vaughn/ Tom Stack & Associates; 54 Hachette-Guides Bleus; 55 Woods Hole Oceanographic Institution; 56 top and bottom: Manfred Gottschalk/Tom Stack & Associates; 57 top: Peter Parks/Oxford Scientific Films/Animals Animals/Earth Scenes; bottom: James D. Watt/Animals Animals/ Earth Scenes, 58 top left: Marty Snyderman; top right: James D. Watt/Animals Animals/Earth Scenes; bottom left: DPI; bottom right: Denise Tackett/Tom Stack & Associates; 59 top left: Lea/Omni-Photo Communications, Inc.; top right: Zig Leszczynski/Animals Animals/Earth scenes; center right: Anne Wertheim/Animals Animals/Earth Scenes; bottom left: Gay Bumgarner/Tony Stone Worldwide/Chicago Ltd.; bottom right: Pictor/ Uniphoto; 61 top left: Robert Frerck/Tony Stone Worldwide/ Chicago Ltd.; top right: DPI; bottom: Marty Snyderman; 62 top left: Norbert Wu/ Tony Stone Worldwide/Chicago Ltd.; right: Peter Parks/Oxford Scientific Films/Animals Animals/ Earth Scenes; bottom left: Oxford Scientific Films/Animals Animals/ Earth Scenes; 63 NASA; 65 Vince Cavatio/Allsport/ Woodfin Camp & Associates; 66 Laurence Gould/Oxford Scientific Films/ Animals Animals/Earth Scenes; 68 Kyodo News; 69 James N. Butler; 71 top: Ed Robinson/Tom Stack & Associates; bottom: Scott Blackman/Tom Stack & Associates; 72 top and bottom: Steve Kaufman/Peter Arnold, Inc.; 73 Julie Houck/ Stock Boston, Inc.; 78 and 79 Terry Donnelly/Tom Stack & Associates; 80 top: Ned Gillette/Stock Market; bottom left: David Muench Photography Inc.; bottom right: Craig Tuttle/Stock Market; 82 DPI; 83 John Lei/Omni-Photo Communications, Inc.; 84 left: Champlong/ Image Bank; right: Robert Knight/Leo De Wys, Inc.; 85 top left: Robert Semeniuk/ Stock Market; top right: David Scharf/Science Photo Library/Photo Researchers, Inc.; bottom: Jack S. Grove/Tom Stack & Associates; 86 left: Andy Deering/Omni-Photo Communications, Inc.; right: Richard Gorbun/ Leo De Wys, Inc.; 87 left: Thomas Ives/ Stock Market; right: Tom Stack/Tom Stack & Associates; 88 Hal Clason M. Photog./ Tom Stack & Associates; 89 Eric Kroll/ Omni-Photo Communications, Inc.; 90 left: Philip and Karen Smith/Tony Stone Worldwide/Chicago Ltd.; right: Doug Sokell/Tom Stack & Associates; 91 John Lemker/Animals Animals/Earth Scenes; 92 top left: William Means/Tony Stone Worldwide/ Chicao Ltd.; top right: Walter Bibikow/Image Bank; bottom: David Muench Photgraphy Inc.; 93 Uniphoto; 95 left: Jack Wilburn/Animals Animals/Earth Scenes; right: Thomas Höpkor/G & J Images/Image Bank; 98 Leif Skoogfors/Woodfin Camp & Associates; 99 left and right: Pedro Coll/ Stock Market; 101 top: Peter Menzel/Stock Boston, Inc.; bottom: Ken Karp; 102 Oddo & Sinibaldi/Stock Market; 103 J.B. Diedrich/Contact Press/Woodfin Camp & Associates; 107 Bill Bridge/DPI; 108 and 109 Tom Van Sant/Geosphere Project, Santa Monica/ Science Photo Library/Photo Researchers, Inc.; 110 top: Jana Schneider/ Image Bank; bottom: Bullaty Lomeo/ Image Bank; 112 Manfred Gottschalk/Tom Stack & Associates; 113 P. Vauthey/Sygma; 116 top left: Barbara Von Hoffmann/ Tom Stack & Associates; top right: Kerry T. Givens/Tom Stack & Associates; bottom left: Monty Monsees/DPI; bottom right: J. Alex Langley/DPI; 118 top: Uniphoto; center: George Catlin, *Chase with Bow and Lances*, oil on canvas, 1832. Granger Collection; bottom: Grant Heilman/ Grant Heilman Photography; 119 David Muench Photography Inc.; 120 C. Bonington/ Woodfin Camp & Associates; 121 and 126 NASA; 129 Illustration by Elisabeth Moore Hallowell, Granger Collection; 140 and 141 Michael Nichols/Magnum Photos, Inc.; 142 left: Paul X. Scott/ Sygma, right: Alexandra Avakian/ Woodfin Camp & Associates; 147 left: Woods Hole Oceanographic Institution; right: Alastair Black/ Tony Stone Worldwide/Chicago Ltd.; 148 David Muench Photography Inc.; 150 Omni-Photo Communications, Inc.; 151 top: E.R. Degginger/Animals Animals/Earth Scenes; bottom left: Dr. E.R. Degginger; bottom right: Runk/Schoenberger/Grant Heilman Photography; 152 Ken Karp; 156 and 157 Wolfgang Schüler; 158 Marty Cordano/DRK Photo; 159 Tom & Pat Leeson/DRK Photo; 160 left: Dave Davidson/Stock Market; right: Calvin Larsen/ Photo Researchers, Inc.; 164 Steven Fuller/ Animals Animals/Earth Scenes; 178 NASA; 181 E.R. Degginger/Animals Animals/Earth Scenes